W9-AXM-977

Виктор Суворов

ВЫБОР

Москва
АСТ
ИЗДАТЕЛЬСТВО
1999

УДК 882
ББК 84(2Рос-Рус)6-4
С89

Художник Ю.Д.Федичкин

Суворов В.
С89 Выбор: Роман.— М.: ООО «Фирма «Издательство АСТ», 1999.— 480 с.
ISBN 5-237-01398-8.

Сталинская разведка проводит секретные операции в преддверии Второй мировой войны. Действие романа переносится из Москвы в Мадрид, из Берлина в Париж, из кремлевского кабинета Сталина в изысканный отель на Балеарских островах, с борта советского лесовоза на великосветский бал на роскошном средиземноморском курорте...

УДК 882
ББК 84(2Рос-Рус)6-4

ISBN 5-237-01398-8

ВЫБОР

Посвящаю Клавдии Федоровне
и Степану Витальевичу

Пролог

— Минуту на размышление не даю. Требую мгновенный ответ без размышлений: вопрос — тут же ответ.

— Хорошо.

— Даже не мгновенный: требую, чтобы вы отвечали на мой вопрос, не дослушав его до конца.

— Пусть будет так.

— Вопрос будет не совсем обычным, но я должен услышать ответ еще до того, как успею вопрос полностью высказать.

— Понимаю.

— Мне нужен первый душевный порыв.

— Хорошо.

— Готовы отвечать?

— Готова.

— Итак, вы хотели бы стать королевой Испа...?

— Да, товарищ Сталин.

Глава 1

1

Лужи он больше не обходит.

Незачем. Ветер давно унес шляпу, а дождь вымочил его до последней пуговицы, до последнего гвоздика в башмаках. Вымочил сквозь плащ и пиджак. Вымочил так, что носовой платок в кармане — и тот выжимать надо. Хлещет дождь, а он идет сквозь ветер и воду. Он идет всю ночь, весь день и снова ночь.

Вымок он не только сверху вниз от макушки до пояса и ниже, но и снизу вверх — от подошв до пояса и выше. Обходи лужи, не обходи — без разницы. Он идет из темноты в темноту. Он идет, нахохлившись, голову — в воротник. Отяжелел воротник. Пропитался. С воротника за пазуху — струйки тоненькие. Если шею к воротнику прижать, то не так холодно получается. Вот он шею и прижимает к воротнику, согревая и ее, и воротник.

Ветру показалось мало одной только шляпы, потому норовит он еще и плащ унести. Терзает ветер сразу со всех четырех сторон. Нездешний ветер. Скандинавский. С запахом снега. Потому холодно.

Потому зубы стучали-стучали, да и перестали: скулы судорогой свело, не стучат больше зубы.

Дождь тоже не здешний, не берлинский. Длинные перезревшие капли с кристалликами внутри. Капли — не типа бум-бум, а типа ляп-ляп. По черным стеклам домов так и ляпают. А попав под ноги — шелестят капли, похрустывают. И только пропитав ботинок и отогревшись слегка, в обыкновенную воду те капли превращаются и чавкают в ботинках, как в разношенных насосах: чвак-чвак. Тяжелые, набрякшие штанины облепили ноги. Вода со штанов ручейками — какой в ботинок, какой мимо. А из мрака на него — страшные глаза: «Рудольф Мессер — чародей».

2

— Товарищ Холованов, что вам известно о человеке по имени Рудольф Мессер?

— Товарищ Сталин, это всемирно известный иллюзионист и гипнотизер.

— Это я знаю, а кроме меня это знает каждый. Я не желаю слышать от вас то, что знает каждый. Ваша работа — сообщать мне то, что никто не знает, то, что даже мне неизвестно.

— У меня такие сведения есть.

3

И с другой стены, из темноты, смотрят на вымокшего те же глаза: «Рудольф Мессер — чародей». И с третьей. Со всех стен Берлина чародеевы глаза темноту сверлят. Афиши в три этажа. Дождь по тем афишам хлещет. Рвет ветер водяные потолки с крыш, дробит их и в глаза чародею бросает, но только глаза магнитные в тусклом свете фонаря смотрят сквозь воду, пронизывая ее.

Вымокший остановился во мраке — струи по лицу, как по афише. Посмотрел себе под ноги, потом решился и глянул в чародеевы очи.

У-у, какие.

4

— А кто он по национальности, этот самый Рудольф Мессер?

— Он объехал весь свет. В любой стране — свой, везде — дома, любой язык ему родной. Происхождения он — темного. Последние месяцы живет в Берлине, но немцы его немцем не считают.

— Кем же его считают?

— Поляком.

— А поляки кем его считают?

— Русским, товарищ Сталин.

— В этом случае, кем же его считают русские?

— Чистокровный немец.

5

У огромных афиш «Рудольф Мессер — чародей» кое-где углы оторваны. Люди рвали, и ветер с дождем. И по огромным афишам то там, то тут — небольшие совсем афишки глянцевые: на алом фоне то же лицо, те же магнитного блеска глаза, только текст другой: «Рудольф Мессер — враг народа и фатерланда». А под портретом — цифра: единичка и много нулей.

Усмехнулся вымокший: дорого в гестапо людей ценят.

6

В Москве глухая ночь. В Москве тяжелый дождь.

Дождь со снегом. Вернее — не дождь, не снег, а среднее между ними: толстопузые капли с кристалликами внутри. Казалось бы, если обычные капли лупят, как в барабан, так эти, с кристаллами, и подавно должны дробь выколачивать. Так нет же — мягенько эдак по окну шлепают: шлеп-шлеп. Неестественных размеров капли, ненатуральных, как мичуринские груши в учебнике ботаники для пятого класса.

Когда-то очень давно голодный, насквозь промокший Сталин уходил по воде, по лужам. Уходил в никуда. Скрипели редкие фонари. Он уходил в темноту, туда, где нет фонарей. По пятам неслись чужие тени, догоняли. И холодный дождь шлепал по Сталину. Не барабанил, а именно шлепал, потому как капли были с кристаллами. Тогда Сталин рвался, как волк, рвался из западни и мечтал вырваться, уйти от погони, а еще мечтал о теплом очаге, о сухих башмаках, о бутылке старого кавказского вина и хорошем остром шашлыке, чтобы рот горел. Тогда же мечтал он о холодном дожде со снегом, о пронизывающем до костей ветре, только чтобы он, Сталин, при этом был под крышей у печки, а дождь чтобы ляпал по стеклам и ветер чтобы свистел соловьем-разбойником в трубе...

Сбылась мечта: никто больше за Сталиным не гоняется. Передушил Сталин всех, кто за ним когда-то гонялся, и всех, кто не гонялся, но мог бы гоняться. Свистит-ревет над Москвою ветер, из бездонной темноты валят валами тяжелые капли-снежинки, шлепают-ляпают в огромные черные кремлевские окна, злобствуют, а Сталина достать не могут. Не пробить им стен твердокаменных, не проломать стекол — тут такие стекла, что их и пулей бронебойной не прошибешь. Свисти же, ветер, в кремлевских трубах, злобствуй, как враг в расстрельной лефортовской одиночке!

Тихо и тепло у Сталина. Спит Москва. Сталин не спит. По углам кабинета мрак. Но теплый мрак. Добрый. Приветливый. На столе рабочем — лампа зеленая, и на маленьком столике журнальном — тоже лампа зеленая: два островка зеленого света в приветливом мраке. И ужин на двоих. По-холостяцки. Бутылка вина с этикеткой домашней, самодельной. Название — одно слово химическим карандашом, грузинским узором. Шашлыки огненные: половина мяса, половина перца. А кроме перца в шашлыке еще много всего огнедышащего, ешь да слезы вытирай.

Разговор — лесным ручейком по камешкам. А камешки острые попадаются.

— Как вам, товарищ Холованов, мой шашлык нравится?

— Чудо, товарищ Сталин.

— Товарищ Ленин говорил, что товарищ Сталин будет хорошим поваром, только в его блюдах будет слишком много перцу, с избытком.

— Товарищ Ленин тоже иногда ошибался.

— Нет, товарищ Холованов, товарищ Ленин ни когда не ошибался.

7

Спит Берлин. Под желтыми фонарями — островки света, а вокруг мгла: не пробивается свет сквозь туман и дождь. Уснул огромный прекрасный город. Утих. Светофор зеленым светом открывает путь всем желающим двигаться вперед.

Но желающих нет.

Прекрасен зеленый светофоров свет в густом тумане. Туман свету другой оттенок дает, словами невыразимый. Грустно, что никому той красоты видеть не дано. Один он, продрогший-вымокший, ею любуется. И совсем грустно оттого, что идти вымокшему надо, а идти некуда. Плохо ему оттого, что весь город огромный — для него вдруг чужим стал. Плохо ему оттого, что за мокрыми стенами — сухие, теплые комнаты, и там, в комнатах, под сухими простынями спят сухие люди, уткнув носы в пуховые перины.

Плохо человеку, у которого нет теплой, сухой комнаты и перины.

А еще вымокший знал: за этим скрипящим фонарем, за этой обклеенной мокрыми афишами тумбой, за этим углом облупленного дома его ждет беда.

Беда, с которой ему не совладать.

8

— Вам еще налить, товарищ Холованов?

— Нет. Спасибо, товарищ Сталин.

— Тогда к делу. Как идет подготовка испанской группы?

— Без срывов. Девочки усваивают программу вполне удовлетворительно.

— Выбор 13-го?

— Так точно, товарищ Сталин.

— Думаете, сможем выбрать достойную?

— Их шесть, а нам нужна только одна. У каждой свои сильные и слабые стороны, но одну из шести выбрать можно.

— А если группу увеличить?

— Учебная точка — на шесть кандидатов... В испанской группе — шесть...

— Пусть будет шесть... И одна запасная. А?

— Как прикажете, товарищ Сталин.

— Не приказываю. Смотрите сами. Мне достойный кандидат нужен...

— Запасную в группу ввести можно, но девочки в освоении программы далеко ушли. Сумеет ли новенькая догнать остальных?

— Эта сумеет. Вы же ее знаете.

9

Где-то далеко скрипит по рельсам загулявший трамвай.

Вымокший втянул в себя воздух, задержал дыхание, выдохнул глубоко и решительно повернул за угол.

Он всегда шел беде навстречу.

Сам.

10

— И в заключение, товарищ Холованов... Вы мне обещали рассказать что-то интересное про Рудольфа Мессера, что-то такое, чего я пока еще не знаю.

— Агентура докладывает: за Мессером охотятся американцы.

Встал Сталин, подошел к окну и долго смотрел на капли с кристалликами.

— Какие американцы?

— Военная разведка.

— И не могут поймать?

— Не могут. Его никто не может поймать.

— Вы сказали: никто... Разве кроме американцев за ним еще кто-то охотится?

— Британская разведка. Кроме того, абвер, гестапо, криминальная полиция.

11

Вымокший свернул за угол, и луч карманного фонаря ударил в глаза.

— Стой!

И второй луч сквозь частые капли:

— Кто такой? Документ!

У своей правой ладони ощутил он сквозь холодные капли горячее дыхание пса и клыкастую липкую пасть. Пес не коснулся его ладони, и пса он не видел, но всем своим существом понял: рядом. Не глядя на зверя (да и все равно не разглядишь ничего в темноте, когда два фонаря в очи), он однозначно определил: ротвейлер, сука.

Подоспел и третий фонарик, маленький, но яркий, и тоже в очи уперся:

— Как на Мессера похож! Мес-сер! Это сам Мессер! Ру-у-уки на стену!

12

— Странные вещи творятся у нас, товарищ Холованов. Американская разведка охотится за Рудольфом Мессером, британская разведка охотится за Рудольфом Мессером. А почему сталинская разведка не охотится за Рудольфом Мессером?

Глава 2

1

Раньше тут был монастырь. Теперь — Институт Мировой революции. Распахнулись стальные ворота. Въехала длинная черная машина. Вышел Холованов. Буркнул что-то. По монастырю пронеслось: Дракон был в Кремле, вернулся в состоянии повышенной лютости. Что сейчас будет...

2

Длинные капли дождя вдруг стали короче, белее, их очертания обозначились четко, они сбавили неумолимую скорость, прервали отвесный полет к земле, закружились вокруг фонарей, превратившись в неторопливые лохматые снежинки, и на славный город Берлин налетел-навалился густой снегопад.

А на левой руке чародея, иллюзиониста и гипнотизера щелкнул браслет. Щелкнул и на правой. Узорчатая снежинка упала на его рукав, его втолкнули в узкий, обитый жестью коридор берлинского воронка, и снежинка исчезла там вместе с ним. Тут же ударом резиновой дубины в печень направление его движения было уточнено: в отсек! Руки в браслетиках — колечко. В это колечко пропихнули-пропустили цепь с замком. И этот замок тоже щелкнул. Цепь гремящая к мощной балке приварена, а балка в стальную стену врезана, ввинчена, намертво к ней присобачена. И пса посадили напротив: если гипнотизировать вздумаешь, так начинай с нашего песика.

Отсек-закуток не одной дверью запирается, а двумя. Первая — из стальных прутьев, прутья черной лаковой краской покрыты, но там, где руки арестанта, краска черная стерта, и предшествующий серый слой тоже стерт до самого металла, а металл отполирован до сверкания тысячами арестантских ладоней. Вторая дверь — стальной лист с окошечком. Решетчатая лязгнула за ним, а вторую, сплошную, с окошечком, они не закрывали... Чтобы пес имел возможность арестанта всего созерцать, целиком. Чтобы лицо арестантское песьим дыханием согревалось.

Чтобы контакт не терялся.

3

Бросил Холованов мокрый портфель на стол, струйки с плаща — на каменный пол. Ходит из угла в угол. Плащ не снимает. Смотрит под ноги:

— Ширманова ко мне.

4

Воронок — на шесть персон, не считая охраны. Но везут одного. Остальные пять камер-загончиков пусты: ради такого арестанта подали персональный транспорт. А ведь все берлинские воронки сейчас заняты, все переполнены-перегружены, все работают на износ, планы перевыполняя. Самая работа: между четырьмя и шестью утра. Самый сон потенциальным арестантам. Самый момент брать! И берут. И набивают воронки до отказа. До упора. Они разные бывают, воронки, — с общей камерой и без, с одной общей и десятком персональных, есть вместимости ограниченной, а есть — безграничной, беспредельной. Ограниченной вместимости — для особо важных. Такой для него и подали. Вообще это вовсе и не воронок, а полицейский автобус с вынесенным вроде тарана двигателем-дизелюгой, с мощным буфером, с колесами самосвальными, с броневым козырьком на кабине водителя. Впереди — места для полиции, сиденья настоящей кожи, желтые, задняя же часть — для арестантов. Входить можно через заднюю броневую дверь с малым оконцем и решеткой прямо в арестантский коридорчик или через переднюю часть, через полицейскую, где сиденья мягкие.

Полицейскому автобусу для такого случая — три машины сопровождения.

Взвыли сирены. Замигали, ослепляя, синие фонари на кабинах. Рванул весело воронок в метельную ночь, прокладывая след по снежной целине. И машины охраны — за ним. Под снегом — вода, потому полетели из-под колес фонтаны черной жижи, комья водой пропитанного снега. Потому за машинами колея: белый снег — черный след.

5

И не нужно думать, что вот, мол, в Берлине дождь со снегом, а в Москве вроде уж ни дождя, ни снега. Нет, товарищи дорогие, и в Москве дождь, и тоже со снегом. Похлеще берлинского. А еще некоторые думают, что вот, мол, в Берлине аресты, а в Москве никаких арестов, что вот по Берлину воронки шастают, а по Москве вроде и нет. Ошибаетесь, милейшие, и по Москве шастают. Очень даже интенсивно. Любой Берлин позавидует. В Москве — аресты косяком. Аресты повальные. Массовочка. Кончается власть товарища Ежова. Нет ему больше почета. Нет ему любви всенародной. Близок конец. Только ему одному еще не верится, что близок. Его пока не берут. А вот его команду теснят-ущемляют. И берут его ребят без шума. Арестовывают тех, кто арестовывал, расстреливают тех, кто расстреливал.

Есть, правда, дела и более важные...

6

Заместитель директора Института Мировой революции товарищ Холованов после совещания с Самым Главным, получив ценнейшие указания, вернулся в состоянии видимого раздражения и первым делом (как все и предполагали) потребовал к себе на доклад начальника особой группы контроля товарища Ширманова.

— Товарищ Ширманов, как идет подготовка немецкой группы?

— Порядок.

— Французской?

— Без срывов.

— Испанской?

— Все нормально.

— Не ввести ли нам в испанскую группу запасную девочку?

— Учебная точка рассчитана на шесть человек...

— Ничего. Пусть будет шесть и одна запасная.

— Сумеет ли новенькая догнать остальных, сумеет ли усвоить все то, что девочки уже усвоили?

— Эта сумеет.

— Хорошо, завтра оформим.

— Теперь о главном. Товарищ Ширманов, что вам известно о человеке по имени Рудольф Мессер?

7

Если большую толстую половую тряпку хорошо вымочить в ведре и вытащить не выжимая, то с нее потечет вода. Потоком. Так и с чародея текло — как с большой половой тряпки. И по узкому коридору воронка, по полу отсека, по жесткой полированной холодной скамейке — вода. Грязная вода. И пар к потолку. Горячий пар собачьей пасти. Холодный пар его дыхания. Обильный пар промокшей одежды. Все оконца воронка мигом туманом занавесило, и тусклая лампочка под потолком утратила свои стеклянные очертания, обратившись желтым расплывчатым пятном.

До этого момента, до ареста, вода с него стекала, и одновременно его одежда пропитывалась-наполнялась новыми тяжелыми килограммами воды, теперь же наполнение прекратилось, вода только текла с него, но больше не рушилась на голову и плечи обильными струями. Холодный пар окутал пеленой. Он стал согреваться. Нет, не согреваться — не то слово: на улице ему было так холодно, что он перестал себя ощущать, теперь же в воронке он стал отходить, его понесло из одного состояния замерзания в другое, из замерзания бесчувственного в более безопасное, но более мерзкое состояние замерзания ощущаемого. Он ощутил себя — жалкого и мокрого. Судорога отступила, отпустила скулы. И зубы снова застучали-загремели.

Жестяные стены каморки-загончика все разом каплями покрылись от его испарения. И скамейка тоже. Скамейка, как и стены, как пол и потолок, жестью обита. Скамейка тоже отполирована до сверкания тысячами арестантских задниц. Скамейка узкая и низкая — ноги чуть не к подбородку, потому сразу затекают.

Только он этого не замечал. Он шел слишком долго, он устал. Потому арест принял как давно желанный отдых. Ему давно хотелось присесть и посидеть. Посидеть, отдохнуть. Ему давно хотелось пить, ему хотелось сухой рубахи и чистых носков, ему хотелось горячей воды и мыла, ему хотелось бритвы, его душил голод. А еще ему хотелось спать. Черт с ним, что арестовали! Даже хорошо, что арестовали! Каждый, кто ждал ареста, знает это чувство исцеляющего облегчения: все! совершилось! больше не надо бояться. Теперь можно спокойно спать.

Пока он не повалился на железную скамью, сознание его не сдавалось усталости, не признавало ее, а тут вдруг усталость навалилась холодным, лохматым, раненным в бок, вымокшим в ноябрьском болоте сибирским мамонтом и подмяла.

Потому ни взвывшая сирена, ни собачий рык, ни рывок воронка в белую черноту уже не могли разбудить его. Голова лишь чуть отвалилась от жестяной стенки и тут же об нее и стукнулась, не нарушив безмятежного сна ее владельца.

Ему снилась метель, миллиарды огромных резных снежинок в черном небе. Он знал и во сне повторял, что самая большая измеренная и официально зарегистрированная снежинка имела в поперечнике 132 миллиметра — шире человеческой ладони. Во сне он рассматривал снежинки и сортировал их по десяти основным типам. По типам сортировать легко, но внутри своего типа — все они разные. Именно так основную массу людей легко разделить на расы, но внутри расы двух одинаковых попробуйте отыскать... Он искал две одинаковые снежинки, зная, что все они разные, как отпечатки пальцев.

Он искал две одинаковые, в твердой уверенности, что таких не бывает.

8

Командир спецгруппы Ширманов отметил в вопросе Холованова официальные нотки, и сам потому отвечал, вставляя в обращение слово «товарищ»:

— Товарищ Холованов, Рудольф Мессер — всемирно известный иллюзионист и фокусник.

— Вы мне, товарищ Ширманов, не рассказывайте то, что знают все.

— Нам известно, что за ним охотится британская военная разведка, американцы, несколько немецких организаций: абвер, гестапо...

— А не кажется ли вам, товарищ Ширманов, что тут у нас, в Институте Мировой революции, творятся странные вещи? Гитлеровская разведка охотится за Мессером, британская охотится, американская охотится, а почему сталинская разведка за Рудольфом Мессером не охотится?

Скрипнул Ширманов зубами.

9

Вы не пробовали будить чародея?

Уставшего чародея.

Вот и я не пробовал. А берлинской полиции выпало. Это вовсе не просто. Чародей провалился в пучину сна. У него мозг не такой, как у нас с вами. Он живет рядом, но только в другом мире. И все у него наоборот, не как у нас, людей нормальных. Он думает не так, на мир смотрит иначе, а уж спит, ясное дело, особым способом, набираясь магических сил и страстей.

Как его будить? Вылить на него ведро ледяной воды? Он и так водой пропитан. Бить палкой по плечам — не действует (а бить его палкой по голове никто почему-то не решился). И тогда на него спустили собаку. Ротвейлера. Суку.

10

Есть два способа ставить задачу подчиненным. Первый способ — ефрейтор передает солдатам приказ вышестоящего: старшина приказал красить забор! В этом случае ефрейтор как бы отстраняется от процесса принятия решения и постановки задачи.

В этом случае ефрейтор как бы сам ставит себя на один уровень со своими подчиненными: я человек маленький — мне приказали, а я вам передаю, т. е. и вы и я — исполнители чужой воли.

Второй способ — любой приказ, спущенный с головокружительных высот, превращать в свой собственный, отдавать его от собственного имени, не ссылаясь на вышестоящие инстанции и их волю: будете, падлы, забор красить! Я так хочу! Я так приказал! Я так повелел! Такова моя воля!

Не мне обсуждать плюсы и минусы этих методов, скажу только, что личный пилот и телохранитель товарища Сталина, заместитель директора Института Мировой революции Холованов Александр Иванович, агентурный псевдоним — Дракон, действовал всегда только вторым способом. Холованов-Дракон не говорил, что товарищ Сталин приказал поймать Мессера, вовсе нет, сталинскую волю Холованов превращал в свою собственную и действовал только от своего имени: мне нужен Рудольф Мессер! Подать чародея! Где Рудольф Мессер?! Поймать и доложить!

И даже не так. Ставить задачу типа «поймать и доложить» умеет каждый. Подчиненный на это через полгода ответит: доставить не удалось, так как не смогли поймать, а не смогли поймать, так как не смогли найти, а не смогли найти, ибо...

Потому приказ надо отдавать не только от своего собственного имени (больше уважать будут и подчиненные, и начальники), но и в форме вопроса. Одно дело: приказываю выкрасить забор! Другое — а разве забор еще не выкрашен?

В первом случае подчиненные будут выполнять (если будут) только то, что приказано. Во втором случае им предоставлена широчайшая инициатива действий — сами все делать обязаны. Сами себе работу должны находить. Командир только от случая к случаю интересуется: а разве оружие еще не вычищено? А разве траншея не вырыта? А разве город еще не захвачен? Кто персонально в этом виноват?..

В первом случае командир вынужден обо всем думать сам, все помнить, все учитывать, обо всем подчиненным напоминать. Во втором случае он заставляет своих подчиненных обо всем думать, все помнить, все делать без напоминаний, своими вопросами-приказами командир только доворачивает их рвение в нужное ему направление.

О Рудольфе Мессере Холованов никогда не разговаривал со своими подчиненными и задачу на его поимку не ставил. Даже в форме вопроса. Ничего страшного. Сами думать должны. Сами должны инициативу проявлять, испрашивать разрешение на поимку и докладывать об исполнении.

Холованов сел, а начальник особой группы вытянулся перед ним. Ситуация: никто из подчиненных Холованова задачу на поимку Рудольфа Мессера сам себе поставить не догадался, потому Холованов теперь был вынужден такую задачу ставить. И он ее поставил в своей обычной форме короткого напористого допроса. И в каждом вопросе — не выраженное явно, но вполне отчетливое обвинение в измене Родине и великому делу Мировой революции:

— А разве вы еще не поймали Рудольфа Мессера? Удивительно. А разве Рудольф Мессер не сидит у нас в подвале? Странно. Разве вы не можете вот сейчас его разбудить и пригнать в мой кабинет? Это более чем странно. А кто, товарищ Ширманов, виноват? Вы лично не виноваты! Ну конечно, вы не виноваты! А кто же виноват? Может, я виноват? А? Я виноват? Ах, и я не виноват! И на том спасибо. Кто же тогда? Кому из своих подчиненных вы поставили задачу на поиск и поимку Мессера? Ах, вы никому такую задачу не ставили... Так и запишем. А чем, собственно, вы занимаетесь в своей группе? И не кажется ли вам...

Страшные слова о вредительстве не были еще произнесены, но на кончике Драконова языка они уже вертелись, как чертенята у сковородки с грешниками, приплясывая.

11

Стены тюремные — полтора метра добротной кирпичной кладки. Хорошо раньше строили. Надежно. Пять тюремных коридоров — лучами от центра. Один надзиратель не сходя с места может видеть сразу все коридоры, все пять. И все четыре этажа. Каждый коридор — ущелье. Стеклянная крыша над ущельем (не беспокойтесь, стекло и снизу, и сверху стальными сетями прикрыто), стеклянный же купол над центром, к которому коридоры сходятся. Двери камер — рядами, вдоль каждого ряда — галерея, над нею еще одна и еще. Так что сразу все двери видно. На всех галереях. На всех этажах. И считать хорошо: один ряд — 25 камер, над ними галерея и еще 25, еще галерея и еще. Справа сто камер в четыре яруса и слева сто. Один коридор — двести камер. Пять коридоров — тысяча.

Чисто в тюрьме. Тихо. Гулко. Особенно к утру гулко, когда уборщиков к рассвету по камерам разогнали, когда надсмотрщики притомились, когда ночная смена следователей дежурство сдала, когда вопли подследственных попритихли. Полы — огромные красные и белые квадраты. Вырезаны аккуратно, до сверкания вымыты и натерты. И в уголках у плинтусов — ни пылиночки, ни сориночки, ни грязиночки. Какой-то кайзер тюрьму выстроил, не то Фридрих, не то Вильгельм. Денег не пожалел. Рассудил по-немецки: дешевая работа дороже обходится — если положить по коридорам какой-нибудь дрянненький пол, так потом его каждые сто лет менять придется. Так уж лучше раз положить, но чтоб навсегда. И повелел так пол мостить, чтоб никогда не стерся, чтоб никогда новый не настилать. Потому и положили плиты гранитные. Все кончится, истекут все времена, а пол тот останется, не истереть его и миллиону поколений германских зеков. Вымрут люди, как динозавры и мамонты, а тюрьма еще долго стоять будет, чтобы воцарившиеся после людей обезьяны здесь, посреди развалин и выросшего на развалинах дремучего леса, устраивали бы свои сборища и водили по гранитным полам свои обезьяньи хороводы.

А пока тут обитают люди. Люди в черном. И люди в полосатом. Полосы по три пальца шириной: белые и серые. А на голове — шапочка элегантная, тоже полосатая. Очень даже красиво: огромные красные и белые плиты пола, хоть в шахматы играй, а по этим плитам скользят фигуры двух цветов, черные и полосатые. Если бы серые полосы с полосатой одежды убрать, то одежда стала бы белой, и полная аналогия получилась: пол в шашечку и фигуры двух цветов — черные и белые, двигай одних прямо, других — по диагонали, третьих — буквой «Г».

А если бы в тюрьме галереи обвить гирляндами цветов и в центре фонтан устроить, то очень бы она на огромный универсальный магазин походила, с лесенками, мостиками и переходами, без окон наружу, но со стеклянными крышами и куполом. «Если вы потеряли друг друга, встречайтесь в центре у большого фонтана». А если бы двери камер отпереть, если бы в камерах разместить маленькие магазинчики, если бы черных и полосатых переодеть в цветное...

Но не додумался никто двери камер отпереть и в центре фонтан учредить. Потому чародея волокли не мимо журчащего фонтана, а мимо будок надзирателей. Его тащили, как пойманного барса, на растяжках: кожаный ошейник и стальные тросики к одному надзирателю и к другому — если бросится на одного, другой удержит.

А по коридорам, по караульным помещениям и подсобкам, по кабинетам и камерам, сквозь полутораметровые стены скользнула весть: Мессера поймали!

И через десятиметровую внешнюю стену, через колючую проволоку, через ролики, провода и трансформаторы высокого напряжения, мимо караульных вышек и наблюдательных постов, мимо прожекторов, недремлющих псов и бдительных часовых скользнула весть в огромный спящий город, укрытый снежной периной: гестапо не дремлет, Мессера поймали!

12

Есть еще один командирский секрет. Умный командир гнет линию по одному параметру — указывает подчиненным, ЧТО надо делать. Но не указывает, КАК.

Если командир начинает указывать, как надо делать, то указаниями своими сковывает инициативу подчиненных и берет на себя ненужную ответственность за последствия. Про то, КАК надо делать, пусть думают сами подчиненные. Путь у них головы болят. Если командир не указал способов выполнения задачи, то в случае неудачи он окажется прав: да, я приказывал это делать, только надо было действовать иначе, с умом.

— В общем, так, Ширманов, расстрелять тебя немедленно мне врожденная доброта мешает. Понял? Даю тебе последнюю возможность. Бери любые средства, любую агентуру, все дам, но Мессера мне достань. Из-под земли достань. Понял? Если его какая-то разведка утащила, так ты из звериной пасти его вырви и мне сюда поставь, на этот вот коверчик. Понял?

Ширманов прохрипел невнятно.

И тогда Холованов вопрос повторил:

— Спрашиваю, понял?

— Понял.

— Неделя на поиск. Неделя на похищение. Неделя на доставку. Через три недели Рудольф Мессер должен быть тут. Если через три недели он не появится в Москве, ты кончен. Может быть, он сам чудом тут объявится, тогда ты спасен. А сейчас поднимай свою группу. Работай. Каждый день — на мой стол отчет о проделанной работе. Понял?

— Понял.

— Удивляюсь своей доброте: даю тебе три недели на спасение твоей же шкуры. (На черта она мне нужна, твоя шкура?) Иди и спасай ее. Надейся только на себя и на чудо. И помни слова товарища Сталина: чудес не бывает.

Глава 3

1

Профессия у него интересная и редкая: палач-кинематографист. Палачей на планете видимо-невидимо — как собак нерезаных. И кинематографистов — столько же. А вот палачей-кинематографистов очень даже немного. И профессии вроде бы смежные, и встречаются часто палачи с кинематографическими наклонностями, как и кинематографисты с палаческими, но все же найти специалиста, который бы в равной мере сочетал в себе качества талантливого палача-новатора и одаренного кинематографиста, вовсе не так просто. Потому палачей-кинематографистов уважают и ценят. Их труд щедро оплачивают, им оказывают почет и уважение.

В узких, понятно, кругах.

Ясное дело — его никто никогда не называл палачом-кинематографистом. Должность именуется — исполнитель. Более официально — исполнитель приговоров. А уж совсем официально — исполнитель приговоров, кинематографист. Через запятую.

А для своих — Вася.

2

Вторым делом в берлинских тюрьмах — санобработка. Чтобы вшей в тюрьму не занес.

А первым делом — бьют.

Чародея толкнули в большую высокую камеру без окон. Стены — белый кафель, как в операционной. А пол — цемент. Удобно — после процедуры включил напор и водой из шланга кровь смывай.

По углам четверо.

С дубинами.

Они не учли двух моментов....

3

А для своих — Вася.

Для тех, кто помоложе, — дядя Вася.

Последние годы Вася все больше на вязании работал, потому чаще его называют Васей-вязателем. И работу кинематографиста не забывал, потому его еще Васей-киношником зовут.

Много дяде Васе-киношнику работы — по Москве аресты валом идут. Арест — не палаческое дело, не палачу-виртуозу таким недостойным делом заниматься. Но нет выхода — Москву чистить надо. Потому палачей, которых пока расстреливать не надо, товарищ Сталин бросил на аресты палачей, которых надо именно в данный момент срочно расстрелять. Потому дядя Вася, палач-кинематографист, брошен на низменную, грязную, недостойную его высокого ранга работу, на аресты.

А тут еще съезд партии.

4

Они не учли двух моментов.

Во-первых, чародей Рудольф Мессер, пока его везли, спал. Он спал совсем немного, но даже небольшой отдых частично восстановил его силы...

Во-вторых, тут не было собаки...

Чародея толкнули в центр камеры. Толкнули с умением, с годами отработанной точностью: двое из коридора толкают в дверь, третий внутри камеры подставляет ногу, и лети через ногу мордобойца прямо туда, где пол снижается к прикрытой решеткой яме. И четыре дубины взлетели над ним.

Но чародей успел в падении прикрыть лицо ладонью и крикнуть: «Не бейте меня!»

5

В Москве XVIII съезд ВКП(б) — Всесоюзной Коммунистической партии (большевиков). Партия — союз единомышленников. Съезд партии — форум лучших людей страны. Утро. Кремль. Гремят куранты. Лучшим людям страны — почет. Понятное дело — и безопасность им обеспечена. От нее никуда. Потому для общего блага, чтобы все вместе не взорвались от принесенного врагом заряда, каждого делегата индивидуально обыскивают, вежливо, но тщательно. Делегаты предупреждены: все оставить в гостинице, иметь в кармане только партбилет. Такие требования выполняются с энтузиазмом — правильно товарищ Сталин делает, не все ведь враги еще выкорчеваны, и среди делегатов съезда может один отыскаться... пронесет в зал авторучку, та ручка и грохнет — все лучшие люди страны разом взорвутся. Что тогда со страной будет? Так что — только партбилет. В партбилет, как ни крутись, заряд взрывчатки не вмонтируешь, а если и вмонтируешь, то не очень мощный.

В принципе, делегату съезда партии ничего в карманах иметь и не надо: кормят делегата сытно, поят обильно. Вечерами — концерты. Все бесплатно. Все без денег. Можно с пустыми карманами ходить. Как при коммунизме.

При входе в зал каждому делегату — чудесной работы блокнот для записей и авторучку. Где такую еще найдешь! Ручки дивные — красные и голубые, выбирай любую. И чернила всех цветов. Где такое увидеть можно, чтобы авторучка зеленым цветом писала! И перья любой толщины, любой мягкости. И названия авторучкам разные: «Москва», «Прогресс», «Пятилетка», «Индустриализация»; и фирмы-изготовители разные: «Завод имени Сталина», «Парижская коммуна», «Ф-ка им. Горького».

Радуется делегат: съезд завершится, а ручка в кармане останется. Всей Сибири на удивление. И блокнот тоже. И еще делегаты радуются: скоро весь советский народ такими ручками писать будет — производство уже налажено, только на всех пока не хватает.

Чудесным авторучкам — сразу применение: все о делегатах известно, но перед входом в зал заполни, делегат, анкету еще раз, чтобы мандатная комиссия подвела итоги и объявила в завершение съезда, сколько среди делегатов мужчин, сколько женщин, сколько рабочих, сколько крестьян, а сколько прослойки — трудовых интеллигентов. С гордостью объявит мандатная комиссия съезду, а потом всей стране, всему миру, сколько в числе делегатов участников Великой Октябрьской социалистической революции, а сколько — Гражданской войны, сколько орденоносцев, сколько членов партии с дооктябрьским стажем, сколько — с послеоктябрьским...

В вестибюле — интересные знакомства, оживленные беседы. Нашла власть советская чабана за облаками. Чабан в халате. В таком виде и доставили. Тоже делегат. Никогда в жизни человек со своей горы не спускался. Никогда облаков снизу не видел, всегда на облака только сверху взирал. Вот такой и нужен. Нашла его власть наша родная, с горы спустила. По-русски он не понимает. Это не беда. В нашей многонациональной родине говори на любом языке. Кому надо, поймут. Делегат с горы — лучший из лучших, потому ему государственные проблемы решать. Руку надо поднимать. Вместе со всеми. Обступили чабана командиры Красной Армии, рассказ на непонятном языке слушают о том, как баранов выращивать.

6

Крикнул чародей, чтобы не били. И его не били.

Сел чародей на пол, потер ушибленный локоть, осмотрел искусанную собакой руку и приказал:

— Врача.

7

В Большом Кремлевском дворце песни гремят, туркменский товарищ в бубен бьет, девки-хлопкоробки в азиатских штанах азиатские же танцы вытанцовывают, в зале журналисты суетятся, блещут вспышки магния, журчат кинокамеры, успокаивают, баюкают...

Демократия полнейшая. С перебором. Выборы нового состава Центрального Комитета совершенно тайные. Каждому делегату — список кандидатов. Из списка можешь вычеркнуть любого. Мало того — вместо вычеркнутого можешь вписать любого, кто нравится. Кого хошь. Не просто можешь, но обязан вписать в список своего избранника. Если вычеркнешь одну фамилию, а вместо вычеркнутого никого не впишешь, то бумага эта считается недействительной: а то ведь всех можно повычеркивать, кто тогда страной будет править? Так что, вычеркивая одного, вписывай другого.

Молоденький чекист-выдвиженец из Тайшетлага, представляющий интересы сибирских большевиков, недоверчиво кабинки для голосования щупает: где фотоаппараты спрятаны? Если каждый будет вычеркивать кого вздумается и вписывать кого захочется, то куда же это мы протанцуем? Неужто товарищ Сталин не контролирует процесс выборов? Неужто не заботится о будущем составе Центрального Комитета? Неужто вожжи отпустил?

Ощупывает чекист кабинки, мол, добротно сделано, а сам удивляется: фотоаппаратов действительно нет. Некуда их всобачить, кабинки — реечки полированные да сатин красный, весь просвечивается, фотоаппарат вставить не умудришься. С другой стороны, прикрывает тот сатин зачеркивающего-пишущего... Так что... Заходи в кабинку и вычеркивай кого хочешь... Вписывай... Чудеса, да и только...

8

Побежали за врачом. Послали за дежурным надзирателем. Погнали машину за начальником тюрьмы.

Чародей сидел уже не на полу, а на кем-то принесенной табуретке и командовал:

— Позовите того, с собакой.

Позвали.

— Собаку убей. И возвращайся сюда.

— Есть!

Четверо с палками не скучали — чародей им приказал обработать того, который в воронке усердие проявил, чародея в печень двинул. Четверо с палками уточнили: как бить? Отвечал: как всегда новоприбывших обрабатываете. Усомнились: так это же зверство! Чародей успокоил: ничего, разрешаю...

И собаковода, прибежавшего с докладом о выполненном приказе, чародей на растерзание отдал тем четверым с дубьем, приказал собаковода обработать в соответствии с общепринятым стандартом: коротко, интенсивно, вкладывая душу.

Много отдал чародей приказов, и, подчиняясь ему, был вскрыт следственный корпус, и в огромной тюремной кочегарке охранники метали в пламя тугие папки. Повинуясь приказу, главный надзиратель, гремя ключами, отпирал камеры, а внешняя охрана — тяжелые ворота. Правда, узники не спешили воспользоваться свободой. Так уж коммунисты устроены: если дали свободу, но не поступило приказа ею пользоваться — не пользуются. И коммунисты остались в своих камерах. Социал-демократы — тоже. Немецкая дисциплина не позволяет социал-демократу из гитлеровской тюрьмы бежать. А вот урки берлинские себя просить не заставили, мигом сообразили, что Мессер берлинской полиции урок преподаст. Суть урока: не надо чародеев, гипнотизеров и фокусников в тюрьмы сажать, дороже обойдется. Преподать же урок в лучшем виде можно, отперев камеры и ворота. Потому, как только скользнула по сонной тюрьме весть, что Мессера поймали, урки встрепенулись, бросили карты, у дверей камер столпились в ожидании, когда ключи и двери загремят. Ждать совсем недолго пришлось: замки щелкают, засовы-задвижки лязгают, двери гремят и каблуки арестантские стучат.

Разбегаясь, братва берлинская и общегерманская надзирателей не била и тюрьму спалить не норовила — скорее подошвы унести, кому знать, когда ворота захлопнутся. Потому — ухватить пальтишко в каптерке или шинель надзирателя, прикрыть на спине полосы тигриные и бегом в переулки, подвалы, притоны. До рассвета успеть. А там ищи-свищи... Но, пробегая мимо канцелярии, братва, внутренним чувством зная, что Мессер где-то рядом, орала ему благодарности и приветствия: «Чародей! Век не забудем! Чародей, если кого подрезать надо, так только свистни!»

9

У съезда партии есть видимая сторона, фасадная, так сказать, и невидимая сторона — организационная. Трудное это дело съезд организовать. Сколько сделать надо! Каждую мелочь упомнить! Те же авторучки. Где такие достать? Только на гнилом Западе. Людишек в Лондон погнали, те заказали что нужно. Буржуины, понятное дело, упираются-кочевряжатся, заказа понять не могут. Они ручки любого цвета, любой формы в любых количествах продать могут. Только им важно, чтобы на ручке было написано «Parker», а нам это как раз и не подходит, нам надо, чтобы на ручке «Заря Востока» значилось. Упираются буржуины: у них производство налажено-настроено, на каждую ручку при изготовлении они свой штамп лепят, а перестройка производства дорого обойдется. Ничего, наши в ответ, за перестройку платим. Во что бы ни обошлась. Снова упираются: мы выпускаем лучшие в мире ручки и не можем допустить, чтобы наш продукт под другой маркой был выпущен. А наши отвечают, что надо совсем немного, что из великой страны рабоче-крестьянской те ручки никогда не выйдут, что мы в области ширпотреба вам не конкуренты, все равно вашего «Паркера» у нас никогда не будет. Ладно, говорят буржуи, только это дорого обойдется...

Вот это другой разговор! Уж мы за ценой не постоим.

Но это не все. Получив те ручки, на каждую надо карточку завести, каждой номер присвоить, с каждой характеристики снять: заправлены зелеными чернилами, яркость чернил... толщина пера... микроскопические дефекты пера... и пр. и пр. Потом ту ручку делегату вручат: зачеркни, товарищ дорогой, кого хочешь в списке. Можешь самого товарища Сталина зачеркнуть, если тебе товарищ Сталин не по нутру, а уж экспертиза установит, что зачеркнула великое имя ручка номер 1241.

И чтобы не перепутать, строжайший учет организован, кому какую ручку дали (своей-то у делегата нет, об этом позаботились при обыске). Учет организован так: первым, допустим, регистрировался делегат Кружкин, вот тебе, товарищ Кружкин, ручка № 1. Кружкину и в голову не придет, что у ручки номерок есть в общем каталоге. Оно и хорошо, что в голову делегату такие мысли не приходят. И камера фиксирует, кому какую ручку дали. Радостно эдак камера стрекочет, и оператор радостный. И посланец народа горд — вот его для истории запечатлели, в момент регистрации делегатов исторического съезда.

Понятно, в кадрах кинохроники трудно будет различить детали, и все же не зря закупили ручки семи разных форм. Потом кадры хроники и каталоги ручек сопоставят, чтобы путаницы не произошло. И любые детали, любые подробности пригодятся...

10

Чародей сидел уже не на табуретке, в кресле начальника тюрьмы, слышал грохот арестантских подков и благодарственные вопли, блаженно улыбался, отдавая короткие распоряжения:

— Гиммлеру про меня не докладывайте.

— Слушаюсь, не докладывать.

— Нет, нет. Я не приказываю. Просто вам не следует торопиться — доложите, что поймали меня, а потом конфуз выйдет. А я тут, как сами понимаете, не задержусь, поем, обсушусь и уйду. Где, кстати, мой обед?

11

Но делегаты могут ручками поменяться! Один любуется чудо-ручкой и другой любуется. Давай, первый говорит, махнем!

Что будет, если делегаты, не понимая великого смысла, ручками поменяются?

Не бойтесь. Предусмотрено. Кинокамеры не дремлют, фиксируют. И много среди делегатов скользит темного народа, тоже якобы делегаты, но поди ж ты разберись, кто делегат, а кто нет. И там, куда кинокамера своим зорким глазом не заглядывает, в женский туалет, к примеру, там девушка-узбечка-хлопкоробка в азиатских штанах у огромного зеркала переплетает сто десять своих косичек...

И все видит.

Ей же не зря столько косичек придумали. И зеркало во всю стену — тоже не зря.

Но в конце концов и это не главное. Графологическая экспертиза — вот козырь. Зачеркни, товарищ, любого делегата в списке. И любого впиши. Не важно, кого впишешь, хоть самого Троцкого, важно — своей рукой. Впиши кого хочешь, тем самым автограф свой оставь, а уж ребята из Института Мировой революции тебя вычислят. Образцы почерка каждого собраны давно, да еще при регистрации каждый собственноручно анкету заполнял якобы для мандатной комиссии. Ребятам Холованова остается только почерк, которым ты мерзкое имя в список внес, сравнить с почерком твоей анкеты. А уж графологи свое дело крепко знают. Не ошибутся.

Вычисление зачеркнувших идет независимо сразу по многим линиям: эксперты по ручкам свое заключение дают, эксперты по почерку — свое, есть и другие эксперты... Каждая группа работает независимо от других. Потом результаты будут сопоставлены, если вскроются расхождения, работа будет продолжена. Есть методы...

И не надо думать, что вычисляют только тех, кто имя товарища Сталина зачеркнул. Вовсе нет. Всех вычисляют. Вот кто-то зачеркнул фамилию нового главы НКВД товарища Берия. Кто же на такое решился? А решился не кто иной, как любимец Лаврентия Павловича Берия директор Норильского металлургического комбината НКВД СССР товарищ Завенягин. Вай, как интересно. Вместе — друзья-товарищи, водой не разольешь, а как до тайного голосования доходит... Товарищ Сталин аж подпрыгнул, такое услыхав. Главное теперь, чтобы товарищ Берия случаем не пронюхал, какой у него любимец. Пусть товарищами остаются.

А Завенягину характеристика: старый чекист Завенягин все чистки прошел, все контроли, и вот тебе на — в демократию поверил, бдительность потерял, правом вычеркивать решил воспользоваться... Бывают же дураки на свете! Таких беречь надо. И на нужные посты расставлять.

А может, шаг такой вовсе не глупостью продиктован? Что это, отчаяние? Предсмертный протест? Расчет? Расчет на что?

12

Бани в тюрьмах Берлина — уж больно хороши. Чистота ослепительная, свет мягкий, воздух свежий, жар отменный. Сначала — мощный душ, потом чародея размяли-расправили, еще раз в душ поставили, после того — сухая парилка огнедышащая. С пивом. Пиво в маленьких зеленых бутылочках, бутылочки в бадье деревянной, во льду. Много бутылочек.

Чтобы меня превратно не истолковали, оговорюсь: баня такая — не для всех. И даже не для всех надзирателей. Баня для вышестоящего руководства — для начальника тюрьмы и тех, кто его проверять уполномочен. Баня влеплена между внешней стеной и кочегаркой. За внешней стеной — не улица берлинская, а еще одна тюрьма. Женская. Они как бы две разные тюрьмы, но под единой администрацией, с общими на две тюрьмы хозяйственными службами, чтобы две прачечные не держать или два рентген-кабинета. Потому тут, в районе командирской бани, втертой меж других строений, две тюрьмы как бы в единое целое сливаются.

Вот туда наш чародей и попал. Его почему-то быстро из разряда арестантов перевели в разряд проверяющих. Порядок в Берлине установлен крепкий — проверяющие могут нагрянуть в любое время дня и ночи. Потому в любое время дня и ночи баня та (не то чтобы спрятанная, но в официальный перечень тюремных помещений не вписанная) находится в десятиминутной готовности к приему любой комиссии. Только ворота растворяются, только машины комиссии в тюремный двор вкатываются, а тут в бане пары быстренько поднимают до соответствующих высот. И аттракционов в бане подготовлено на любой вкус в изобилии. И много в той бане разнообразных удовольствий вкусить дозволяется...

Банщик тюремный, доложу я вам, особая порода рода человеческого. Как попадают в банщики тюремные, мне знать не дано. Знал бы как, сам бы банщиком бутырским заделался. Но не знаю, потому низменным трудом сочинителя перебиваюсь.

Так вот: даже немецкие тюремные банщики и те чародея уважали.

— Отчего же его не застрелят?

— Так ведь пули мимо него летят.

— Кто же главнее, папа наш, начальник административно-хозяйственной части, или чародей какой-то?

— Сдается мне, чародей главнее. Может такое быть, что он главнее и самого начальника тюрьмы.

Присвистнули: если так, то его по полной программе развлекать надлежит, с девками-затейницами.

Но чародей спешил. Ограничился пивом. И пил немного. Только для утоления жажды. И повторял про себя: «Не уснуть! Не уснуть! Не уснуть!»

13

А что делать, если делегат съезда, воспользовавшись правом тайного голосования, вычеркнул великое имя из списка, но другого не вписал, автографа своего не оставил? Нельзя же одну черту автографом считать, и эксперты по почерку не помогут. Полагаться только на выводы тех, кто микродефекты ручки будет искать?

Нет, товарищи. Экспертиз несколько. И самая главная (куда от нее уйдешь?) — экспертиза пальчиков. Список кандидатов — на чудесной бумаге. Бумага из Швеции доставлена. Да не простая бумага — среди сотен сортов хорошей бумаги выбрали такую, на которой лучше всего пальчики пропечатываются. Как на стеклышке. Но ведь в типографии, когда списки печатали... Вот как раз нет. В особой ведь типографии списки печатали. Печатали с понятием. И в

Кремль доставляли с понятием. И раскладывали по столам, опять же, — с осторожностью. Так что на момент выдачи списка делегату никаких отпечатков на листе нет. Теоретически на списке могут оказаться только пальчики товарища делегата — получил список, вычеркнул одного, вписал другого и в урну бросай. В чужие руки тот лист не попадет. И тут перед урнами избирательными соответствующие товарищи зорко смотрят за порядком. Главное, чтобы чужая рука листочек не лапнула.

Ну а девушка смешливая с парашютным значком, которая делегатам листы раздает, ее пальчики тоже останутся?

Этот момент учтен. Объясняю: во-первых, девушка — своя. Если бы ее пальчики и отпечатались, то разобраться легко: вот ее пальчики, а вот твои, товарищ делегат. Но не оставляет девушка отпечатков. Подушечки ее розовых пальчиков прозрачным лаком «S-4» покрыты. Из Франции лак доставлен. Работает она без перчаток, а отпечатков не оставляет.

Так что, если какому-нибудь выдвиженцу-выскочке ударит в голову хмель полудетского озорства, если черкнет по великому имени, автографа не оставив, то все равно никуда ему не деться: до своей Сибири не доедет. Туда шифровку шарахнут, мол, как быстрорастущий, как делегат съезда, получил ваш боевой товарищ новое назначение на секретную работу, с намеком, вроде в шпионы.

Но попадет он не в шпионы, а в другое место. Жизненный поток понесет его совсем в другую сторону.

И вряд ли тот поток правильно называть жизненным.

Глава 4

1

Дядя Вася-вязатель, он же — Вася-киношник, знай себе ручку крутит, делегатов радостных снимает. Голосуйте, дорогие товарищи, зачеркивайте кого нравится, вписывайте кого хочется... Много вас таких было. На предшествующих съездах. Дядя Вася вот так же всех вас и снимал, уважаемые. К примеру, на прошлом съезде, на XVII. Делегаты тогда, как и сейчас, тоже прикидывались честными гражданами. Надо признаться, со стороны так и казалось. Представлялось, что все они (или в большинстве своем) — наши родные советские люди... А что оказалось? Оказалось, что почти поголовно съезд предыдущий был вражеским, шпионским, предательским и вредительским. Больше половины делегатов вскоре перестрелять пришлось. Многих, ох, многих дядя Вася потом повторно снимал. Но уже индивидуально. В камере смертников. Интересно хронику старую крутить: вот голову гнут делегатскую, вот делегат сапог палача лижет, вот он, гад, кричит, что товарища Сталина страсть как любит, что жизнь готов отдать... Ну и отдай. В чем проблема? Сапог-то зачем слюнявить?

Ах, как товарищ Сталин такие кадры смотреть любит. По многу раз без перерыва. А потом заказывает тех же врагов показывать не в расстрельном коридорчике, а на съезде: вот они — гордые, пузатые, надутые, в орденах, вот они в президиуме восседают, вот с трибуны речи кричат. Сейчас-то сразу видно: вон тот орденастый, ну конечно же, враг, вон какая у него улыбочка сладенькая. Но тогда, на прошлом съезде (дядя Вася честно себе в этом признается), его подозрение падало на отдельных типов, но никак не на большинство. Смотрит Вася кадры старые, своей наивности дивится: ну как же вон того усатого не распознал — глаза-то, глаза у него вражеские. А усищи какие распустил! Ну ведь видно же! А разве вон у того на морде не написано, что шпион? Даже не маскируется! Ишь, прищурился. Смотришь кадры старые — дрожь по телу: товарищ Сталин один, а вокруг него враги стаями так и вьются, так и мечутся. И по глазкам их плутовским видно: заговоры плетут, планы вынашивают!

А потом на том съезде предыдущем выборы были. Точно как сейчас. Кого же враги выбрать могли? Понятное дело, врагов и выбрали, шпионов выбрали англо-японских и польско-турецких, вредителей выбрали. Весь почти Центральный Комитет шпионским оказался. Дядя Вася как сейчас помнит: всего выбрали на том съезде 71 члена ЦК и 68 кандидатов. Должен дядя Вася всех их помнить. Потому как клиенты. Или — потенциальные клиенты. Совсем немного времени прошло, а из тех членов и кандидатов уже 111 арестованы. И редко кто еще цел. У товарища Сталина чутье на врагов. Он их насквозь видит.

Чувствует дядя Вася, что из того состава ЦК скоро 112-го брать будут. Завенягина Авраамия Павловича, директора Норильского металлургического комбината НКВД. Все к тому клонится. При Ягоде великими стройками коммунизма руководил? Руководил. При Ежове возводил? Возводил. Значит, в расстрельный подвальчик пора. И 113-го из того состава время приспело брать. Ежова Николая Ивановича. Так вырисовывается: член Центрального Комитета, секретарь ЦК, кандидат в члены Политбюро, народный комиссар водного транспорта и бывший народный комиссар внутренних дел.., а его даже делегатом нового съезда не выдвинули.

Значит, скоро...

2

Берия Лаврентий Павлович, новый глава НКВД, приказал перекрыть коридор сейфами. Из кубиков-сейфов стальную стеночку в коридоре сложили-возвели-соорудили: две амбразуры для стрельбы и узкий проход между сейфами — только одному пролезть-пропихнуться. А пропихнувшись, упрешься в другую стеночку из таких же сейфов, в еще одну узенькую амбразуру упрешься, в ствол пулеметный. Проходы в стальных стенках друг против друга не приходятся, потому, протиснувшись (если позволят) в одну щель, поворачивай в малый лабиринт, а уж потом протискивайся в другую щель.

Охрана с пулеметом «ДП» — в коридоре перед стенкой, еще охрана с собакой в лабиринтике меж двух стенок и еще охрана за второй стенкой. Окна коридоров и начальственных кабинетов деревянными щитами изнутри заколочены. Три резона тому: во-первых, невозможно прицельно в окна стрелять, во-вторых, граната в окно не влетит, а в третьих, при внешнем взрыве осколки стекла по кабинетам и коридорам не полетят, не поразят обитателей коридорных и кабинетных.

Щиты на окнах из свежих досок сколочены. Сквозь щелочки — лучики солнечные. Но основной поток света щиты сдерживают. Потому лампочки Ильича, изготовленные в Швеции фирмой «Эриксон», в коридорах и в кабинетах не гаснут.

От щитов сосновых — пьянящий запах смолы, запах зимней тайги, запах лесоповала, запах Кармурлага.

3

Николай Иванович Ежов двинул левой. Стакан скользнул, на мгновение завис на краю стола и грохнулся об пол. По звуку — вдребезги. Интересно, пустой был или?.. Обратил Николай Иванович свой взор на стол, и сознание его зафиксировало факт: пустой. Правой рукой ощупал стол перед собою — другой стакан нужен. Другого под рукой не оказалось, не прощупалось. Мелькнуло: можно из горла... Скривился от такой мысли пакостной: не таков Николай Иванович Ежов, чтобы из горла лакать! И вообще! Мы еще посмотрим! Посмотрим, чья возьмет! Рванул воротник, чтоб не душил. Звезды маршальские на петлицах пощупал. Сначала на левой петлице, потом на правой...

Николай Иванович Ежов был народным комиссаром внутренних дел — НКВД. Потом товарищ Сталин по совместительству ему еще работу подбросил — народным комиссаром водного транспорта — НКВТ. Потом с НКВД товарища Ежова турнули, остался он только в НКВТ. Но звание — Генеральный комиссар государственной безопасности — осталось. Не сняли с него звания. Так он и ходит по наркомату водного транспорта в форме Генерального комиссара с маршальскими звездами. И деньги ему, как у нас принято, платят отдельно за занимаемую должность водного наркома, кроме того, за звание Генерального комиссара, хотя к делам НКВД он последнее время отношения не имеет.

4

Вход в кабинет товарища Берия — только по вызову. Любого обыщут в коридоре до самой последней нитки. Так вызываемых и предупредили: лишнего не иметь. Придет время, и товарищ Берия будет в Москве в открытом лимузине разъезжать, демонстрируя врагам, что не боится никого. Но не пришло пока то время. Сейчас авгиевы конюшни НКВД почистить надо. А народ в НКВД нервный и вооруженный. Потому коридор перекрыт. Потому в решето превратят любого, кто без приглашения в коридор начальственный нос сунет. Не подступиться врагам. И отравить нового шефа никому не выгорит: прямо с Кавказа прибыл и на запасных путях Курского вокзала замер личный поезд товарища Берия, с надежной охраной, с поварами, с запасом продовольствия, со всем необходимым для работы и отдыха.

Но нет времени на отдых, нет времени на пьянку. Работает товарищ Берия. Потому готовят ему в поезде и на машине под конвоем обеды-ужины на Лубянку доставляют. Суп в кастрюльке, как из Парижа: откроют крышку — пар, которому подобного нельзя отыскать в природе. Лубянским-то поварам какое доверие? Лубянские — пока еще ежовского выбора. Всех менять надо.

И утехами некогда товарищу Берия себя услаждать. Женщины из его обслуживания в безделье погрязли, в вагоне запертые. Не до них. Чтобы со скуки не умерли, товарищ Берия приказал им ленинский «Материализм и эмпириокритицизм» изучать. Занят Лаврентий Павлович. Никаких утех, никакой пьянки, никаких женщин. На Лубянку с собой только трех взял — обед подать, нарзану налить, тарелки убрать.

5

Приказ: высшему командному составу НКВД личное оружие сдать. До особого распоряжения.

Но не помогает приказ.

Оружие личное сдали, но у каждого чекиста высшего набора дополнительно припасено (сколько врагов за двадцать лет каждый настрелял!); при каждом расстреле, при каждой конфискации удивительные вещички попадались. Для коллекции. И револьверы, и пистолеты в том числе.

И еще у каждого чекиста почетного оружия припрятано: «Доблестному бойцу против гидры контрреволюции... От Председателя РВС». За Ярославль. За Муром. За Тамбов. За Батайск. За крымский расстрел. За ростовский. От товарища Троцкого. От Тухачевского. От Антонова-Овсеенко. От Бухарина. От Зиновьева. Кто это оружие учитывал? Так и лежит в сундуке. И пусть лежит. Только ориентироваться надо — дарственные таблички сдирать в тот самый момент, как даритель свою вражескую сущность проявил...

По мере выявления и истребления врагов сдирали товарищи чекисты серебряные таблички с дареных пистолетов. И вот пришла пора — сами в ту же вражью стаю вписаны. Едет поутру большой чекистский начальник на Лубянку. Едет, не знает, вернется ли к жене-красавице, к детишкам малым. Едет работать. Да только может он так там на работе и остаться. И выражение такое пошло: сгорел на работе.

А Лубянка вроде для такого разворота событий и придумана: тут тебе и кабинеты начальственные, тут тебе и камеры пыточные, тут тебе и подвал расстрельный. Из кабинета — в подвальчик. Чтобы ножки не натрудить — лифт устроен. Вызывает товарищ Берия начальников-ежовцев на беседу. А с беседы не все в кабинеты возвращаются. Вместо них новыми людьми Лубянка восполняется. Новыми начальниками. Бериевцами.

Так что пришла пора ежовцам дареным оружием пользоваться. И пользуются: стреляются в кабинетах. Стреляются на дачах. Стреляются на квартирах.

Еще мода пошла в окошки прыгать. Прямо на Лубянскую площадь. Под ноги рабочим и крестья-

нам. В пору хоть сети цирковые под окнами натягивай и лови.

Пошла мода среди чекистов ежовского разлива на работу приходить и окошки чуть приоткрывать. Вроде для вентиляции. И модно среди них весь день рабочий все больше по верхним этажам ошиваться.

Это нехорошо. С этим бороться надо.

Потому не только аресты на Лубянке, но и награждения.

Достал товарищ Берия коробочку со значком «Почетный чекист», перед собой положил. И посыльному: товарища Аказиса вызывайте.

Все предусмотрели, все учли. Товарища Аказиса утром на входе обыскали, мол, выполняешь ли приказ личного оружия с собой не носить? Установили — приказ выполняет товарищ Аказис, оружия не носит. А до того, ночью, в кабинете товарища Аказиса — негласный обыск. Даже и сейфы вскрыли. Нет оружия. После того — вызов. Но перед самым вызовом к товарищу Аказису заглянула в кабинет секретарша. По пустяку. Удостоверилась: окна закрыты. И посыльный проинструктирован: если к окну бросится — не позволить окно открыть. Еще проинструктировали посыльного дополнительно: вызывая товарища Аказиса в кабинет товарища Берия, улыбочку корчи послаще! Потому как не на расстрел товарища Аказиса вызывают, а для получения награды.

6

Лист чудесной бумаги. Хрустит как денежка. Просвечивается. В правом верхнем углу — «Пролетарии всех стран, соединяйтесь!» Чуть ниже — список тех, кого партия считает достойными войти в новый состав ее Центрального Комитета. Стопку листочков Холованов отложил в сторону, а этот перед собой оставил — при тайном голосовании на этом листе кто-то из списка вычеркнул нового главу НКВД товарища Берия.

Экспертиза установила: вычеркнуто ручкой номер 413. Эта ручка выдана делегату съезда Завенягину А.П.

Независимая графологическая экспертиза дала свое заключение: Завенягин.

Дактилоскопическая: Завенягин.

Наружное наблюдение: Завенягин.

Экспертиза №7: Завенягин.

Личное дело Завенягина Холованов кладет на сталинский стол.

Товарищ Сталин все знает про товарища Завенягина. Но дело листает еще раз.

...Завенягин Авраамий Павлович, родился 14 апреля 1901 года... Член партии с 16 лет... Возглавлял уездный комитет... окружной... политотдел дивизии... Давил мятежи... Проявил себя... Брошен в индустрию... В 30 лет — директор Магнитки — Магнитогорского металлургического комбината. Руководил энергично. Проявил большевистскую твердость и решительность. Пощады не знал. В подчинении имел 35 000 заключенных, 12 000 охраны и вольных. Строил Магнитогорск при любом морозе. При сорока и ниже. На строительстве Магнитки погибли 27 000 заключенных... По мере расхода рабочей силы получал новую... Строительство завершил досрочно... На предыдущем XVII съезде партии нарком тяжелой промышленности Серго Орджоникидзе воспевал трудовой подвиг строителей: «Магнитку ведут товарищи Завенягин и Клишевич — два наших молодых инженера и вместе с ними вся молодежь, которая там работает. Они ведут и вели Магнитку и в 40-градусные морозы, и вели неплохо...» На том, прошлом, съезде Завенягин попал в число 68 кандидатов ЦК... После того Клишевича — молодого инженера, который в 40-градусные морозы вместе с Завенягиным вел Магнитку, расстреляли... За вредительство... Серго Орджоникидзе, который воспевал трудовой подвиг Завенягина и Клишевича, сгорел на работе... Так работал, что даже на самоубийство сил не хватило. Пришлось помогать...

А Завенягин за умение строить сталинскими темпами на 40-градусном морозе брошен за Полярный круг на строительство Норильского комбината. В его подчинении теперь 107 000 заключенных, 34 000 охраны и вольняшек... Завенягин добывает никель. Завенягин добывает нефть. Завенягин добывает уголь. Хорошо добывает. Железный человек Завенягин — морозов не боится. Морозы ему нипочем и преграды любые — нипочем.

Но пришла пора и Завенягина... того. Идет волна очистительная — ликвидация ликвидаторов. Построены гиганты социалистической индустрии, а после работы рабочее место надо убирать. Следы заметать надо. Потому судьба Завенягина решена. В число делегатов нового XVIII съезда партии Завенягин попал потому, что видимость нужна: вроде не всех делегатов прошлого съезда перестреляли, вот смотрите — один сохранился! Даже улыбается... Но скоро и его очередь. Кончится съезд, отгремит... Понятно, в избирательных списках его фамилии нет... Прошлый раз попал в число кандидатов ЦК, теперь имя Завенягина в списках снято. Конченый человек. По проторенной дорожке, дорогой товарищ Завенягин, — вперед и вниз... В подвалы. Там ждут.

Судьбу Завенягина Сталин решил, приказ отдал, дело Завенягина уже в архив легло, с тысячами дел истребленных врагов... Но...

Доложил Холованов товарищу Сталину, что Завенягин на съезде партии во время тайного голосования вычеркнул фамилию товарища Берия, фамилию главного чекиста, фамилию своего нового шефа.

Это непонятно. С этим надо разобраться...

7

Все предусмотрели. Но переиграл посыльный — слишком сладенько товарищу Аказису улыбался. Потому товарищ Аказис окно не открывал. У него все заранее рассчитано было. Только раскрылась дверь, только сверкнула зубастая улыбка посыльного, товарищ Аказис рванулся к окну. Не тратя времени попусту, не разбазаривая драгоценные мгновения на открывание, пошел ледоколом сквозь стекло. Сквозь двойное. Ломая его в хрустящие кусья, раздирая сверкающую брызжущую преграду пальцами, ладонями, локтями, грудью, лицом...

8

Съезд партии завершен. Прогремел «Интернационал» с переливами. После «Интернационала» — большой обед. Потом — большой концерт. А в перерывах — снова песни гремят, снова бубен бьет, снова девки в штанах танцы вытанцовывают. В огромном зале — макет Дворца Советов. К моменту победы Мировой революции дворец ввинтят в московское небо. Это будет самое высокое здание мира — 500 метров. На макет смотришь — голову задираешь, а как в натуре смотреться будет! Победа Мировой революции близка. Строительство дворца уже начато. Котлован уже роют. Можешь в Кремле на макет любоваться, ввысь вознесенный, или выйди из Кремля и в котлован заглядывай. Это уже не макет. Это жизнь реальная.

Поют делегаты, пляшут, радуются — будет война! Самое главное впечатление от съезда, оглушающее впечатление — воевать будем! Совсем скоро. Потому радостно всем. Потому любуются делегаты макетом, пританцовывая. В тюбетейках делегаты, в ватных халатах. А казаки — в черкесках с серебряными газырями. А металлурги — в орденах, как фельдмаршалы. И шахтеры радуются-приплясывают. Шахтеры на съезде, как принято, — с отбойными молотками на правом плече. А доярки — с ведрами.

В перерывах — интереснейшие встречи. Знатные люди страны обмениваются опытом. Оленеводы в мехах беседуют со сталеварами. Лесорубы — с пахарями. Писатель товарищ Шолохов с пером ходит, в перерывах присядет на ступеньку и главу книги напишет. Это ему просто дается: десять минут — и глава новая. Не задумываясь. А поэт Симонов прямо на ходу стихи про войну сочиняет. Про то, как в грядущей войне Красная Армия будет Кенигсберг штурмовать:

Под Кенигсбергом на рассвете
Мы будем ранены вдвоем...

Напишет стишок, отвлечется, с делегатами планами творческими делится.

Все это называется термином особым — «В кулуарах съезда». Такая в газетах рубрика. И встречи те незабываемые расписывают журналисты-писатели, по стране разносят. Получается, вроде вся страна наша огромная в радостном ожидании войны собралась-столпилась там, в кремлевском дворце, рассказы лучших своих людей слушает. Вот интересный человек — и сразу вокруг него делегаты стадом. Он историю расскажет. А тут еще один знатный человек — тогда вокруг него кружок слушателей. Знаменитый полярный летчик товарищ Холованов рассказывает делегатам, как на полюс летал, по морозу трескучему. Директор Норильского комбината товарищ Завенягин рассказывает, как он на том же полярном морозе добывает стране никель и медь. Удивились делегаты, в ладоши захлопали и к другому интересному человеку — послушать рассказ о том, как он за прошедший год срубил на огромных пространствах и вывез к портам три миллиона кубометров ценных пород древесины, проложил в тундре семьсот километров железнодорожных путей, построил десяток угольных шахт и теперь уголек Родине гонит.

От одного рассказчика группа — к другому. Как рыбки в подводном царстве — р-р-раз, и все разом развернулись искрящейся серебристой стайкой. А возле товарища Завенягина одна слушательница молоденькая, с парашютным значком, чуть задержалась и, глядя куда-то в сторону, весело кому-то улыбаясь, приказала:

— Пройдите в комнату 205.

9

Закрыл товарищ Берия коробочку со знаком «Почетный чекист». В ящик стола сунул. Следующему пригодится. Если в окно не выпрыгнет.

А товарища Аказиса жалко. Лаврентий Павлович Берия жалостливым был. Хороших работников ценил. И жалел. Аказису большое будущее готовил. Из всех центровых ежовцев одного Аказиса товарищ Берия планировал оставить живым. И возвысить. Наверное, забыл товарищ Аказис, что сегодня ровно двадцать лет его работы в органах. Наверное, не ждал в такой день награждения и повышения. А может, и вправду уругвайским шпионом был, как о нем болтали? Если совесть чиста, пошто в окно ринулся?

10

Парашютная девушка произнесла слова тихо, но отчетливо. Произнесла, как боевой приказ. Произнесла в уверенности в безусловном себе подчинении. И отошла к другой группе слушать, как молодые энтузиасты, комсомольцы-добровольцы, на Колыме золото добывают.

Улыбнулся Завенягин. Улыбнулся улыбкой сильного, уверенного в себе человека, улыбкой оптимиста-полярника, который готов давать Родине все, что прикажет, который готов любой ценой строить мосты и дороги, заводы и рудники.

А сердечко сжалось. Выдохнул глубоко, но сдержанно, чтобы внимания не привлечь: раньше надо было стреляться. Пока в комнату 205 не позвали. Был Завенягин инженером, знал математику, любил вычисления. Попав на прошлом съезде в кандидаты ЦК, статистику завел на своих собратьев — таких же кандидатов, как и сам, ревниво следил, кто из них на повышение пойдет... Ревновать не получилось. Из 68 кандидатов ЦК на повышение пошли только шестеро, двое на своих постах остались... Остальные с горизонта стерлись, не мелькают больше. На основе простого анализа установил Завенягин, что и ему самому недолго осталось ждать приглашения пройти в комнату с каким-то там номером... Потому и решил сам в смерть уйти, приглашений не дожидаясь. Да все как-то откладывал. А какие возможности были! Директор Магнитки всегда при себе два пистолета имеет — один на ремне, другой, маленький, во внутреннем кармане. Как же директору металлургического комбината без пистолетов? А в Норильске ему по службе, кроме роты охраны и укрепленного неприступного особняка на скале, полагалось иметь личного оружия арсенал целый. Как же никель добывать без оружия? Какие возможности были красиво застрелиться! Теперь поздно. На съезде партии не то что пистолета в кармане иметь не положено, но и собственной авторучки. Жизнь Завенягину кончать надо. Но как?

Приказала девчонка пройти в какую-то комнату 205. Не знает Завенягин, что его ждет в этой комнате. Но догадывается. Погасла улыбка оптимизма на лице, затравленным зверем на окна кремлевские оглянулся-покосился. Не выйдет: у каждого окна — по паре шахтеров. С отбойными молотками на широких плечах. Вроде посмеиваются, вроде о своем болтают, опытом трудовым делятся. Но к окнам не допустят. И стерегут они окна не от какого-то абстрактного самоубийцы, а от Завенягина. Ибо знают: ему приказ передан. И от каждого окна — Завенягину улыбки радостно-оптимистические, мол, жизнь прекрасна и удивительна, и не надо в окошко прыгать, дорогой товарищ. Не позволим. Не допустим.

Девчонка же парашютистка, приказ передавшая, слушает рассказ усатого кавалериста, как он в 1920 году польских панов под Варшавой бил. Смеются слушатели. Как не смеяться, все знают: земля дрожала от Замостья до Варшавы, когда паны бежали от Красной Армии. А Красная Армия развернулась и победным маршем домой пошла. Зачем ей Варшава? Решили тогда Варшаву не брать. Но панам тогда дали! Ух, дали! Век не забудут. Наверное, и сейчас паны дрожат, как Замостье вспомнят!

Понимает Завенягин — это только физически девчонка от него далеко, вроде отдала приказ и отошла, но если разобраться, она с ним рядом. И рассказ про бегущих панов ей интересен, но только пока Завенягин приказу подчиняется, а если не будет, она интерес к рассказу потеряет и Завенягиным займется.

Знает Завенягин: он в ее поле интереса. Она его из своей зоны внимания не выпустила...

11

— Не спать! — сам себе командовал Рудольф Мессер. — Не спать!

Он знал, что во сне беззащитен. За двое суток ему удалось поспать всего немного, в воронке. Огромные дюжие банщики трут его мочалками, косточки правят, а в голове чародеевой звон. Хочется чародею послать все к черту и закрыть глаза всего на мгновение и так их держать закрытыми. Совсем недолго. Всего минуту.

12

На высоком посту наркома водного транспорта Ежов обнаружил странную особенность — ему вдруг перестало денег хватать, несмотря на то, что и за должность платят, и за звание. Давным-давно он знал о существовании денег и сильно в них нуждался, а потом как-то все больше от денег стал отвыкать. Не требовались деньги. Все само собой без них выходило.

Но сняли его с НКВД, и уже на следующий день обнаружил, что деньги все еще в силе, что деньги надо иметь с собой, причем невыразимую уймищу.

13

От ванны чародей отказался. Ванна расслабляет. Душ бодрит. Потому — душ, душ, душ.

Щеки его распаренные брил тюремный цирюльник. Из коммунистов. Из тех, кому бежать в метельную ночь, в неизвестную тревожную свободу из теплой тюремной бани никак не пожелалось.

Коммунисту чародей повелел: с бритвой осторожнее. И коммунист слушался.

Легко другим приказывать. А как отдать самому себе такой приказ, чтобы подчиниться? И команда такая простая: «Не спать!»

И так трудно эту команду выполнить.

14

Закрутился-замучился командир спецгруппы Ширманов.

Вести из Берлина. Много вестей. Агентура в Берлине работает. Только с сообщениями разобраться трудно. Потому как — разнобой. Если все сопоставить, выходит, что чародей Рудольф Мессер выступал в Берлине. Как всегда, с ошеломляющим успехом. Фокусы показывал, публику ответами на вопросы тешил. Ему из зала какой-то вопрос крикнули...

До этого места сообщения агентуры в общих чертах совпадают. Однако когда выясняешь, какой именно вопрос чародею задали, то разные агентурные сети и разные агенты дали тридцать два разных варианта.

Мессер (тут все сообщения совпадают), не задумываясь, ответил на вопрос...

А после опять путаница начинается. Агентура сообщала массу ответов... И все разные. Возможных вариантов вопроса сообщили более тридцати, а возможных вариантов ответа агентура собрала больше ста. Весь Берлин болтает про чародея, про его выступление, про вопрос и про ответ. Проблема: с кем в Берлине ни заговори, каждый чародея видел, каждый на его представлении был, на том самом... Каждый клянется-божится, что сам лично слышал... И каждый свое рассказывает. Тут еще гестапо запретило про чародея болтать. Слухи, понятное дело, после такого запрещения весь Берлин переполнили через край — только про чародея и болтают. А еще афишки развесили с большой суммой за чародееву голову. Сумма больно привлекательная. Так о чем же народу германскому болтать, как не о деньгах, которые ждут того счастливца, что чародея на улице опознает...

Так что много сообщений.

Поди разбери, какое правильное...

15

Самое главное в спецпоезде товарища Берия — бронеплощадка.

Так повелось, что бронеплощадку представляют открытой. Вот тут вы, золотые мои, и обмишурились. Бронеплощадка — это закрытый, полностью бронированный вооруженный вагон бронепоезда. На четырех осях. От бронепоезда один вагон броневой отцепили и впереди бериевского локомотива прицепили. Вооружение бронеплощадки — одна орудийная башня от танка Т-35 и две маленькие башенки. В орудийной башне — пушка 76-мм и три пулемета (курсовой, кормовой и зенитный), да еще по одному пулемету в каждой пулеметной башне. Кроме того, три ручных пулемета: на вынос или для стрельбы через амбразуры. Экипаж бронеплощадки — 12 человек.

За бронеплощадкой — паровоз. За паровозом вагоны пассажирские: первый — для охраны и двух паровозных бригад, второй — для радиостанции, радистов, шифровальщиков и телеграфистов. Третий — для товарища Берия. Четвертый — ресторан и кухня, пятый — женский, для обслуживающего персонала. И в самом конце — платформа для двух легковых машин и пяти мотоциклов.

Комендант спецпоезда капитан государственной безопасности Мэлор Кабалава вызвал к себе начальника Курского вокзала и приказал указать место для поезда.

Много требований к такой стоянке: станция огромная, так вот должен стоять спецпоезд где-то в сторонке, чтобы внимания не привлекать. Лучше — если между двух составов, которые никуда не уйдут, которые спецпоезд собой прикрывать будут.

Начальник станции понятливым оказался, кивнул, место указал — в глухом тупике, на ржавых рельсах, бурьяном заросших, меж двух грязных ремонтных поездов, в которых какие-то лентяи-ремонтники спят непробудно, как московские пожарники в 1812 году. Нет нигде крушений — им и делать нечего.

Меж двух ремонтных поездов капитан государственной безопасности товарищ Кабалава свой спецпоезд и загнал. Поезда ремонтные — грязные, обшарпанные. Это для маскировки хорошо. Собой они, чумазые, сверкание бериевского спецпоезда заслоняют. Ремпоезда — почти вымершие, ремонтники — не то чтобы сонные, а все больше пьяные. Пьяные, но тихие. Не буянят, не орут. Им и дела никакого до спецпоезда товарища Берия нет. Ремонтники мозгами своими, мазутом забрызганными, даже и сообразить неспособны, какой важности поезд меж их поездов поставлен.

16

Какой вопрос задали Мессеру в берлинском цирке и какой он дал ответ, в настоящее время выяснить не представляется возможным. Однако картина вырисовывается ясно: был какой-то вопрос из зала и был какой-то ответ чародея. Ответ не понравился... Не по вкусу пришелся.

Далее снова идет разнобой агентурный, разные источники свое сообщают. Докладывают одни, что тут же в цирке чародея и арестовали... Этот вариант казался самым правдоподобным, но опровергнут был просто — агент по кличке Зубило переслал небольшую атласную афишку: «Рудольф Мессер — враг народа и фатерланда». Если Мессер чем-то не угодил, если ляпнул не то, если его тут же и арестовали, зачем выпускать афишки и город обклеивать-поганить?

Следовательно, его не арестовали сразу, он ушел, и по крайней мере несколько дней его искали.

Далее сведения снова путаются. Докладывают, что он сам сдался и попал в тюрьму, а еще докладывают, что не сдавался, а, прочитав афишки, решил устроить полиции серию больших концертов: ночами врывается в берлинские тюрьмы, собственноручно убивает собак, бьет палкой надзирателей, открывает камеры, уголовников выпускает, а коммунистов оставляет...

Стоп! ...Мессер выпускает уголовников из тюрем. Если это правда, то тут можно зацепиться. Это может быть той желанной ниточкой, к нему выводящей.

17

Николай Иванович Ежов взбежал по ступенькам величественного гранитного подъезда. Два сержанта-часовых скрестили штыки перед ним, и появившийся неизвестно откуда розовый лейтенант государственной безопасности (со значками различия капитана), глядя мимо Николая Ивановича и выше него, объявил: «Пущать не велено».

18

Еще одно преимущество у той стоянки капитан государственной безопасности товарищ Кабалава отметил, но никому не сказал. Преимущество вот в чем. Стоять бериевскому спецпоезду на той стоянке — неизвестно сколько времени. Может, месяц, может, два. В пятом вагоне — женщины обслуживающие томятся. Только знает товарищ Кабалава: над всем поездом он начальник, но к пятому вагону ему близко подходить не рекомендуется. И никому тоже. Товарищ Берия не любит, когда к пятому вагону приближаются. Сердится.

Потому кавказский человек товарищ Кабалава сразу стоянку оценил: кругом составы пустые, вагоны пассажирские да товарные. Никого почти вокруг... И забор. И дырка в заборе. Можно иногда проверять бдительность несения службы охранниками, да и отлучиться... На часок. Прямо за забором какие-то переулки-закоулки. И оттуда, из закоулков, через дырку девки в ремонтные поезда в гости наведываются. Девки — на любой вкус, большие и маленькие, толстые и тонкие, блондинки, брюнетки, шатенки. И все они, кавказского человека Кабалаву завидев, как-то по-особому улыбались и вроде таяли.

Ходят девки к сонным-пьяным ремонтникам, а чувствует Кабалава: помани любую пальчиком... Разве у ремонтников есть такие усы, как у Кабалавы? Перед зеркалом в командирском купе Кабалава усы щеточкой чешет...

Соперники ли ему какие-то смазчики-сцепщики из ржавого поезда «Главспецремстрой-39», который справа стоит, и облупленного поезда «Главспецремстрой-12», который слева?

Глава 5

1

Во все времена лучшим местом подготовки людей особого сорта были уединенные дачи. Не просто дачи, а дачи на территории армейских полигонов: «Стой! Стреляют!» Страна у нас большая, земли много, полигоны широкие. У больших полигонов свои преимущества. Решил, к примеру будет сказано, разыграть будущую войну между Германией и Францией — никаких тебе проблем: отметил колышками на полигоне Францию, очертил Германию, рядышком можно еще Данию, Бельгию и Голландию с Люксембургом обозначить (в натуральную, понятно, величину), и гоняй себе по полигону танки туда-сюда, никто не помешает. В то же время не будем и преувеличивать, не будем называть наши полигоны бескрайними. Края у них, понятно, есть. Только никто не знает, где именно.

Так вот, на полигоне — лес. (Опять же не бескрайний, а с краями, только никто до тех краев никогда не добирался.) Лес — сосновый. И если ехать все прямо и прямо, не сворачивая, то в какой-то момент (это неизбежно) упрешься в глухой забор. За забором — цепные псы. За забором — запущенный сад, сиреневые джунгли. В буйных зарослях — бревенчатый дом. В этом-то доме и готовят испанскую группу.

Войдем.

2

Николай Иванович Ежов захлебнулся слюной и воздухом:

— Я — народный комиссар водного транспорта! Я — член правительства! Я — секретарь ЦК! Я — кандидат в члены Политбюро!

Но розовый лейтенант скучающим взглядом щупал-взвешивал грудь железобетонной бабы-ударницы на соседнем фасаде, возносящей в небо железобетонный серп.

И тогда Николай Иванович бросил последний козырь:

— Я — Генеральный комиссар государственной безопасности!

От этих слов лейтенанта дернуло. Но совладал лейтенант с собою: не абы кого в охране Лубянки держат.

Не помог Ежову и этот козырь. Что остается? Никогда Николай Иванович Ежов не унижался до того, чтобы объяснять цель своего визита. Тем более — визита в НКВД.

Но что делать?

— Товарищ лейтенант государственной безопасности, я остаюсь Генеральным комиссаром государственной безопасности, потому мне деньги за звание причитаются. Пять месяцев я не получал получку за звание. Я просто забыл ее получать. Но она мне нужна, и она мне положена!

Розовый лейтенант от такого объяснения вдруг осознал всю силу своих полномочий и несокрушимую мощь учреждения, которое ему доверили охранять. Он подтянулся и тоном, не допускающим продолжения разговора, повторил-отрезал: «Пущать не велено!»

3

Идет Завенягин коридором. Слышит: за ним идут. Понимает: рвануть в сторону не позволят. Знает: удержат. Их трое. Жаль, застрелиться не успел. Уже на Магнитке понял: рабоче-крестьянская власть вынуждена будет цену трудового подвига умолчать-урезать-упрятать. Посему руководителей строительства Магнитогорского комбината власть будет вынуждена истребить. Просто из соображений безопасности. А строители сами собой истребились-ликвидировались. Идет Завенягин, улыбается, а про себя матерится: зачем ждал? На что надеялся? Почему не застрелился в Норильске? Почему сегодня утром не прыгнул с верхнего этажа гостиницы «Москва»? Поднимался же на самую верхотуру... вроде видом любовался.

Если повернуть вправо, в коридор, то из говорливой толпы делегатов попадешь в тишину. Правда, не каждого сюда пустят. Пропусков тут не спрашивают, но и пройти не позволят. Два юноши-энтузиаста повышенной упитанности, ничего не объясняя и слов ненужных не произнося, просто сходятся плечом к плечу перед желающим сюда пройти и в сторону смотрят. Народ у нас понятливый: нельзя, значит, нельзя. Знать, есть тому резон. А Завенягин таблички читает, и выходит — 205-я комната в том самом коридоре. И пошел туда...

Упитанные его как бы не заметили. Проинструктированы. Трое сопровождающих — следом за товарищем Завенягиным. Не отстают. Их тоже пропустили, документов не проверив, слова не сказав.

Повернуть в этот коридор — вроде как с базарной площади Бухары в пустой переулочек нырнуть. Никого тут. Красные ковры бесконечной протяженности. Двери черной кожи. И тишина. Не звенящая тишина, а глухая. Красноковровая тишина.

Комната 205. Стукнул Завенягин.

— Войдите.

Разрешение прозвучало не из комнаты — разрешил один из сопровождающих.

Открыл Завенягин дверь. Вошел. Он ожидал увидеть все что угодно.

Только не это...

4

Это только внешне бревенчатый дом в сиреневом потопе русским кажется — резные наличники, высокое крыльцо, деревянные петухи над крыльцом. Этому не верьте — маскировка. Тут готовят испанскую группу, потому внутри все в испанском духе — в бревенчатую стену испанский гвоздик вбит, на гвоздике — сомбреро. Не из Испании, из Мексики, но не это главное. Главное — атмосферу испанскую воссоздать. Потому на стенках кнопочками открытки приколоты с видами Мадрида и Барселоны. (Бойцы-интернационалисты по спецзаданию привезли.) В комнатах у девочек фотографии знаменитых испанских певцов и тореадоров. В большой горнице — портрет испанского диктатора генерала Франко. А чтобы в симпатиях не заподозрили — вверх ногами портрет. Диктаторовы ноги на портрете не обозначены, потому точнее сказать — не вверх ногами, а — вниз головой. В большой комнате какой-то умелец намалевал во всю стену испанские мельницы, худого Дон Кихота на худой кляче и толстого Санчо на толстом ишаке. А на другой стене лозунг республиканцев: «No passaran!» — фашизм, мол, не пройдет.

5

Есть еще место, где товарищу Ежову деньги можно получить — в своем наркомате, в наркомате водного транспорта. Гонит Николай Иванович Ежов водителя: успеть бы до закрытия финансового отдела. А то без денег останешься на выходной. Гонит Ежов водителя, а сам розовому лейтенанту кару измышляет. У-у-ух, месяца бы два назад этот сопляк попался! Ведь и попадался, только тогда весь лейтенант подобострастием был налит-переполнен... А теперь осмелел. Ничего!

Почему-то все кажется Ежову Николаю Ивановичу, что должна судьба ему улыбнуться, должен он на вершины вернуться...

А машина по Москве — потихонечку, полегонечку. Не думал товарищ Ежов, что так трудно по столице ездить. Совсем недавно улицы перекрывали, когда народный комиссар внутренних дел товарищ Ежов по

Москве гонял, милиционеры в свисточки свистели, во фрунт вытягивались...

Не вытягиваются более. И в свисточки не свистят.

6

Палач-кинематографист дядя Вася спустился в хранилище темное.

— Макар, спишь?

— Не сплю, дядя Вася. Сами знаете, трое суток ленты разбирал.

— Не сплю, — дядя Вася ворчит. — Не сплю, а пошто морда полосатая, как у тигры?

— Дядя Вася, сами знаете, день и ночь...

— Тигра ты американская, и нет тебе другого имени.

— Дядя Вася...

— Ладно, знаю тебя. Мне, Макар, приказали замену себе искать. На покой иду. Кого выберу, тот на мое место и станет. Выбор. Трудный выбор. Я на тебя все посматриваю. Боюсь, справишься ли. Чтоб меня потом не кляли за такой выбор...

— Испытайте меня, дядя Вася, испытайте.

— Я тебя десять лет испытываю. Последний тебе экзамен...

— Слушаю, дядя Вася.

— Отвечай не задумываясь... Э-э-э. Кого бы тебе задать? Во, Буланов...

— Буланов Павел Петрович был секретарем народного комиссара внутренних дел, врага народа, предателя и шпиона Ягоды. Буланов принимал участие в разоблачении Ягоды осенью 1936 года. За это награжден орденом Ленина указом от 28 ноября 1936 года. Но сам Буланов оказался врагом, его арестовали 12 марта 1937 года. Во всем признался. Расстрелян 13 марта 1938 года. Легко запомнить: один год и один день признавался...

— А где коробка с лентой про расстрел?

— Полка 29, коробка 256-12.

— Силен, Макар. Еще проверить?

— Проверяйте, дядя Вася. Я хоть и сплю, да все помню.

— Все ленты помнишь?

— Все, дядя Вася. От Кронштадтского сабантуя и далее.

— Ладно. Верю. Давно тебя, Макар, знаю. Ругаю тебя, а сам тобою любуюсь. Ты — мой выбор. Я тебя уже рекомендовал товарищу Сталину. Ты вместо меня теперь у товарища Сталина кинематографией заведовать будешь. Поздравляю тебя. Не урони чести.

7

В финансовом отделе наркомата водного транспорта очередь. За деньгами. Длинная. Николай Иванович Ежов считал, что получку ему должны на стол приносить. В конвертике. В синеньком. Не приносят. Посылал секретарку — не дают секретарке. Пошел сам — думал, без очереди дадут. Думал, только появится, очередь шарахнется. Совсем ведь недавно... Ну хорошо, он уже не народный комиссар внутренних дел, с должности его сняли, но звание-то осталось! И звезды маршальские на отворотах воротника! И другая должность осталась — народный комиссар водного транспорта! На капиталистическом языке — министр! И в своем же наркомате, в своем то есть министерстве, ему никто не предлагает без очереди деньги получить. Вроде заговор против него.

Встал Николай Иванович в конец очереди, губы поджал — пусть будет всем вам стыдно, ваш министр в очереди стоит, ему бы проблемы государственные решать, а он тут время драгоценное теряет.

Но не устыдился никто наркома в конце очереди, не заметил никто губ его поджатых. Как, впрочем, и его присутствия.

8

Все что угодно ожидал Завенягин увидеть в комнате 205.

Только не это.

Поначалу ничего и не увидел. Мрак. Только переполнило его то чувство, которое душит и давит крысу, пущенную в клетку удава. Крыса удава еще не видит. Он в углу. Как изваяние. И удаву крыса пока не нужна. Удав еще долго может лежать в оцепенении. Но знает крыса — тут он.

Не увидел Завенягин опасности. Ощутил. Она звякнула в нем холодным прокалывающим ударом. В углу она, опасность. И взгляд завенягинский приковало к тому углу, примагнитило.

Присмотрелся.

Там, где мрак сгущается, в глубоком кресле молча сидит и смотрит на него Сталин.

9

Жизнь надо прожить так, чтобы никто на тебя внимания не обратил. Невидимкой жить надо. Так дядя Вася, палач-кинематографист, жизнь и прожил. Вообще-то на него иногда смотрели. Точнее, смотрели не на него, а сквозь него. Смотрели, да не видели. Всех его друзей-приятелей, всех, с кем начинал, давно перестреляли. А Васю не заметили.

Прощается дядя Вася-палач с профессией своей. Горько. Горько потому, что жизнь его не совпала с самым интересным этапом мировой истории. Вернее, не совсем совпала. До сорока дядя Вася по крестьянской части состоял. Хозяйствовал. А тут тебе война. Империалистическая. Долго его не брали. Взяли в 16-м. В Лейб-гвардии Преображенский. В запасной батальон. В 16-м году от того Преображенского давно ничего не осталось — четыре состава на войне полегло... Потом царь отрекся... И понеслось... Потом воля была и разгром Зимнего. Через всю оставшуюся жизнь дядя Вася тайну пронес: был он в Зимнем в ту ночь... Никому не признался, понимал: за такое ответ держать однажды придется. Друзья его, товарищи, у кого язык говорливым оказался, один за другим исчезли. А картина той ночи год от года все краше становилась, все героичнее. Ни Ленин, ни Троцкий о революции не помышляли, так и говорили — октябрьский переворот. Только через десять лет после переворота товарищ Сталин название новое придумал — Великая Октябрьская социалистическая революция. До того октябрь официально заговором числился. И чтобы участники того дела не мешали растущему поколению правильно героическое прошлое понимать, героев той ночи убрали. По одному. Без шума. Так надо было.

Чем меньше живых свидетелей, тем историкам вольготнее. И пошло-поехало. К десятилетию штурм Зимнего придумали. Смотрит Вася фильмы Эйзенштейна, в усы ухмыляется: не было такого. Ухмыляется, а Эйзенштейна уважает: свой брат, кинематографист. С палаческими наклонностями. Ухмыляется дядя Вася, помалкивает. Тот, кто молчать не обучился, кто разграблением Зимнего бахвалился, давно на корм червям пущен. А Вася жив-здоров. После переворота хорошо устроился — сразу палачи потребовались, он и записался. Только тут жизнь настоящая для него и началась. Жаль, поздно этап исторический наступил. Все интересное впереди, а Васе — на пенсию. Досада: перед самой Мировой революцией выпало ему уходить. Впереди — Польша, Эстония, Литва, Латвия, Финляндия, Румыния, потом — Германия, Франция, Италия, Испания. Сколько расстрелов впереди! Хорошо Макару — в расстрельном деле с двадцати, а сейчас ему тридцать, ему стрелять да стрелять, ему расстрелы снимать, ему наслаждаться. Какая судьба Макару выпадает: за десять лет опыту набрался, руку набил... к самому интересному моменту — к освободительной войне. Выпадает Макару не просто землю от врагов чистить, но и снимать очищение. Снимать для грядущих поколений очистителей. Выпадает Макару великое ленинское дело завершать. Товарищ Ленин не просто выметал нечисть, но очищением воспитывал... Из всех искусств самым главным для нас является кино... Это товарищ Ленин повелел массовые казни снимать да красноармейцам показывать. В назидание. С первыми казнями — первые киносъемки. Кто из Васиных друзей-исполнителей сообразил, что высшие достижения на стыках искусств таятся? Никто не сообразил. А Вася искусство палача до виртуозного совершенства довел и искусство кинематографии освоил да присовокупил, на стыке двух искусств счастье свое и нашел. Не просто расстрелять надо красиво, но еще и снять мастерски! Да самому не высовываться. Не бахвалиться. Героический труд палача-кинематографиста должен еще внутренней скромностью сверкать-переливаться...

Во время Кронштадта Вася уже виртуозом был. Что в одном искусстве, что в другом. Казнил кронштадтских матросиков товарищ Тухачевский. Красиво казнил — под лед их, сволочей, спускал-запихивал. Дядя Вася после того за Тухачевским и увязался: снимал, как товарищ Тухачевский в Тамбовской губернии заложников в болота загонял. В топь. Как мужиков с бабами в избы заколачивал и целые деревни жег. Очень убедительные фильмы получались. Жаль, что все потом засекретили... Молодому поколению они сейчас бы как воздух живительный!

Много всего за двадцать лет работы было. Был потом и сам Тухачевский. Без сапог. Готовили Тухачевского к исполнению, а Вася технику свою кинематографическую разворачивал. Тут-то Тухачевский Васю и опознал: мол, ты ли это? Никто никогда не узнавал, а тут... Может, не Васю узнал, а камеру съемочную: вишь ты, как в Кронштадте! Расстрел с кином! Вася ему сложенной треногой по горбу врезал: плывешь, сука, в крематорий и плыви мимо, других не цепляй, за собой не тащи.

Чуть тогда не сгорел Вася. Как знакомец Тухачевского. Но повезло: всех, кто работал тогда на ликвидации, скоро самих перестреляли, не успели про Васю доложить... Всех перестреляли, а Васю оставили. Может, опечатка в списке вышла, может, еще что...

Так он жить остался. Ах, какая жизнь Васе выпала! Расстреливай и снимай. Снимай и расстреливай. И самому товарищу Сталину демонстрируй.

Все в прошлом. Не пустят Васю больше в подвалы расстрельные. А без любимого дела люди несчастны. Шахматист на пенсии может заниматься своим любимым делом — играть в шахматы, скрипач-пенсионер — на скрипке пиликать, дворник на пенсии — двор мести, милиционер-пенсионер может купить свисток и целый день свистеть. А что палачу-пенсионеру прикажете делать?

Все бы отдал Вася за то, чтобы снова молодым стать. Как Макар. У которого все впереди, вся жизнь.

10

— Здравствуйте, товарищ Завенягин.

— Здравствуйте, товарищ Сталин.

— Садитесь. Как вы себя чувствуете?

— Хорошо, товарищ Сталин.

— Как дела в Норильске?

— Нормы выполняем. При любом морозе. И перевыполняем.

— А как руководство НКВД к вам относится?

— Хорошо, товарищ Сталин.

— А новый нарком товарищ Берия как к вам относится?

— Очень хорошо.

— В чем это выражается?

— В Заполярье самая большая наша проблема, товарищ Сталин, нехватка рабочих рук. Товарищ Берия совсем недавно занял пост руководителя НКВД, но в это короткое время нам хорошо помог: рабочую силу на север гонит в нужных количествах.

— Товарищ Завенягин, это хорошо, что товарищ Берия помогает вам и поддерживает вас. А как вы лично, товарищ Завенягин, относитесь к товарищу Берия?

11

Все ушли. Тихо в подвале. Дядя Вася один. Он прощается со своей судьбой. Как слепой, осторожно трогает любимые бетонные стены, пулями побитые. Поздно, ах, поздно он в это дело пришел. Выпало ему расстреливать всего только 21 год. А Макару выпадает вся жизнь в этом деле. Ну и пусть ему повезет. Пусть и он счастлив будет, как дядя Вася был счастлив на своем посту...

Через все расстрельные годы пронес Вася любовь к искусству, никому никогда не открыв тайны своей. Пусть думают, что он просто выполнял долг перед рабочим классом. Пусть думают, что его просто поставили на эту трудную, но почетную должность и он просто работал.

А ведь он же не просто работал! Он душу вкладывал!

По дряблым щекам катятся слезы, и Вася не вытирает их. Знает: тут его никто не увидит. Знает: тут ему некого стесняться.

12

Начальник бериевского спецпоезда капитан государственной безопасности Мэлор Кабалава чуть приоткрыл правый глаз, застонал и снова его закрыл.

Первое желание... и единственное — умереть.

Болит все: голова, руки, ноги, горит распухший язык и вываливается из сухого кислого рта, во рту... лучше не вспоминать, что во рту... Изнутри разрывают его бренное естество тысячи топоров. Выворачивает. Если бы какой врач смог представить, что внутри Кабалавы творится, то не задумываясь диагноз поставил бы: острое воспаление нутра. А в голове вагонетки стахановские грохочут.

Он попробовал приподнять голову, но прилив тошноты приступил с такой силой и яростью, что сердце на мгновение остановилось, и его вновь бросило в крутящуюся, искрящуюся серость.

Несколько мгновений он лежал, глядя в потолок, а потом вспомнил...

Вспомнил, что вышел вечером из бериевского спецпоезда. Внешние посты проверить. Пройтись. Посты проверил. Проверил подходы к спецпоезду — кругом пустых поездов — косяки. Потом мелькнула она... Именно та, о которой мечтал, — небольшая огненно-рыжая толстушка... Потом она ослепительно улыбнулась... Потом поддалась на уговоры и согласилась подняться в пустой пассажирский вагон. Просто так, поговорить чтобы.

А до этого они вдвоем пролезли через дырку в заборе, забрели в магазинчик... Кабалава купил бутылку кагора... Вернулись на станцию. Поднялись в вагон... Кабалава разлил... Она пила... Он это точно помнит. И он выпил... совсем немного выпил, и вагон перевернуло вверх колесами... Потом что-то грохотало и скрежетало, потом он валился вниз, а поезд летел под откос, мотая на себя рельсы, потом Мэлор Кабалава летел в пропасть... или нет — сначала летел в пропасть, а потом поезд кувыркался, несся в небо, бился крышей о луну, сбил ее с небес, и она раскололась-рассыпалась в сверкающие куски... Потом был провал... Нет, сначала был провал, потом кто-то стоял над ним и жутко хохотал, потом за ним гонялись дьяволы, потом что-то мелькало, за этим — свет померк...

— Где я?

— Пан в хорошем месте.

Приоткрыл Кабалава один глаз. Чудовищная боль проколола голову. Лучше закрыть.

— Где я?

Решил глаза пока не открывать, а смотреть сквозь ресницы. Из оранжевой мути приплыло лицо и снова уплыло. Почему-то Кабалава решил, что перед ним польский полковник. Почему польский, он не знал. Просто решил, и все тут. Наверное, усы — точно такие, как у Пилсудского на карикатурах.

— Ты кто?

— Пану не надо горячиться.

— Это ты мне вчера стерву подставил?

— Пусть пан не ругается.

— Это ты меня вчера травил? Я тебя, сука, сейчас пристрелю!

— Пану не надо беспокоиться. У пана нет пистолета.

Хлопнул себя Кабалава по боку — пустая кобура. Рванулся встать. Упал.

— Я же говорю: пусть пан успокоится. И пусть пан не спешит уходить. У пана нет в кармане партбилета и удостоверения НКВД.

— Где они?!

— Партбилет пан пропил. А удостоверение НКВД продал польской разведке.

— Гр-р-р-р, — рычит Кабалава.

— У пана выбор. Пан Кабалава может доложить пану Берия, что пьянствовал всю ночь с курвами и рассказывал секреты пана Берия...

— Ничего не рассказывал!

— Рассказывал. Только забыл. Рассказывал, сколько у пана Берия в пятом вагоне девок, как их зовут и как пан Берия с ними Ленина изучает... Любимая работа — «Материализм и эмпириокритицизм».

— У-у-у-у, — воет Кабалава.

— Еще пан Кабалава может обратиться в милицию и рассказать, что он тут вчера про пана Сталина рассказывал...

— У-у-у-у...

— А теперь иди, пан Кабалава. Если хочет пан живым остаться, пусть приходит завтра, я пану фотографии подарю, на память... Интересно пан время проводил... Пусть приходит пан завтра, может, общий язык найдем, может быть, панский партбилет отыщется.

— Пистолет отдай. Как я без пистолета вернусь?

— Пусть пан пистолет забирает. Только он без патронов. И не панский это пистолет. Это пистолет убитого в Грузии милиционера.

— Чужой, с убитого, не возьму.

— Тогда пусть пан ходит с пустой кобурой. Пока подчиненные паны внимания не обратят. Пусть пан Кабалава выбирает. Может пан без пистолета ходить или, пока, — с чужим. Как пану нравится. Если хорошо пан вести себя будет, мы посмотрим, может, под вагонами панский пистолет найдем... Может, в каком мусорном ящике панское удостоверение НКВД разыщется.

— Не могу идти. Мой заместитель доложит, что меня целую ночь не было.

— Не доложит. Иди.

13

— А как вы, товарищ Завенягин, относитесь к товарищу Берия?

Завенягин посмотрел в страшные глаза и увидел перед собою не Сталина, но удава, сжавшегося в комок перед броском. Свернулся в кресле удав, кольца свои медленно сжимает. Желтые сталинские глаза не выражают ничего, как ничего не выражают змеиные глаза. Сталин просто задал вопрос и ждет ответа. Ждет терпеливо, как змея, у которой нет представления о времени. Завенягин смотрит в желтые мутные глаза, в которых нет отблеска, и понимает, что у него нет сил ни отвести взгляда, ни моргнуть. Теперь он понял, почему крыса в зоопарке не бежит от удава. У крысы нет сил отвернуться. Чтобы бежать, надо морду в другую сторону развернуть, но под таким взглядом все живое цепенеет. Но если бы и хватило у крысы сил отвернуться, то лапки все равно не понесли бы. Удивительно, но единственный выход из этой ситуации обезумевшая от ужаса крыса видит только в том, чтобы ползти этим глазам навстречу. Вот для такого движения в ее лапках силы есть. А для движения в любую другую сторону сил нет!

Завенягин ощутил себя крысой. Большой черной ободранной крысой-самцом. Чтобы не ползти навстречу желтым глазам, вцепился Завенягин в ручки кресла, царапая вековой дуб и ломая ногти.

— Как вы, товарищ Завенягин, относитесь к товарищу Берия? — приплыл откуда-то непонятный вопрос. Завенягин всем своим существом вдруг ощутил, что Сталин видит его насквозь и читает его мысли. Да! Сталин читает мысли и знает все. Знал Завенягин, что Сталин с чародеями путается, что учится у них. Слышал Завенягин, что Сталин всех насквозь видит и мысли читает. Только не верил. Теперь ясно: читает. Всем Завенягин рассказывал, что любит Лаврентия Павловича Берия. Никогда кривого слова против Лаврентия Павловича не сказал. И только Сталин один сумел прочитать настоящие его думы. Понимает Завенягин, что Сталина ему не обмануть. Знает Завенягин, что игра кончена. И обманывать Сталина Завенягину незачем. Нет у Завенягина сил на обман.

— Товарищ Сталин, вы спрашиваете, как я отношусь к товарищу Берия?

— Именно это я спрашиваю.

— Я его ненавижу.

14

День и ночь в работе Лаврентий Павлович Берия. Рядом с кабинетом оборудовали ему комнату отдыха: ковров настелили, тахту поставили, сосновые щиты на окнах бархатом занавесили. Он туда на несколько минут — отвлечься от дел. И снова за дела.

— Але. Товарища Сталина. Товарищ Сталин, мы планировали моим заместителем назначить товарища Аказиса.

— Да, мы так с тобой, Лаврентий, и договорились.

— Товарищ Сталин, его нельзя назначать моим заместителем.

— Почему, Лаврентий?

— Он в окошко прыгнул.

— А разве того, кто в окошки прыгает, нельзя назначать твоим заместителем?

— Он с самого верхнего этажа, товарищ Сталин.

— Видишь, Лаврентий, как тебя люди боятся, от тебя в окошки прыгают. А меня никто не боится. От меня никто в окошки не прыгает.

15

Долго-долго очередь-сороконожка у окошка извивалась. Окошечко — страшно руку просунуть — решетки кругом и арочка стальная со стальной же заслонкой: того гляди, заслонка та со стопоров сорвется, ладонь оттяпает.

Давно Николай Иванович по очередям не толкался. Давно. Ноги ноют. И хребет. Он-то думал, нет больше очередей по стране, а вишь ты, ошибся. Два часа отдай и не греши.

16

— Товарищ Сталин, так кого же мы назначим моим заместителем?

— Лаврентий, кто у нас нарком НКВД?

— Я, товарищ Сталин.

— Вот и выбирай сам себе заместителя, тебе же с ним работать, не мне. Потому — твой выбор. Сам выбирай кандидата, а мы тут с товарищами посоветуемся, твой выбор утвердим.

— Рапава.

— Рапава? Авксентий Нарикиевич? НКВД Грузии? Очень хороший человек. Выдающийся человек. Но послушай, Лаврентий, я — грузин, ты — грузин, Рапава — грузин. Что про нас русские подумают. Скажут, окопались в Кремле и на Лубянке одни грузины. Давай русского.

— Кубаткин.

— Петр Николаевич? НКВД Москвы? Какой хороший кандидат. Удивительный человек. Но ведь пьяница...

— Никишев.

— Иван Федорович? Начальник Дальстроя? Я его, Лаврентий, знаю. Хороший человек. Вот его нам и надо. Я полностью его кандидатуру поддерживаю.

— Товарищ Сталин, завтра я на Никишева все материалы вам перешлю.

— Хорошо... Только не знаю, поддержат ли меня товарищи. Все знают, что Никишев бабник. Зачем тебе в заместителях бабник? Мало ли и без него бабников на Лубянке? Давай другого.

— Кого же другого?

— Что, у тебя уже друзей нет в НКВД?

— Может, товарищ Сталин, Завенягина назначить?

17

Но подошел черед Николая Ивановича Ежова. Один он остался из всей очереди. На цыпочки приподнялся, в окошечко заглянул.

В окошечке здоровенная тетка, холеная-дебелая, ни дать ни взять — Катерина Великая. Только без короны. Но зато уж перстней на перстах — любой Катерине на зависть. И зубы золотого отлива.

— Чего тебе?

— Денег.

— Завтра приходи. У меня день рабочий завершился.

Нет! Такого обращения товарищ Ежов с собою не потерпит! Тетка явно знаков различия не понимает. И не знает, кто в народном комиссариате водного транспорта хозяин.

Николай Иванович опустил глаза и с холодной усмешкой, как бы неохотно, как бы признаваясь, тихо сообщил:

— Я — Ежов.

18

— Что говоришь ты, Лаврентий? Завенягина назначить твоим заместителем? Какого Завенягина? Кто такой Завенягин?

— Завенягин, товарищ Сталин, Магниткой командовал.

— Нет, Лаврентий, ты путаешь, Магниткой Клишевич командовал.

— Товарищ Сталин, Клишевич лагерями командовал, а Завенягин строительством. Клишевича расстреляли, а Завенягин теперь Норильском командует.

— А, вспомнил. Лысый такой.

— Да. Лысый.

— Нет, Лаврентий. Завенягин хоть и лысый, но еще молодой.

19

Бревенчатая комната с тремя широкими окнами, с картой Испании и портретом диктатора на стене. Вся испанская группа в сборе. Шесть девочек. В испанской группе лекция о французской революции. Хорошо бы об испанской, но за неимением таковой приходится обходиться примерами из истории соседней страны. Читает лекцию заместитель директора Института Мировой революции товарищ Холованов:

— Жил-был король Луй. Не первый Луй. А шестнадцатый. Французские товарищи с этим не смирились. Они поймали Луя и отрубили ему...

Внимание слушательниц заметно возросло.

— ...голову.

20

— Товарищ Сталин, с Магниткой Завенягин справился, с Норильском справляется, может, он и такую должность потянет?

— Ты за него ручаешься?

— Ручаюсь, товарищ Сталин.

— Ладно, если настаиваешь, я поставлю вопрос на Политбюро, может быть, товарищи согласятся назначить Завенягина твоим заместителем.

21

— Е-ж-о-о-в... — протянула золотозубая Катерина, то ли не поверив, то ли испугавшись. — Е-ж-о-о-в!

Из-за решеток в окошечко даже высунулась, осмотрела с любопытством и вниманием все швы на маршальском одеянии маленького человечка... И вдруг с грохотом опустила перед его носом стальную дверку-заслонку, словно решетку на воротах неприступного замка:

— Ты — Ежов! А я, бля, — Иванова!

Глава 6

1

— Здравствуйте.
— Здравствуйте, товарищ Сталин.
— Как вас зовут?
— Макар.
— Теперь вы будете моим спецкиномехаником?
— Так точно, товарищ Сталин.

2

На обед чародею подали...

Я говорю про обед потому, что не знаю другого названия обильной жратве в половине пятого утра. Можете это обедом не называть. Дело ваше. Но если это не обед, то и не завтрак: рано, да и много для завтрака. Согласимся: не в названии дело, а в том дело, что жратву чародею подали действительно обильную. Прежде всего — суп с фасолью. Нужно немцам должное отдать — из фасоли и гороха они супы делать умеют. Если захотят. А уж если захотят, то сотворяют супы с тем остервенелым вдохновением, с каким Моцарт или Бетховен писали свои оперы и симфонии. Этой ночью на тюремного повара Ганса снизошло вдохновение. Не просто снизошло, но бросилось голодной римской волчицей, и пока чародея терли-парили, сотворил остервеневший Ганс такой суп, каких никогда до того не сотворял. Скажу больше — ему и потом никогда такое не удавалось. Всю оставшуюся жизнь ходил Ганс и вздыхал: вот то была ночь! Вдохновение, братцы мои, не на каждого нападает и не в каждую ночь.

В общем, подали чародею суп даже лучше тех супов, которые Лаврентию Павловичу Берия готовят в спецпоезде на Курском вокзале и под конвоем на Лубянку доставляют. Долго спорить, однако, не буду, потому как Лаврентий Павлович меня в гости не приглашал, и я, честно признаюсь, бериевского супа не пробовал. Не мне судить. Потому не знаю, чей бы повар на конкурсе суповом победил. Знаю только, что Ганса, немца пузатого, смело можно было выставлять на любой международный конкурс. Не посрамил бы.

Крышку кастрюльки поднял Ганс — у чародея голова закружилась. А Ганс (официанту в этом деле не доверившись) сам чародею серебряной поварешкой разливает. И не в тарелках у добрых немцев суп подают, а в глубоких глиняных мисках, расписанных фантастическими, явно марсианскими цветами и сюрреалистическими петухами с красно-зелено-синими хвостами. В суп они, гады, в масле поджаренные сухарики крошат. Не скажу, что это хлеб заменяет, но на немецком бесхлебье и сухарики за хлеб идут. Для нагнетания аппетита положено у немцев немножко выпить, а потом по мере надобности добавлять. Нашему чародею нагнетать аппетит не требуется, ему бы сейчас дали полметра немецкой колбасы копченой, прочности непрогрызаемой, так он ее с голодухи в момент до самой веревочки сгрыз бы. Но по немецкому обычаю все равно аппетит нагнетать положено, а для того у них прописан шнапс. Понимают гансы и фрицы в шнапсе больше нашего. Это надо признать, и с этим не будем спорить. Начальник тюрьмы потреблял шнапс яблочного настоя. Такой чародею и подали. Во льду. Стопочка маленькая совсем, в ледяной корочке. Но зато уж пиво к немецкому обеду подают в трехлитровой кружке. Холодное. Пена через край. Кружка индевеет в тепле. Мелкие-мелкие капельки по кружке. Набухают капельки на кружкиных боках, словно в туче снежной-грозовой, и вот одна быстрее всех дозревшая капелька не удержалась на стекле, сорвалась-скользнула и покатилась, увлекая за собой всех, кто на пути, прокладывая дорожку, в которой блестит-переливается холодный с мороза хрустально-текучий янтарь.

Будь моя воля, так я бы трехлитровую пивную кружку ввел в систему международных стандартов. Не буду настаивать, что внедрение в мировом масштабе трехлитровых пивных кружек снимет разом все проблемы человечества, но, ясное дело, половина проблем отпадет.

Отхлебнул чародей, и множество проблем, душу его мятежную теснящих и мнущих, не то чтобы отошло, но как-то смягчилось-сгладилось. Должен тут особо подчеркнуть, что чародеи тоже люди, проблем у них никак не меньше, чем у нас с вами. Больше у них проблем. Чародей видит больше нас, подмечает больше нашего и понимает больше, потому жизнь чародейская полнее и шире, потому страсти острее наших, счастье чародеево безмерно, но и страдания его тяжелее, мучительнее и глубже. Потому не живут они долго, чародеи. И им с высот (или из глубин), в которых душа обитает, тоже иногда возвращаться надо на нашу грешную землю. Им надо дух свой смирять и успокаивать. Потому пьет чародей из трехлитровой кружки, дух смиряет...

3

В небольшом кинозале один только зритель. Товарищ Сталин.

Новый персональный палач-кинематографист Макар в кинобудке коробками гремит. Потух свет. Без титров и вступлений — фильм: товарищ Бухарин — среди комсомольцев. Товарищ Бухарин — среди красноармейцев. Товарищ Бухарин — друг пионеров. Товарищ Бухарин — на великой стройке коммунизма, на ББК — Беломорско-Балтийском канале. А на заднем плане какие-то люди в сером радостно тачки катают. И кругом портреты товарища Бухарина. Тысячи портретов. Книги товарища Бухарина. Культ личности товарища Бухарина. Арест гражданина Бухарина. Процесс врага народа, изменника, агента международного капитализма и трех иностранных разведок, проходимца Бухарина. Расстрел мерзавца Бухарина. Затем — расстрел командарма первого ранга Фриновского и комиссара государственной безопасности первого ранга Заковского, которые вредительским образом подготовили и провели процесс Бухарина.

Товарищ Сталин любит каждый фильм смотреть по многу раз. Но сегодня у товарища Сталина нет настроения.

— Товарищ Макар, хватит про это. Давайте что-нибудь веселенькое.

4

А у двери официант придворный из коммунистов-шестерок суетится. После вдохновенного супа — шницель немецкий...

Знаете ли вы, что такое настоящий немецкий шницель? Я имею в виду именно настоящий. Я бы вам его описал, но боюсь, не получится. Таланту не хватит. Да и не о достоинствах шницеля тут речь. Речь о другом: знал ли голодный чародей, что насыщаться нельзя? Вот в чем вопрос.

Ответ на сей вопрос мне известен. Сообщаю: голодный чародей знал, что насыщаться нельзя...

Однако...

5

В квартире Николая Ивановича Ежова — маскарад.

Впрочем, перед тем как рассказать про маскарад, надо рассказать о самой квартире, надо пояснить, что в данном случае в виду имеется. Ежовская квартира в старом доме, в доме той поры, когда умели строить хорошие квартиры, большие и светлые, с парадным входом и с черным. Много в квартире комнат, коридоров, есть еще зал для приемов и есть спортивный зал, а чтобы было еще просторнее, прорубили стену и устроили проход в соседнюю квартиру, а из нее — еще в одну. И получилось, что в квартире не один парадный вход, а несколько (врать не буду, сколько именно, — не знаю), и черных входов по крайней мере больше одного. Безопасности ради кое-что заколотили, кое-что кирпичом заложили. И получилась квартира — хороводы води или поутру на велосипеде объезжай. Сколько получилось комнат, знать дано лишь уборщицам. Никто другой тех комнат не считал. Есть еще у Николая Ивановича квартира в Кремле, но там он маскарадов не устраивает. В Кремле как-то несподручно. Есть дачи еще. В Пушкино, на Акуловой горе. В Ялте. В Коммунарке. Но там много людей не соберешь — гостям ехать далеко. Потому ежовские карнавалы-маскарады — в основном в квартире на Кисельном. Тут что ни вечер — веселье: музыка гремит, разноцветные фонарики мерцают, кружатся пары. Наряжается каждый во что нравится: гусары и монахини, разбойники и цыганки, каторжники в цепях и разбитные уличные девки, матросы и гимназистки...

Весело. Вообще ежовские карнавалы знамениты каким-то лихорадочным весельем. Расцвели они в два незабываемых года — в 37-м и 38-м. Эти два года — великий перелом на фронте борьбы со шпионами и вредителями. Стреляли людей и раньше и в куда больших количествах, но в 37-м году живительный вихрь очищения наконец ворвался на самые вершины власти, почти сплошь засоренные вражеской агентурой. И тут нельзя было стрелять просто так, кого ни попадя, без следствия, тут пришлось на каждого шпиона дело заводить, кроме того, это дело иногда приходилось расследовать-распутывать. Но заговоры разные бывают: на распутывание одного иногда пятнадцати минут хватает, а на распутывание другого бывает и целого рабочего дня недостаточно. Если затраты рабочего времени на распутывание всех заговоров вместе сложить, то и выходило, что аппарату НКВД предстояло затратить миллионы часов рабочего времени. Тут доброе слово в адрес ежовских следователей сказать надо: никого не смутила грандиозность задачи. Ни один не дрогнул. Ни один не испугался. Все вкалывали как каторжные. Для облегчения ударного труда пришлось даже с Беломорканала тачки запросить, чтобы лефортовские и лубянские следователи папки с делами не в руках таскали-надрывались, а чтобы груды следственных дел на тачках катали, словно ударники на строительстве канала. Идет, бывало, товарищ Ежов лефортовским коридором, а навстречу следователи стахановским маршем, радостным шагом с песней веселой тачки катят нескончаемой чередой. В эти два года на следственный аппарат НКВД выпали чудовищные нагрузки. Следователи неделями и месяцами не выходили из своих кабинетов, валились с ног, засыпали за рабочими столами, забывали о семье, о близких. И Николай Иванович Ежов делал все, чтобы облегчить тяжкую участь своих подчиненных: во всем многомиллионном аппарате НКВД увеличил получки втрое, строил квартиры тысячами, так их и называли «ежовы дома», открыл для чекистов полторы сотни новых санаториев и курортов в дополнение к существующим — все черноморские берега переключили на оздоровление осведомительно-следственного аппарата НКВД. Резко Николай Иванович увеличил чекистские пайки, ввел «ежовскую надбавку» за вредность производственную, организовал доставку шоколада, ананасов, немецкой колбасы, французского паштета каждому чекисту прямо на дом, а для особого круга московских и приезжих чекистов в своих квартирах и дачах по семь раз в неделю устраивал и продолжает устраивать карнавалы-маскарады.

Ежовские карнавалы на манер английских клубов — никаких рангов, никакой субординации — все равны. И еще — тут только мужчины. Николай Иванович Ежов установил строгий порядок и сам — пример для подражания: раз никакой субординации, значит, и он сам — не первый среди равных, а равный среди равных. На своих карнавалах-маскарадах Николай Иванович допускает самое вольное с собою обращение. Не желает он, чтобы дома называли его по званию, по должности и даже по имени. Тут карнавальная кутерьма, и потому тут его зовут на французский манер — Николь.

6

Еще раз приказал себе чародей: «Не спать!»

Салфеткой губы промокнул. Потребовал начальника тюрьмы:

— Машину водить умеешь?

— Умею.

— Пошли.

Хлопнули дверцами.

— Куда? — Этот вопрос начальник тюрьмы задал тем самым тоном, каким у него водитель спрашивает.

— Вези в самые веселые кварталы. Есть такие в Берлине?

— Такие есть.

7

Что-нибудь веселенькое подавай!

Так вот: не надо говорить, что работа палача-кинематографиста — дело простое. Да ни в коем случае! Подавай веселенькое. Поди сообрази: полки коробками с лентами забиты... Веселенькое... Макар содержание всех лент знает, ход всех процессов над врагами помнит. Назови фамилию, он мигом с полки нужную ленту снимает... А врагов-то вон какие уймищи перестреляны. От каждого врага — нити к десятку других, а от каждого из других — опять же нити... Вражеские заговоры разветвлялись и переплетались фантастическими узорами. Макар помнит, кто с кем связан был, помнит, кто кого расстреливал, а расстреливающие сами в заговорах состояли, сами были с кем-то связаны. Назови Макару любого врага, он тут же аппарат включает, фильм нужный крутит, а сам уж знает, какой за этим может заказ последовать...

Если приказ точный, Макар его сразу выполнит. Но как выполнять заказ расплывчатый про веселенькое? Что есть веселенькое? У каждого свое понятие про веселенькое. Дядя Вася, на пенсию ушедший, вкусы зрителя за много лет изучил. Он бы... Но и Макар не промах. Проскочил этикетки взглядом, названий даже не читая, выхватил ту ленту, которую посчитал соответствующей заказу, выглянул головой из двери кинобудки:

— Товарищ Сталин, тут вон лента про то, как девушку расстреливают...

8

Машина остановилась в переулке. Во мраке. В снегу белом. Вышел чародей, дверцей хлопнул. Обернулся к начальнику тюрьмы, приказал:

— Теперь все забудь.

— Что забыть? — не понял начальник.

— Все.

9

Трещит аппарат, ленту мотает. Товарищ Сталин веселенький фильм смотрит про то, как девушку расстреливают... В расстрельном лесу весна свирепствует. Бесстыжая такая весна. Распутная... Избили девушку так, как у нас умеют, на мокрый песок бросили, и начальник расстрельной партии Холованов ей сапог в лицо тычет:

— Целуй.

Смеялся все товарищ Сталин. А тут примолк. Волнуется товарищ Сталин. Никому не дано видеть сталинского волнения: пустой зал, темнота. Повернулся:

— Еще раз, пожалуйста.

10

Вышел чародей из машины. По снегу пошел. Ботинки сухие. Новенькие. Скрипят. Две причины скрипению: во-первых, новые, во-вторых, по снегу. Ботинки надзирательские. Свои просушить не получилось. Потому со склада принесли. С тем самым запахом, с каким новые ботинки бывают. И носки новые дали. Толстые, шерстяные. Чародей теперь ученый — ботинки на два размера больше взял, чтобы толстые носки ногу не давили. А штаны на нем собственные, высушенные в сушилке тюремной, коммунистом выглаженные. Аж горячие. И чуть-чуть, самую малость еще сыроватые. И эта легкая горячая сырость штанов радость в чародея вливает. Как вспомнит холодные, пудовые, водой пропитанные штанины, так весело. И рубаха на нем новая. Новая да свежая. Бритым горлом, одеколоном «Жасмин» благоухающим, чародей чуть касается воротника атласного. Пальто тоже высушено. Правда, не до полной сухости. За короткое время не высушить. Но все же — почти сухое. Начальник тюрьмы ему еще на прощанье и шарф подарил. На память. Красный да толстый. Вспомнил чародей начальника тюрьмы, обернулся.

Стоит тот в темном переулке. Стоит, перед собою смотрит. Рядом — «мерседес» черный. С открытой дверцей.

Начальник тюрьмы никуда не едет.

Он забыл, куда надо ехать. Он забыл, что начальником тюрьмы числится. Он забыл, что в руках у него ключи от машины. Он забыл, что машина рядом с ним стоит.

Он забыл все.

11

Совсем товарищ Сталин серьезным стал. Приказал еще раз фильм крутить про девушку. И еще раз. Хочется поделиться. Но с кем?

— Товарищ Макар...

— Слушаю, товарищ Сталин.

— Вы видели?

— Видел, товарищ Сталин.

— Как жалко, что этот фильм, понимаешь, я никому показать не могу. Как жалко. Вот смотрите, товарищ Макар, он ей говорит сапог целовать, а она, понимаешь, не целует. Ее расстреливают, ее убивают, а она, понимаешь, не целует сапог. Какая девушка, понимаешь, упрямая.

12

Идет чародей по снегу, подошвами скрипит. Идет, никого не гипнотизирует. Черт с ним, пусть узнают. Радостно на душе, потому не защищает себя невидимым барьером, за которым его не увидят, за которым его не узнают. Надо правду сказать: у него и сил больше нет барьером себя защищать. Силы его магические вроде аккумулятора мощного: энергию можно расходовать в любых количествах, но тут же надо ее и восполнять-накапливать. Но получилось так, что наш чародей всю свою мощь магическую израсходовал в берлинском цирке, а на восполнение условий не было. Как он из цирка без этой энергии убежал — сам понять не может, сам удивляется. Ушел просто на везении, на нахальстве ушел, на остолбенении толпы и полиции.

Потом за два дня и две ночи скитаний окончательно всю энергию порастерял. Уровень он совсем немного поднял-восстановил в воронке, пока спал, но в тюрьме все вновь растратил. Последний импульс отдал начальнику тюрьмы: забудь все.

Теперь чародей снова безоружен и беззащитен, как гюрза, весь свой яд драгоценный в интенсивных кусаниях израсходовавшая... Ей, гюрзе, яд растратив, прятаться положено, уходить в камни, отсыпаться, новый яд копить. Без яда гюрза не только беззащитна, но еще и малоподвижна, ее усталость томит, цепенеет она. Вот и чародею нашему тоже отдых нужен, нужен крепкий, долгий и глубокий сон. Сон без сновидений. Но у него нет сил приказать себе спать без сновидений. И негде ему спать. Вымыли его в тюрьме, выбрили, высушили, вычистили, выгладили, накормили и напоили... Оттого совсем ему плохо. Клонит его и ведет. Валит его в сон, как в обморок, как в смерть.

А из темной подворотни ему шепчет-поет самая главная уличная красавица Берлина:

— Чародей, ты ли это? Чародей, иди ко мне, я тебя согрею.

13

Завенягин кончен. Это знают все. Не позволял Завенягин вольного с собою обращения, да кто ж его спрашивал? Потому каждый к нему запросто: как, мол, брат Завенягин, дела идут? И по загривку его. Вроде ласково, вроде по-дружески. Но в дружеских жестах нескрываемая желчь презрения: валишься? Вот и вались, сука! Скорее высокую норильскую должность освобождай!

Был Завенягин кандидатом ЦК, теперь нет его фамилии в избирательных списках. Потому злорадство людское выпирает и никак не прячется.

— Эй, Завенягин, а тебя в списках нет! — Это сообщает ему каждый с какой-то радостью первооткрывателя. Ведь может оказаться, что сам Завенягин пока об этом не знает, так поскорее ему донести: — Нет тебя в списках, Завенягин!

И за пуговку пиджака его берут всякие:

— Значится, так, Завенягин. Попомни слова мои: и на Норильске тебе долго не сидеть. Снимут тебя. Как пить дать. Не усидишь на Норильске. Уж я-то обстановку чувствую.

— А меня с Норильска уже сняли.

— Как, сняли? Уже сняли? Когда сняли?

— Пять минут назад.

— Так чего же ты молчишь? Петр Иваныч, бегом сюда. Слыхал? Сняли Завенягина с Норильска. Что я тебе говорил?

— Я это и без тебя понимал. Трудно ли сообразить? Пост-то какой. Норильск — не фунт изюму. Слово одно: Норильск! Там ответственность... Не каждому по плечу...

— Завенягин, и куда тебя теперь?

— Заместителем...

— Заместителем кому? Старшим заместителем младшего говновоза?

— Нет. Заместителем народного комиссара внутренних дел. Лаврентию Павловичу Берия заместителем...

— Авраамий Павлович... дорогой вы наш дружище, поздравляю. От всей души поздравляю. Я ж всегда знал... Большому кораблю... так сказать... большое плавание... Уж я обстановку чувствую...

И по огромному залу, по толпе делегатов, как рябь по воде: Авраамию Палычу повышение! Да какое! Самому Лаврентию Палычу Берия заместителем! Вот это дуэт! Золотая пара. Тандем. Ведь как получается отлучился товарищ Берия на полчаса в Кремль, к товарищу Сталину на доклад, а в это время боевой пост, считай, без присмотра. Вот где слабость-то была. Вот чем враги воспользоваться могли! А теперь... теперь врагам не выгорит! Лаврентий Павлович Берия может спокойно отлучиться, ведь вместо него — Завенягин! Лучшего на этот пост и не сыскать! А товарищ-то Сталин, а! Миллионы людей в его подчинении, а выбрать надо только одного. И ведь выбрал же! Именно того, кто для этого поста прямо и создан!

Движение в зале. В кулуарах то есть. То движение, которое нам в школе демонстрируют, когда о магнетизме говорят: по столу рассыпали горсть стальных опилок, поднесли маленький магнитик — р-р-раз! И все опилки на магнитик развернулись. Это же явление можно школьникам демонстрировать на другом примере: вошел в многолюдный зал новый заместитель народного комиссара внутренних дел товарищ Завенягин Авраамий Павлович — р-р-раз! И сразу тысячи товарищей к нему развернулись. И потянулись. И заспешили: Авраамий Палыч, радость-то какая!

14

Следователям НКВД — льготное исчисление выслуги лет. Как подводникам. Год прослужил, два запишут. Прослужи десять, запишут двадцать. Николай Иванович Ежов, приняв пост наркома внутренних дел осенью 1936 года, не только ввел новую форму чекистам, не только увеличил получки втрое, но и установил новый порядок исчисления выслуги лет: каждый год службы чекиста засчитывается за три года. Как фронтовикам. А чем, собственно, лефортовский следователь отличается от армейского командира, который под пулями врагов, под разрывами снарядов поднял своих бойцов в атаку? Ничем не отличается. То же у следователя напряжение (если не большее), тот же риск, тот же фронт, только невидимый, только тайный.

Жаль, закон обратной силы не имеет, и тем, кто в 1937 году по двадцать лет в органах прослужил, можно записать в личное дело только по сорок лет службы, но никак не по шестьдесят. Но зато уж за два года, за 37-й и 38-й каждый чекист намотал по шесть лет службы... Только...

Только кому теперь все это нужно?

Идет разгром ежовцев, исчезают люди. Их берут ночами. Берут в рабочие дни и в праздники. Их берут по дороге домой и по дороге на работу. И на самой работе. Их берут в поездах, на дачах, в магазинах, в ресторанах. Их берут одетыми. Их берут голыми. В бане. В Сандунах:

— Гражданин, вы арестованы, пройдемте!

— Это вы мне, товарищ?

— Гусь свинье не товарищ. Иди, сука!

— Дайте же трусы! Я все-таки комиссар государственной безопасности третьего ранга!

— Бывший комиссар. Без трусов обойдешься. Иди, гад. Пусть на тебя рабочие и крестьяне смотрят!

Группы захвата формируются из бывших подчиненных того, кого берут. Так надежнее: бывший подчиненный — всегда зверь. И чем больше он своему начальнику раньше угождал, чем старательнее вылизывал зад, тем больше в нем сейчас зверства. Чтобы очиститься. Чтобы в симпатиях не заподозрили. Чтобы самому под топор не загреметь.

Но берут и самого. Только арестовал своего начальника, только обыскал, только морду разбил, только сдал охране, а тут и за тобой пришли... И по той же схеме: у тебя ведь тоже подчиненные были и тоже угождали... Так вот их-то и назначают в арест. И вчерашние подчиненные каменеют лицом, гаснут в их глазах искры бескорыстного служения, тепло голоса леденеет, и бывший верный друг, боевой товарищ и незаменимый исполнитель любых приказов вдруг переполняется спесью-гордостью и орет так, как вчера орал на подследственных:

— Иди, сука!

15

Покорно чародей за красавицей — в подворотню. В узкую щель за угольным ящиком. В темный пролом. В черный коридор. В загаженный дворик меж четырех глухих пятиэтажных стен. В железную дверь трансформаторной будки с черепом и костями. В узкий лаз под горячим гудящим трансформатором. Теперь — вниз меж оголенных кабелей того напряжения, от которого у идущего мимо чародея волосы дыбом, а у красавицы — волосы в разные стороны, как у русалки или у утопленницы. Дальше — по скобам вниз, вниз и вниз. К теплу. Из глубин земельных, из недр тепловой поток восходит. Может, теплотрасса подземная рядом, может, вентиляция станции метро.

Толкнула она дверь...

Глава 7

1

В испанской группе новенькая. Она вошла как-то незаметно, и сначала на нее не обратили внимания. А потом переполох: новенькая, новенькая!

Мы так устроены: тому, кто среди нас новый, мы уделяем много вежливого дружеского внимания, мы помогаем ему, мы объясняем ему непонятное. За этим стоит весьма простое психологическое обстоятельство: смотри, говорим мы новенькому, ты ничего не знаешь, ты ничего не понимаешь, а мы все знаем, мы все понимаем.

2

— Вы только посмотрите, кого я привела!

Черный тоннель ответил ревом восторга.

И весь подземный мир Берлина — чародею навстречу. Все тут в сборе. Даже и те, кто еще пару часов назад на тюремных нарах в карты резался, кто запретным гвоздиком на стене палочки царапал, кого чародей волей своей, своим приказом, своей милостью освободил и вызволил из узилища. У них, освобожденных, особый восторг. Они еще переодеться не успели, так и ликуют тут, полосатые, словно витязи в тигровых шкурах. Стиснули чародея, руку жмут, по плечам стучат, обнимают. И влекут его сотни рук на самое место почетное. И пробки шарахнули в бетонный свод, в темноту. И шампанское — рекой, водопадом, каскадом с перекатами.

Хорошо в подземелье. Тепло. Просторно. С потолка капельки иногда падают. Но капельки — свободе не помеха. Главное — посторонним сюда хода нет. Глубоко. То ли штольня «Метростроя» брошенная, то ли бункер времен Великой войны. А выходы отсюда — в вентиляционные системы метро, в магистральные тоннели водопровода и канализации, и еще черт знает куда. Ржавчиной пахнет, плесенью. А еще пахнет пивом, пахнет шнапсом, колбасой копченой. И шампанским. Веселье тут, вроде как на маскараде у Ежова Николая Ивановича. Только и разницы, что в подземелье берлинском огонечки разноцветные не мерцают. И еще: тут в подземелье нет ограничений полу женскому. Нет сегрегации по половому признаку. Нет запрета на присутствие лучших экземпляров прекрасной половины рода человеческого. Потому в отличие от ежовских маскарадов тут не надо кому ни попадя наряжаться графинями и цветочницами.

3

Ликует Москва. Ликует Страна Советов. Ликует все прогрессивное человечество. 10 марта 1939 года на XVIII съезде Всесоюзной Коммунистической партии (большевиков) товарищ Сталин заявил, что новая империалистическая война уже началась! Ура! Она уже идет второй год на громадной территории от Шанхая до Гибралтара и захватила более 500 миллионов населения.

Недобитые скептики шепчут народу в уши, что товарищ Сталин слегка привирает, никакой Второй мировой войны еще нет. Но скептиков бьют. Если товарищ Сталин сказал, что Вторая мировая война уже началась, значит, так оно и есть. Или так будет! Скоро капиталисты перегрызут друг другу глотки, и вот тогда... И вот тогда!

Советский народ верит товарищу Сталину! И если Вторая мировая война еще не разыгралась во всем своем страшном великолепии, то товарищ Сталин и его доблестные разведчики сделают все для того, чтобы она разразилась, разгорелась, запылала! И как можно скорее! Уже в этом году! В 1939-м! Товарищ Сталин сделает все, чтобы великая война захватила все страны врагов, чтобы враги убивали друг друга и стирали с лица земли границы, города и державы!

Пусть сильнее грянет буря!

4

Веселье ежовское с тормозов сорвало. Веселье — вразнос. Уже не нервное веселье — истерическое.

Хохочут монахини звериным хохотом. Пьют. Целуются. Ругаются. Плачут. И снова пьют.

Тает круг. Потому каждый вечер об одном: кого сегодня взяли? Кого сегодня возьмут? О завтрашнем дне говорить не принято. И думать не принято. До завтрашнего дня еще дожить надо. Почему ежовцы сюда собираются? Потому, что привыкли. Когда Николай Иванович был наркомом внутренних дел, когда расстрелы шли конвейером, центровые ежовцы, любители мужского общества, собирались тут, чтобы разрядиться. Прямо скажем, работа нервная. Без морфина не получалось. А тут, у Николая Ивановича, на маскарадах морфин подавали как угощение — как коньяк подают, как шампанское.

Кончилась ежовская власть. Одни ежовцы в стороны шарахнулись. Не выгорело — их косяками отлавливают и стреляют. А другие по-прежнему к Ежову на огонек каждый вечер стекаются. Им, как овечкам в стаде, не так страшно. Дома страшнее. Храбрые ежовцы давно в окошки лубянские выпрыгнули. Остальные сюда собираются.

— Кто следующий?

— Завенягин, ясное дело. Все к этому клонится.

— Нет, брат, Завенягин с нашего трамвайчика соскочил и бериевцем обратился.

— Большой должности ему все равно не дадут. Пошлют в Сибирь захудалым лагерьком командовать.

— Черт с ней, с должностью. Я готов сейчас хоть начальником лагпункта, лишь бы партия меня не заподозрила во вредительстве. Ну а насчет Завенягина ты ошибся. Завенягин самым центровым бериевцем заделался — начальником ГУЛАГа и Лаврентию Павловичу Берия заместителем. Завенягин своих бывших товарищей теперь беспощадно истребляет. С цепи сорвался. Новому хозяину верность демонстрирует.

5

Не думал чародей, что столько тут женщин в подземелье.

Первая мысль: зачем столько?

Вторая: выстоим.

6

В спецгруппах нет имен. Тут все под агентурными псевдонимами. В испанской группе шесть девочек: Гюрза, Зараза, Клякса, Сосулька, Холера, Заноза.

И одна запасная.

Испанская группа — особого выбора. У Гюрзы — орден Красного Знамени. У Заразы и Кляксы — по ордену Красной Звезды. У Сосульки и Холеры — медали «За отвагу». У Занозы — «За боевые заслуги». С гордостью девочки ордена-медали носят. Товарищ Сталин зря орденами не бросается. Жаль, что никто их тут не видит. В орденах. Кроме орденов-медалей, у всех еще и значки: «ГТО», «Ворошиловский стрелок», парашютики с трехзначными накладными золотистыми цифрами.

Знают девочки: скоро под глубокое прикрытие. Потому снять придется ордена-медали-значки. Может, навсегда.

А у новенькой — ни орденов, ни медалей. И значок у нее всего один — парашютик без цифры, число прыжков означающей. Так начинающие делают: отрывают висюльку, на которой количество прыжков выбито, вроде висюлька сама оторваласьотвертелась-потерялась, чтобы никто не знал, два у них прыжка или только один. Правда, такие значки носят и самые лучшие мастера: просто парашютик с оторванной висюлькой. Мастера уже вышли из того возраста, когда важно помнить и каждому встречному, грудь распахнув, показывать, 600 у тебя прыжков или 700. Мастера считают себя просто парашютистами, знают — равных им все равно нет. Но к новенькой это явно не относится. Она на мастера парашютного не тянет. Просто по виду не тянет. Не та комплекция. Ее так сразу и видно: запасная. Она и ростом меньше всех, и телом не вышла. И нет в ней вида того радостно-победного, который основному составу присущ.

Правда, в испанской группе не принято чувство торжествующего превосходства демонстрировать: мол, мы парашютисты с сотнями прыжков, а ты начинающая; мол, у нас ордена-медали, а у тебя их нет. Понимают девочки: если новенькая попала в спецгруппу, значит, будут и у нее медали, может быть, и ордена. Правда, она не в основном составе. Она лишь запасная. Основную часть программы подготовки она пропустила. За основным составом ей все равно не угнаться. Потому ей надо помочь.

— Слушай, новенькая, нас уже возили в зеркальный зал и скоро повезут еще. Мы тебе расскажем про зеркальный зал. А еще мы сами без приказа решили в свободное время говорить только на испанском языке. Как ты на это смотришь? Одобряешь?

Смутилась новенькая, глаза опустила:

— Si, esta bien.

7

Девочки берлинские к Рудольфу Мессеру стайками, табунками. И много их вокруг собралось.

— Очаровательный чародей, не чаруйте нас, мы уже зачарованы...

8

Это неправда, что никто, кроме уборщиц, комнат ежовских не считал. Это я чепуху спорол. Сморозил. Ляпнул, не подумав.

Не разобрался.

Не вник.

А было все совсем не так. Было все как раз наоборот. Было кому и помимо уборщиц те комнаты считать... Как только назначили осенью 1936 года Николая Ивановича Ежова новым наркомом внутренних дел, так сразу он принялся свою основную квартиру на Кисельном расширять и совершенствовать. Архитекторов, инженеров, рабочих — всех лично для такого дела отбирал. И уж те постарались: мрамора розового и белого не жалели, паркет — дуб мореный, стены — полированного орехового корня, мебель — драгоценного красного дерева, а еще из музеев теток голых понатащили. Тетки — на холстах, в бронзе, в мраморе. Так в описи и вписаны: фигура № 4139, из Эрмитажа, каменная, полу — женского, цвету — белая, греческого происхождения, старинная, б/у — бывшая в употреблении, бракованная (руки оторваны по самые плечи).

Теми фигурами всю ежову квартиру заставили. Кому они в музеях нужны, безрукие?

А кроме всего архитекторы, инженеры и рабочие аккуратно все ежовы комнаты обмерили, на каждый чулан, на каждый закоулочек подробные планы составили. А планы передали куда надо. Поясню: куда надо — это в Институт Мировой революции. Товарищу Холованову.

И пока товарищу Ежову квартирные условия улучшали, пока главную ежову квартиру благоустраивали и каменными фигурами обставляли, совсем рядом, на соседней улице, открылась контора «Мосгорсельсбыт», а саму улицу «Метрострой» разворотил и заборами загородил.

Зачем разворотил?

А какое ваше собачье дело? Так надо! И не задавайте глупых вопросов. А вообще кому какой интерес до канав и котлованов? Ими вся Москва перерыта.

В данном случае, однако, надо должное отдать «Метрострою»: недолго ковырялись, заборы сняли, засыпали котлован, улицу асфальтом залили.

Так вот: разворотили улицу вовсе не зря. Под той улицей Спецтрест «Метростроя» бункер бетонный возвел. Лучшая маскировка — все на виду делать: котлован рыть, ни свет ни заря самосвалами греметь, грязь по мостовым растаскивать, еще и лозунг на входе гвоздиками присандалить: «Сдадим объект досрочно к славному юбилею ВЧК-НКВД!»

Вход в бункер — через контору «Мосгорсельсбыта». Кому положено. А положено многим.

9

Чародей вырубился.

Его глаза еще видели буйное веселье, его уши еще слышали вопли полосатых и их разноцветных подружек, его шею еще обнимали чьи-то теплые руки, но перед ним уже плыл огромный свистящий, рычащий, ревущий цирк... Чародей величаво опускает руку, и вместе с нею опускается тишина, окутывая собою все и покоряя всех... Последний вопрос программы. Тысячи рук. Чародей подвел публику к рубежу безумия. Кажется, между ним и публикой проскакивают, провисая, чудовищной силы разряды, как между землей и небом, озаряя все вокруг и сокрушая все, что попадет на пути... Итак, последний номер программы, последний вопрос в последнем номере... Вопрос уже задан, и ответ повергнет цирк в неистовый, бурлящий и клокочущий восторг...

Но...

10

В метростроевском бункере — планы ежовой квартиры. На каждой стене. А посреди главного бетонного зала — макет квартиры. Что плохо: помещений в подконтрольной квартире много, и гостей к Ежову каждый вечер — стада, табуны.

Что хорошо: все они тут. И почти каждый вечер. Информация снимается одновременно со ста двадцати четырех микрофонов. Снимается с самого первого дня вступления товарища Ежова на пост руководителя НКВД. Сброшен теперь товарищ Ежов с поста, но работа продолжается. И будет продолжаться, пока последнего ежовца не встретят в ночном мраке не по-ночному бодрые ребята и не произнесут ритуальную фразу: «Иди, сука!»... А последним, как все в рабочих сменах догадываются, будет сам Николай Иванович Ежов, по-домашнему — Николь.

11

Учебная точка испанской группы на шесть кандидатов: каждой комната отдельная. А новенькой, запасной, комнаты не выпало. Потому дополнительную кровать в коридоре поставили. И ничего страшного. Тут все свои. Посторонних нет. Потому в отдельной комнате или в общем коридоре — велика ли разница? Возле кровати — тумбочка. В стенке — гвоздь. Зубную щетку — в тумбочку. Шинель — на гвоздь. Солдатский вещмешок — под кровать. А на стенку у кровати она кнопочками приколола портрет товарища Сталина.

12

Операторы в бункере — не абы кто, а лучшие флотские акустики. Любому из них шум винтов за много миль заслышать — разом определит тип корабля, примерное водоизмещение, направление и скорость движения. А особо лихие по неуловимым нашему уху особенностям шума еще и по имени тот корабль назовут. Тут уж включай память и вспоминай, сколько на том корабле пушек каких калибров, фамилию капитана вспоминай...

Вот таких ребят, лучших из тех, кто на флотах отслужил, сюда забирают. Работа не из легких: ежовы гости голяком по коридорам и залам галопом скачут, телесным зудом гонимы, поди уследи, кто в какой комнате. Фонограммы выступлений ответственных товарищей из НКВД давно сняты на партийных конференциях и съездах и анализу подвергнуты многоплановому, так что акустики голоса различают. Но только до тех пор, пока гости не перепьются. А они перепиваются. И быстро. Потому часто товарищу Сталину просто обрывки фраз докладывать приходится: с перепою у ежовых гостей голоса тускнут, сипят и скрипят непредсказуемо, и каждый раз на разный манер. Товарищ Сталин с пониманием относится и требует достоверности: лучше не определить говорящего, чем определить неправильно.

Но и это не все. Важно знать, кто сказал, что сказал, но еще важнее — кому. Потому система придумана: куклы резиновые заказаны с номерами. Кукла № 1 мордочкой и фигурой на Николая Ивановича Ежова похожа. Для пущей схожести — звезды маршальские подрисованы на куклином воротнике. Других кукол — стадо. Номера — как в американском футболе: меньше номер — важнее гость. А потом кукол расставляют по комнатам и коридорам макета необозримой квартиры. Дальше просто — товарищ Трилиссер минуту назад прослушивался в помещении № 41, сейчас его голос слышится в помещении № 24. Соответственно кукла № 9, весьма на товарища Трилиссера похожая, переставляется на макете из одного помещения в другое. Гостей каждый вечер — до сотни и более. Каждую минуту они перемещаются по комнатам, залам и коридорам, как стеклышки в калейдоскопе. Соответственно перемещают и кукол на макете. Каждую минуту автоматическая фотокамера с потолка фиксирует положение кукол. Потом с определенной долей точности можно установить, что именно сказал товарищ Трилиссер в помещении № 24 в 23 часа 51 минуту и кто при этом присутствовал. А сказал товарищ Трилиссер следующее:

— Что этот кавказский Гуталин делает! Что делает! Он режет глотки профессионалам. Ну хорошо, он всех нас перережет. А дальше что? Что, скажите мне, дальше? Сможет ли он без нас, без профессионалов?

— Недавно Яшку Серебрянского взяли. Это же чекист хрустального выбора.

— Брось. Я знаю Серебрянского. Крыса. Скорее бы Гуталин его шлепнул. Если бы у Гуталина были мозги, то Яшку Серебрянского надо не стрелять в сталинском подвале, а против нас выпустить. Спасая свою шкуру, Яшка Серебрянский всех нас перегрызет, всех передушит.

13

Ложатся отчеты на сталинский стол. «Я знаю Серебрянского. Крыса... Если бы у Гуталина были мозги... Яшка Серебрянский всех нас перегрызет, всех передушит...»

— Товарищ Холованов, враги сомневаются, есть ли у Гуталина мозги. Я вынужден врагов разочаровать: у Гуталина мозги есть. Где Серебрянский?

— Товарищ Сталин, Серебрянский — в смертной камере. Ждет исполнения.

— Выпустить. И спустить на своих, на ежовцев.

— Есть — выпустить! Есть — спустить!

— Я последую совету товарища Трилиссера, я спущу Серебрянского на его вчерашних друзей. А самого Трилиссера пора брать.

— Есть — брать Трилиссера. А Ежова?

— Пусть гуляет. Ежова — последним. Неопределенность — хуже всего. Пусть гуляет в неопределенности. И приготовьте Ежову новые унижения.

— У меня, товарищ Сталин, целый каскад унижений для Ежова заготовлен.

— Вот и действуйте. А перспективу не теряйте. Как вы теперь понимаете свою главную цель?

— Главная цель — новый шеф НКВД товарищ Берия.

— Правильно. Что сделано?

— Бункер у бериевского дома строится с опережением графика...

— Хорошо.

— ...Нами завербованы начальник бериевского спецпоезда Кабалава, его заместитель, один из шифровальщиков, кочегар паровоза и содержатель бериевского походного гарема, евнух.

— От имени кого вербовали?

— Начальник бериевского спецпоезда Кабалава завербован от имени польской разведки. В случае чего, если Берия заподозрит неладное, то даже под пытками Кабалава будет признаваться, что работал на поляков, а о нашем существовании Кабалава не подозревает. И еще: в случае необходимости мы можем его арестовать и расстрелять как польского шпиона. Доказательства в наших руках. Остальных мы вербовали от имени германской и британской разведок. В случае чего и товарищу Берия можно обвинение предъявить: что же ты вокруг себя польских, английских и немецких шпионов не выявил?

— Хорошо. Но кроме вербовок надо приставить к товарищу Берия людей, которые его ненавидят. Но так приставить, чтобы Берия был уверен: каждого человека он сам выбрал. Нужно обложить его кольцом тайных завистников и ненавистников.

— Обложим, товарищ Сталин.

— И Завенягина тоже.

14

Убить человека легко.

Приказали — убил.

Только надо аккуратность проявлять, чтобы конфуза не вышло. Когда вопрос ребром: убивать — не убивать, удостовериться следует, он ли?

Посмотрел Холованов на фотографию в личном деле: красавец майор государственной безопасности с орденом на груди, со знаками различия армейского полковника. Потом на оригинал зрачки поднял. Нет сходства. Взяли человека всего тринадцать дней назад. Всего две недели не кормили, да и то неполные две недели, а он уже никак на свою фотографию не похож. Со скелетом больше сходства. Кормить его было незачем, все равно — расстрел. Результат: лицо не похоже на то, которое с фотографии смеется. Вдобавок ему еще и «черные глазки» сделали — расквасили морду до сплошной синевы с черными отливами. Из белого лица — черное. А волосы, наоборот, из черных смоляных — теперь белые, стариковские.

И по форме его не узнать: орден рвали — гимнастерку не жалели, а петлицы полковничьи вместе с воротом отодрали. Пороли его шомполами пулеметными, одежды не снимая, потому весь он в клочьях одежды и шкуры своей. Все это в крови ссохлось в единый монолит. Сапоги его командирские еще в день ареста охрана сдернула и загнала на Тишинском рынке. Вместо сапог солдатские ботинки стоптанные: грязные, рваные, вонь испускающие. Как положено — без шнурков. Тут два резона: чтоб не сбежал и чтоб не удавился. Не велено отсюда бежать. И давиться не велено. Рабоче-крестьянскую пулю слопай, если прописано, а сам своей жизнью распоряжаться не моги. Не ты ей хозяин.

— ФИО?

— Серебрянский Яков Арнольдович.

— Звание?

— Бывший майор государственной безопасности.

— Награды?

— Орден Ленина 31 декабря 1936 года.

— За что?

— За разоблачение бывшего наркома внутренних дел врага народа Генриха Ягоды.

— Кто к ордену представлял?

— Ежов и Трилиссер.

— Все сходится. Это вы, гражданин Серебрянский. Тогда так: вот вам пистолет... — достал Холованов из ящика стола и положил перед бывшим майором государственной безопасности новенький, вычищенный, но еще заводской смазкой пахнущий «ТТ». — ...Вот патроны, — отсыпал горсть. — Не спешите застрелиться, не полюбопытствовав, зачем пистолет дают. Вот новая гимнастерка с новыми знаками различия и портупея. Фуражку, брюки и сапоги получите потом. Сейчас времени нет. Смертный приговор с вас не снят... Посмотрим, как дело обернется. А в звании вы восстановлены, более того, вам досрочно присвоено новое звание — старший майор государственной безопасности, по-военному — комбриг, у американцев это называется бригадным генералом. Время не терпит. Вот ордер на арест вашего бывшего начальника, врага народа Трилиссера. Из подчиненных Трилиссера формируйте группу захвата и берите его.

— Есть брать.

— На формирование группы захвата — десять минут. Двадцать семь человек из бывших подчиненных Трилиссера я вызвал. Они ждут. Выбирайте в группу захвата столько, сколько надо, и того, кто нравится. Выбор ваш. Остальных расстреляем.

— Понял.

— И еще: не вздумайте пить и есть. Вы истощены, и любая пища вас может убить. Сдержаться трудно, но я дал приказ вашей охране любую пищу у вас из рук выбивать. Вам сейчас рекомендован только бульон.

Звякнул Холованов в колокольчик, раскрылась дверь, пахнуло густым пряным запахом...

Новоиспеченный генерал НКВД рванул головой-черепом запаху навстречу. Его разбитые глаза примагнитило к серебряной кастрюльке, и кроме нее эти глаза больше ничего не видели, ноздри его дрогнули, он как бы... Грязные руки с перебитыми, распухшими черно-фиолетовыми пальцами судорожно ухватили стол... и мягко разжались. Молодого генерала НКВД повлекло в глубокий, затяжной голодный обморок.

15

Макар, новый сталинский палач-кинематографист, завершил рабочий день. К рассвету.

Встал зритель, поблагодарил Макара за работу и, раскланявшись, удалился удоволенный.

Остался Макар один. Выключил аппаратуру, ленты перемотал, в коробки уложил, развернул матрас. (У Макара на любом рабочем месте на всякий случай матрас припасен.) Жаль, одеяла с подушкой нет. Ничего, он привык и так. Куда в такую рань ехать? Метро закрыто, трамваи не гремят... Макар спал хорошо и долго всегда и везде, в любой позе, в любом положении, в котором его сон заставал. Если уснуть надолго не случалось, он мог отрубиться на одну минуту. Мог и на полминуты. Он мог спать на ходу, на бегу, в полете, в падении.

Укрылся бушлатом, ноги вытянул.

Ему снился расстрел девушки с большими, как у стрекозы, глазами.

Расстрел — работа. Расстрел никогда не волновал Макара. Ведь не волнуется мясник, туши свиные разрубая. Почему же смертный исполнитель волноваться должен? Потому всегда спокоен Макар. Пока не спит. А во сне он почему-то волновался: стреляет — волнуется, в яму расстрелянного толкает — волнуется, следующего принимает — опять волнуется. В снах расстрелы трогали его душу какой-то сладкой тоской. А иногда ему даже становилось не по себе, и он кричал. Вот и сейчас во сне Макар корчился и вскрикивал. Сегодня ему привиделся Холованов-красавец, убивающий девушку. Эту казнь сам Макар видел только в кино, а теперь — во сне. Эту казнь выпало снимать не ему, а дяде Васе. Самого Макара в тот раз на спецучастке не было: за высокие показатели в труде он получил путевку в санаторий и отдыхал вместе со знатными шахтерами, гулял по лесу, смотрел фильмы про веселых ребят и про Чапаева. Сейчас, во сне, Макар на той казни почему-то присутствовал. Стрелял Холованов, а Макар его отгонял, не давал стрелять...

Макар спал тяжелым сном весь день в душной темной кинобудке, шептал что-то, ругался, кричал, вертелся, желая проснуться, снова умолкал, успокаивался, и тогда снова появлялась она. Слышал Макар, что у капиталистов уже появились фильмы разноцветные, где кроме черного, белого и серого цветов иногда еще мелькает и красный, и зеленый. Этим рассказам про разноцветные фильмы Макар не очень верил... Но только не во сне. Во сне он верил всему. Во сне он снова крутил веселенький фильм единственному зрителю, и был тот фильм разноцветным, как у капиталистов. Потом он попадал прямо в тот фильм и бродил по тому весеннему лесу — рядом стреляли и стреляли, а он собирал подснежники. Для нее. Он почему-то знал, что она будет последней. И разрывало его: хотелось и букет побольше собрать, и не опоздать. Бегает Макар по лесу, рвет цветки, собрать хочет побольше да побыстрее, да чтоб самые лучшие. И сам себя подгоняет: да быстрей же, быстрей! Успеть бы! Подарить бы, пока Холованов не стрельнет... Хочется Макару сорвать еще вот этот цветочек и этот. И еще один. А цветы — красота ненаглядная, и весь его сон — сине-фиолетовый. И глаза девушки-стрекозы синие-синие.

Он подбегает к расстрельной яме, а Холованов стреляет... Макар бросается на пистолет... Помедли, мол, Дракончик! Я ей цветов подарю, тогда уж и стреляй. А то как же без цветов?

16

Если вы не знаете, как работать с большой аудиторией, я вас научу. Запомним главное: это легко. Надо захотеть, тогда все получится.

Начнем с самого простого. А что проще всего? На вопросы публики отвечать, вот что.

На вопросы просто отвечать потому, что силу магическую надо тратить не на всех сразу, а только на одного.

Главное — вопросы рассортировать. Публику разогреть надо на самых легких вопросах. А на конец оставляйте вопросы выигрышные, сложные, серьезные. А уж самый последний вопрос должен быть таким, чтобы ответ на него поверг публику в восторг. Вот и весь секрет.

Как все в жизни, это так просто.

Итак, выходим на арену. Пока гремят аплодисменты, пока публика выдает аванс, прикинем, кто какой вопрос задавать будет. Тут проблем нет. Вам же ясно, кто какой вопрос задать хочет. Вопросы на лицах написаны. Того, кто с самым выигрышным вопросом, отметим глазами, запомним, застолбим и оставим на потом, на десерт.

Теперь выберем в толпе человек пять, которые желают задать сложные вопросы. Эти вопросы самому главному будут предшествовать. Их пусть зададут под самый занавес. Может быть, вы еще весь вопрос на лице не прочитали, но то, что вопрос у человека интересный и выигрышный, вам ясно.

Дальше все просто: самые легкие вопросы пусть будут первыми, а сложные, выигрышные — потом. Начнем с пустяков, перейдем к более сложным, поднимемся к самым лучшим, а завершим триумфальным!

Вот дядя в пятом ряду руку тянет. Ну ясно же, что вопрос у него самый простой. Вот ему слово и дадим.

Толпа не понимает: выбор-то нам принадлежит! Мы по своему хотению выбираем те вопросы, которые нам выгодны, и в том порядке, который нам нравится:

— Пожалуйста!

— Скажи, чародей, как зовут мою жену?

Что может быть проще этого?

Пока дядя вопрос задает, перебросим мостик к его голове. Некоторые это лучом называют. Назвать можно как угодно. Если вам луч нравится, пожалуйста, пусть будет луч. Бросим луч невидимый ему между глаз и спросим ласково: «Так как же твою жену зовут?» Он и ответит: «Клара». Можно успеть и его имя спросить: «А тебя как зовут?» Ответит: «Карл».

На эти тайные переговоры нам время требуется. Выиграем время, отвлекая толпу. Пример: «А разве ты сам, дружок, не помнишь, как ее зовут?»

Пока они смеяться будут, мы свой тайный разговор завершим и объявим:

— Друг мой Карл! Твою жену зовут Клара! Вот она рядом с тобой сидит!

Для последней фразы и чародеем быть не надо. Ясно же каждому: вопрос, как жену зовут, мужчина может задать только в случае, если она рядом. Так мужики устроены, и это понимать надо: если жены рядом нет, он такого вопроса не задаст.

Может оказаться, у вопрошающего с одной стороны жена, а с другой — женщина посторонняя. В цирке-то все спрессованы. Опять же, нет проблем. Назовем имя жены: «Клара!» — она и просияет.

А если не ясно все же, кто жена, а кто посторонняя, скользнем взглядом по обеим и зададим вопрос:

— Не жмут ли тебе, Клара, коричневые туфли, которые ты вчера утром купила в магазине Франса Мауэра?

Зал будет смеяться и бить в ладоши до звона. Неплохо для начала. Надо в самом начале, на самых пустяковых вопросах, установить полное к себе доверие. Никто не полезет к Карлу паспорт проверять, никто не спросит Клару, действительно ли ее так зовут, и правда ли, что на ней новые коричневые туфли, у Франса Мауэра вчера утром купленные. Все и так знают, что чародей не ошибся. Только соседи видят реакцию потрясенных Карла и Клары, а все остальные просто верят уверенному тону чародея.

Но если мы с вами чародейством займемся, как же узнать, что Клара туфли купила, какие, когда и где?

Это самое простое: только посмотреть на нее.

Теперь снова слово даем, и опять тому, у кого вопрос легкий:

— Скажи, чародей, сколько денег в моем правом кармане?

Хорошо, что вопрос длинный. Пока он вопрос задает, мы мостик перебросим, встречные вопросы зададим, ответы получим...

— Друг мой Герхард, а у тебя в правом кармане денег нет. Там у тебя дырка.

На такой ответ люди обязательно смеяться будут. А мы, времени не теряя, вычислим, что у Герхарда в левом кармане может быть... Впрочем, это можно делать открыто и вслух:

— Давай, друг Герхард, вместе считать. Вчера ты получку получил. Так? 27 марок 40 пфеннигов. Первым делом ты в кабак пошел, выпил три шнапса и три пива. Ничего в том плохого, Герхард. Рабочему человеку раз в неделю, в субботу, в день получки, разрешается. Я, знаешь, сам не дурак пивка попить. А сегодня ты всю семью в цирк ко мне привел: и жену Марту, и Анну маленькую, и Гейнца, и Мартина. Что же в кармане твоем осталось? Отнимем от получки недельной три пива и три шнапса. Отнимем два взрослых и три детских билета в семнадцатый ряд, ну-ка посчитай? В твоем левом кармане, друг мой, три марки и десять пфеннишек. А десять марок жена твоя Марта за шкаф спрятала. Тебе повезло, Герхард, Марта хорошая хозяйка, заботливая и экономная. Она вчера тебя немного поколотила, но на неделю вам хватит. Ты правильно сделал, Герхард, что всю семью ко мне в цирк привел. Времена тяжелые, денег ни у кого нет, но детей твоих я сегодня не разочарую. Я буду работать весь вечер только для них. Я обещаю тебе, Герхард, они будут смеяться.

17

Новенькая кнопочками приколола портрет товарища Сталина. Улыбнулась чему-то своему. Укрылась с головой. И уснула. Ей снилась белая пушистая собака с голубыми глазами.

Глава 8

1

— Мистер Мессер, мы — американцы.

— Приветствую вас, о посланцы далекой Америки!

— Мистер Мессер, мы начнем с главного: пара хороших ботинок — доллар. Хороший костюм — пять. Доллар — это золото. Чтобы проще, мы будем говорить не об унциях и фунтах, а о понятных вам граммах. Один доллар — это чуть больше, чем грамм чистого золота с пробой 999. Для начала мы предлагаем вам один миллион долларов или, если хотите, тонну чистого золота. Тонну с гаком. Это аванс.

— За какие услуги?

— Вы поедете с нами, мы предлагаем интересную работу...

— Я не поеду с вами.

— Почему, позвольте спросить?

— Потому, что вы назвались американцами, так оно и есть, но вы не сказали, в какую страну меня зовете...

— Мы хотели вам это рассказать после небольшого вступления — сначала мы называли сумму аванса, а потом уже хотели объяснить остальные детали.

— Не утруждайте себя. Я знаю, в какую страну вы меня зовете. Но свой выбор я сделал раньше.

— Какой выбор, если не секрет?

— Мой выбор — Союз Советских Социалистических Республик. Мой выбор — Москва. Мой выбор — Сталин.

2

Ранним утром товарищ Трилиссер возвращается в пустую квартиру. Спать. Кончен бал. Свечи погашены. Домой. Товарищу Трилиссеру не надо идти на работу. У него больше нет работы. А была всегда. В ранней юности, в 1901 году записался товарищ Трилиссер в партию какого-то Ленина и сразу получил хорошую, нужную, высокооплачиваемую работу: агитировать рабочих не работать. Шестнадцать лет как проклятый товарищ Трилиссер на этой работе работал, а рабочие, которых он агитировал, не работали. Хорошо работал товарищ Трилиссер, а за хорошую работу товарищ Ленин платил деньги. У товарища Ленина всегда были деньги. Из каких-то источников. Потом товарищи взяли власть, и Трилиссер пошел высоко и быстро: занял пост начальника Иностранного отдела ОГПУ. ЧК меняло названия, превращалось в ВЧК, потом — в ГПУ, ОГПУ, в НКВД. А Иностранный отдел названий в те времена не менял. И быть его главой было самым почетным делом. Работа — та же: агитировать рабочих не работать. Только уже не своих, а вражеских. В мировом масштабе. Огромными капиталами товарищ Трилиссер крутил, сотрясал мир миллионными демонстрациями рабочих, которых на деньги родины мирового пролетариата совратили не работать, власть товарища Трилиссера за пределами государства рабочих и крестьян пределов не знала. Карать и миловать — сам решал кого, а ликвидация в список проблем не включалась: только трубочку телефонную поднять и имя внятно произнести, чтобы исполнители зарезали того самого, кто заказан. Чтоб без ошибки. Чтобы второй раз не резать. И были у товарища Трилиссера любимые ученики. Самый любимый — Яшка Серебрянский. Яшку товарищ Трилиссер сам вырастил, выпестовал, поставил на самое ответственное дело — на зарубежное очищение, на ликвидации... Много было потом должностей у товарища Трилиссера, и одна другой выше. Дошел до члена Исполкома Коминтерна — штаба Мировой революции, потом всем контролем в стране заведовал... Но всегда, на всех постах не то чтобы знал Трилиссер, не то чтобы краем уха слышал, не то чтобы чувствовал, но понимал и догадывался: над тайным орденом меченосцев по имени ЧК-ГПУ-НКВД у Сталина есть еще и свой собственный тайный орден меченосцев; над штабом Мировой революции стоит еще какой-то штаб, Мировой революцией управляющий; над контролем рабоче-крестьянским у хитрого Сталина еще свой особый контроль есть...

3

В любом деле — выбор: так или эдак... В человеческом обществе — анархия или организация. Выбираем. Если анархия, значит, это уже не общество.

Если желаем сохранить общество, значит, без организации не обойтись. Потому или гибнем, превращаясь в зверей, или выбираем организацию. Но тут же снова выбор: какую именно организацию? Какая полезнее человечеству? Какая лучше? Организация — это чья-то власть. Власть одного. Или власть толпы. Что выбрать? Один может быть плохим или хорошим, мудрым или глупым, жестоким или добрым, трусливым или храбрым. А толпа не может быть хорошей. Не может быть доброй. Не может быть мудрой. Не может быть храброй. Толпа всегда глупа, свирепа, жестока и труслива. Один может оказаться тупицей, извергом, людоедом и садистом. А толпе эти качества присущи всегда. Интересно, что обреченный на смерть просит пощады у кого-то одного, никогда — у коллектива. Обреченный своим звериным нутром знает: один может пощадить, толпа — нет. Власть толпы всегда хуже власти одного. Один может проявить мудрость, группа проявить мудрости не может. Гениальная догадка может озарить одну голову, а сто голов сразу озарить не может. Потому один понимающий должен объяснить свою идею толпе. Но как найти властелина над людьми? Доверить это толпе? Чтобы толпа поднятием рук или бросанием бумажек в ящик сама себе властелина выбирала? Как находит толпа своего избранника? Просто: по внешнему виду. Главный выбор человека в жизни — выбор спутника жизни, выбор того, с кем он продолжит свой род. Этот выбор люди делают по внешнему виду. Если дать волю толпе, то именно так она поступит, правителя назначит по внешним данным, того, кто симпатичнее. В Америке не было ни одного лысого президента. Это несимпатично. Такие толпе не нравятся. Так можно ли доверять толпе выборы вожака? Нет, природа распорядилась правильно: в волчьей стае правит один, и он сам себя назначает, доказывая всем, что он для стаи — лучший и единственный выбор. Главный аргумент — соперник поверженный, хвост поджавший.

Рудольф Мессер знает, что в человеческой истории власть одного — правило. Власть толпы — исключение. Потому что толпа не способна к созиданию, только — к разрушению. Власть толпы всегда завершалась диктатурой одного. Или крахом всех.

Мессер не хочет власти. Но его тянет на эту власть посмотреть.

В упор.

4

Были у Трилиссера высокие должности, теперь нет должностей. Были ученики, воспитанники, любимцы — нет их больше, От былого величия осталась гулкая начальственная квартира и дачи в Павшино и Ялте... Пока шел Трилиссер по должностям, как по ступеням, все вверх, думалось: не слишком ли заносит? Не пора ли с этого трамвайчика соскочить? Не слишком ли все хорошо идет? Все хотел спрыгнуть... И все откладывал. Каждый раз: не сейчас. Каждый раз: еще денечек. Еще один. В последние годы все чаще, проснувшись ночью, смотрел часами в потолок. Нужно ли вообще было на эту гору взбираться? Брат Мишка всю жизнь в Запорожье на базаре сидит, шнурками торгует... И счастлив. Сидит себе, шнурочки разложил, газеткой от солнышка прикрылся... Брату Мишке до ста лет жить. Ему пережить и Гуталина кавказского, и тех, кто после будет... Торгует брат Мишка шнурками, никого не боится, а капиталами вертит никак не меньшими, чем Иностранный отдел ОГПУ. И, верно, у брата Мишки есть любимые ученики, которым секреты коммерции передать можно. А у товарища Трилиссера нет больше любимых учеников — все отвернулись, все отскочили. Только это их не спасло. Всех Гуталин кавказский прибрал. Всех перестрелял-перерезал. Редко-редко кто из них еще жив. Да и то в смертных камерах последние деньки отсчитывают. Это и хорошо. Где-то совсем рядом безносая смерть гуляет. И не хочется старику Трилиссеру принять смерть от своего ученика, от своего бывшего любимца, от воспитанника. Уж лучше попасть к палачу незнакомому... Прошла жизнь, прогремела паровозом революционным... Паровоз-паровоз, красные колеса... Зачем попадать в лапы к любимому ученику? Зачем к палачу незнакомому? Зачем? В кабинете Трилиссера за книжной полкой лучшим мастером Иностранного отдела тайник врезан. Там — самое важное... И там — даренный самим Троцким японский пистолет «Намбу», калибра необыкновенного — восемь миллиметров... Хороший пистолет, красивый и мощный. Раньше на нем и табличка серебряная была... С дарственной надписью... Вспомнил пластиночку серебряную и тут же — Яшку Серебрянского...

Последние дни, последние ночи все чаще Трилиссеру любимый ученик мерещится — Яшка. Вроде рядом трется-топчется. И кажется, что каждый встречный-поперечный ему о Яшке Серебрянском напомнить норовит. Чувствует Трилиссер Яшку рядом, как привидение — вот за углом... Как тень смерти. Вот бы к кому не попасть... Успокаивает себя Трилиссер, знает: взяли Яшку Серебрянского. А уж если взяли — не отпустят. У нас ведь не отпускают. Впрочем, Гуталин кавказский на все способен... Нет, ждать больше нельзя. Надо уходить в смерть, не дожидаясь, пока она окликнет Яшкиным голосом.

Усмехнулся горько: думал ли, получая японский пистолет из рук самого Троцкого, что придется стрелять из него всего только раз... В собственную голову...

Повернул Трилиссер ключ в замке. Дверь толкнул, прошел в кабинет, раздвинул тяжелые шторы. Свет — в окно.

Повернулся...

Книжная полка вывернута, книги на полу, панель дубовая в щепы разнесена, дверка сейфа-тайника настежь. А в глубоком кожаном кресле сидит надменный Яшка Серебрянский.

5

Потянулся Рудольф Мессер, зевнул протяжно и сладко, улыбнулся. Он выспался. Сон сначала был тревожным и мучительным. Его дразнил и терзал сон про вопрос в берлинском цирке и про ответ, про нахальный уход из цирка мимо полицейских, рты разинувших. Его мучил сон про скитания по огромному городу, про холодный дождь с каплями-снежинками, которые падают с неба, не успев сформироваться в кристаллы, ему снилась рычащая черная сука-ротвейлер с рыжей выпушкой на брюхе и в подхвостье, снились арест и тюрьма... И подземный пир... Тут он перестал стонать и корчиться, тут губы его растянулись в улыбку, тут сотни подземных его почитательниц превратились в миллиарды пушистых снежинок, черное небо смешалось с белой землей, и он полетел невесомый вместе с ними — снежинками в манящий бескрайний и бездонный мир мрака. Потом много-много часов ему ничего не снилось, он просто спал, наполняясь силой, как мощная батарея энергией.

Он проснулся с блаженной улыбкой на губах, чувствуя в душе и в плечах несокрушимую мощь, выслушал предложение двух симпатичных американцев, прикинул, как может в натуре выглядеть денежный штабель в миллион долларов и сколько может весить, потянулся еще раз, снова сладостно зевнул, размял лицо руками, отгоняя сон, и вежливо с американцами простился:

— До свидания, господа. Идите и не оглядывайтесь.

Они встали, поклонились, повернулись и пошли. Не оглядываясь.

Судьба вскоре разлучила двух американцев, но каждому из них выпала долгая и счастливая жизнь, они прошли десятки тысяч километров трудными тропами тайной войны. Оба были удачливы и везучи. Только за обоими была замечена небольшая странность, впрочем, ничем им в жизни не мешавшая: они никогда не оглядывались.

6

А в глубоком кожаном кресле сидит надменный Яшка Серебрянский: лицом черен, волосом бел, зубы волчьи выбиты, изорванные штаны в грязи пыточной камеры, вонючие солдатские ботинки без шнурков, грязные ноги — без носков... И новенькая на Яшке, хрустящая, скрипящая лакированная портупея на такой же новенькой пепельно-серой английского сукна гимнастерке с орденом Ленина на груди, с генеральскими ромбами сверкающей эмали на синих суконных петлицах государственной безопасности...

— Ты бежал, Яша?

— Враг народа Трилиссер, не смейте меня называть Яшей, я вам не Яша, а старший майор государственной безопасности Серебрянский. Вы арестованы, враг народа Трилиссер.

— Яша! Товарищ Серебрянский!

— Какой же я тебе, педерастина, товарищ? Взять его! Иди, сука.

7

Отгремел вечер. Ежов один. Среди безруких фигур. Пьян. Не смертельно. Тысячи ежовцев пошли под сталинский топор. Люди пропадают. Исчез Фриновский. Вроде как под лед провалился. Был. Теперь его нет. За Фриновским — Заковский, Бельский, Жуковский, Агранов, Филаретов... После них самым видным в ежовском кругу оставался Трилиссер. Но вот пропал и он. Последний раз видели Трилиссера два дня назад на карнавале у Ежова, уехал домой, и все. Его нет. Такую информацию даже пьяному человеку следует трезво оценивать. И делать вывод. А вывод простой: следующим будет он сам — Коленька, которого все так любят, он сам — Николаша, Николай Иванович Ежов, Николь.

Сжал Николай Иванович виски: что делать? Выход ведь есть. Из лап смерти Завенягин как-то вырвался и круто в горку пошел. И Яшка Серебрянский вырвался, и тоже повышен. Новые сапоги получил, ранним утром к разъезду гостей вроде невзначай появился... В автомобиле подрулил... Тут же к нему на мотоцикле кожаный человек подкатывает... Серебрянский, на друзей своих бывших не глядя, кожаному указания дает. Для понта. Глядите, мол, суки ежовские, каким я бериевцем заделался! Ходит, гад, портупеей поскрипывает, наглым глазом подмигивает, мордой битой, не зажившей, ухмыляется: я, мол, вас...

Что делать?

А выход сам собою напрашивается: писать письмо Гуталину.

8

— Товарищ Сталин, вам письмо от Ежова.

— Длинное?

— Длинное.

— Что-нибудь важное?

— Оправдывается.

— Это неважно.

— И предлагает...

— Слушаю.

— В случае войны Красная Армия должна наносить главный удар не по Германии, а по Румынии, чтобы отрезать Германию от источников нефти...

— Разумно, но мы до этого додумались и без Ежова.

— Если наш главный удар будет нанесен в Румынию и нефть будет отрезана, тогда через весьма короткое время германские танки потеряют возможность двигаться, а самолеты летать.

— Тоже правильно. Но мы и сами до этого дошли.

— Исходя из этого, Ежов предлагает снять с производства и резко сократить в войсках количество противотанковых и зенитных пушек: если у немцев не будет нефти, если их танки и самолеты остановятся, то противотанковые и зенитные пушки нам не нужны. Он предлагает не тратить сил и средств на обновление зенитной артиллерии боевых кораблей и средств управления зенитным огнем, предлагает снять с производства и изъять из войск противотанковые ружья, как войскам ненужные.

— Все это правильно, товарищ Холованов, но до всего этого мы дошли без Ежова. Противотанковые и зенитные пушки с производства снимаем, зенитную артиллерию на кораблях обновлять не будем, противотанковые ружья из войск заберем.

— В письме Ежова еще одно предложение: если противотанковые ружья все равно нам не нужны для борьбы с танками, использовать их для уничтожения врагов народа.

— Интересно. Разберитесь и доложите.

9

— Что такое агентурный выход?

— Наш разведчик находился в Москве, а теперь находится там, где ему приказали работать. Это и есть агентурный выход.

Ничего у новенькой не получается. Всей группой ей втолковывают, что агентурный выход — это комплекс мероприятий разведки по тайной переброске разведчика или агента в район выполнения боевого задания. Все она понимает, только любые понятия переводит на свой язык и упрощает их до совершенно непозволительной простоты, теряя всю сложность, прелесть и академизм формулировок.

— А что такое легализация?

— Надо сделать так, чтобы никто не спрашивал, кто я такая и откуда явилась. А если спросят, надо иметь такой ответ и такие документы, чтобы поверили и других вопросов на засыпку и на завал не задавали.

— А вербовочная база что такое?

— Это мои новые зарубежные друзья: чем больше, тем лучше. Один из сотни обязательно интересен мне и разведке. А может, и десять из ста.

Нет, вы только послушайте! Так нельзя. Она ничего не понимает! Легализация — это тоже комплекс мероприятий... А вербовочная база — совокупность учреждений и лиц... Как заставить эту дурочку пользоваться общепринятыми научными определениями?!

10

— Товарищ Сталин, Ежов дал только идею о новом необычном применении противотанкового ружья. Мы идею развернули. Идея хорошая. Если нам нужно, к примеру, уничтожить Троцкого в Мексике, лучшего способа не придумать.

— Нет. Троцкого я не позволю убивать взрывом или пулей. Я не настолько добр, чтобы подарить Троцкому мгновенную смерть. Лучше послать человека с топором... У вас есть человек с топором?

— У нас есть.

— Вот и пошлите. С топором. Впрочем, вам, товарищ Холованов, не надо этим заниматься. Пусть этим займется НКВД. Там у них есть хорошие специалисты. Например, Серебрянский. Вы думаете, у Серебрянского есть человек с топором?

— У Серебрянского есть.

— Вот и хорошо. Пусть работает. Топором.

— Согласен. Но у нас за рубежом есть тысячи других врагов, которых мы должны уничтожать сами, не доверяя НКВД, и противотанковое ружье — великолепное оружие для этой цели.

— Вы так думаете?

— Товарищ Сталин, я в этом уверен. Во всем мире используются противотанковые ружья калибра обыкновенной винтовки. У немцев — 7, 92. Наши конструкторы поднялись над винтовочным калибром, проскочили калибр крупнокалиберного пулемета — 12,7 и создали противотанковые ружья калибром 14,5 мм. Казалось бы, увеличение калибра незначительно, какие-то миллиметры, но такое увеличение калибра ведет к резкому повышению веса пули, начальной скорости и бронепробиваемости. У нашего винтовочного и пулеметного патрона вес пули 9,6 грамма при начальной скорости 880 м/сек, а у 14,5-мм противотанкового ружья пуля весит 64 грамма при начальной скорости 1012 м/сек.

— Вы, как я наблюдаю, товарищ Холованов, увлеклись этим делом.

— Увлекся, товарищ Сталин. Наши противотанковые ружья лучшие в мире по настильности, точности, дальности стрельбы, бронепробиваемости, надежности, простоте производства и применения...

— Вы собираетесь убивать бронированных врагов?

— Нет. Идея в другом: мощь такого ружья позволяет пробивать танки с легкой броней на дистанциях до километра, а мы используем мощь ружья и патрона не для пробивания брони, а для того, чтобы послать пулю на большое расстояние.

— Какое?

— До четырех километров.

— А точность?

— У противотанкового ружья очень длинный и очень мощный патрон, потому точность отменная. Кроме того, речь идет не о массовом производстве, а о небольшой серии. Промышленности надо заказать не огромные партии для борьбы с немецкими танками, а небольшую партию, но потребовать ювелирную тщательность обработки, как при производстве снайперских винтовок, и патроны изготовить с особым старанием. А стрелять будут мастера только со станка и только после курса спецподготовки.

— Что увидят наши мастера на дальности четыре километра?

— Все, если использовать мощную оптику.

— Каковы же размеры такого ружья и сколько оно весит?

— Над противотанковыми ружьями и у нас работают Рукавишников, Шпитальный, Владимиров, Симонов, Токарев, Дегтярев. Есть несколько приемлемых образцов. В общих чертах все образцы длиной два метра с небольшим. Вес — порядка двадцати килограммов. С оптикой, чехлом, патронами, инструментом — до тридцати.

— Слишком тяжело и громоздко.

— Согласен. Зато мы стреляем с такого расстояния, на котором нас никто искать не будет. В каждом отдельном случае заблаговременно создаем укрытие, потом производим единственный выстрел...

— Один раз стрельнете, а на следующий раз вас будут искать на дальности до четырех километров.

— Нет, товарищ Сталин. Существование такого оружия мы сохраним в секрете. Для этого мы разработали особую тактику: любые высокопоставленные люди проводят отпуска на берегах океанов, морей, озер, крупных рек, одним словом, у водоемов. Как правило, в таких местах есть горы или холмы. Мы прячем стрелка в горах или на холмах, откуда видна цель на максимальной дальности. Стрелок должен выбирать позицию так, чтобы позади цели было большое водное пространство. Это просто. При точном попадании бронебойная пуля с керамическим сердечником отрывает человеческую голову, дробит ее в мелкие куски, а сама летит дальше еще не менее километра. Если позади цели водное пространство, то пулю никто никогда не найдет и не сообразит, что же произошло. Впечатление такое, что голову просто разбила какая-то неведомая сила...

— Мне нравится ваша увлеченность, товарищ Холованов. Вы описываете разрыв головы очень образно, со знанием дела. Вы что, уже пробовали?

11

Рудольф Мессер прошел темным переходом, повернул за угол. Знал: за углом два полицейских. Без собаки. Выбора не было. Потому — вперед!

— Стой! Кто таков? Документ!

С ними Мессер не разговаривал долго. Он только задумался на мгновение, соображая, что сотворить. Раньше он отшибал своим врагам память. Надо попробовать что-нибудь новое: куда-нибудь их отослать. Подумал, куда именно можно их таких красивых послать. Можно и в Америку. Просто приказать им ехать в Америку, и они так, в полицейской форме, с резиновыми палками и пистолетами, пойдут на вокзал покупать билеты до Америки... Их, понятно, остановят и отправят куда следует. Но всю оставшуюся жизнь они будут рваться в далекую неведомую Америку, как лососи рвутся в верховья дикой, неведомой им порожистой реки, жертвуя жизнью.

— Вас, ребята, в Америку отправить?

Молчат покорно полицейские. Они готовы куда угодно. Хоть на Северный полюс. Хоть на Южный.

— Ладно, в Америку не отправлю. Оставайтесь в Берлине. Только уходите в другое время. Прошлое слишком мрачно, идите в светлое будущее. Сейчас 1939-й год, тридцатые годы на исходе. Идите в сороковые. Не очень далеко. В середину сороковых. Сейчас март. Идите в март 1945 года.

— Есть, — рявкнули они, и лица их исказило. Они шарахнулись под стены, сгибаясь, втянув головы в плечи и прикрывая их руками, побежали. Так ведут себя люди под артиллерийском обстрелом или под бомбежкой... Как будто голову можно собственной рукой защитить.

По натуре наш чародей не был злым человеком. Он хотел как лучше. Он не знал, что будет в Берлине в марте 1945 года. Он просто этим еще не интересовался. Будущее нам всегда представляется радостным и светлым, потому он их и отправил в будущее. По доброте душевной — в недалекое. В далеком все непонятно. Оказалось, что в марте 1945 года в Берлине будет не очень весело.

А они, пригнувшись, бежали вдоль улицы, спотыкаясь и припадая, демонстрируя ясное намерение нырнуть в ближайший подвал.

Чародею стало жалко этих людей.

Но своих приказов он не отменял.

12

— Мне тоже, товарищ Холованов, идея начинает нравиться. Но у такого ружья очень сильный звук выстрела...

— Мы думаем над этим. Нас спасает разница в скорости полета пули и скорости распространения звука. Пуля, постепенно теряя скорость, проходит расстояние за пять секунд, а звук доходит за двенадцать. Если пуля оторвет кому-то голову, то начнутся суета и паника. А уже потом долетит и звук. Мы сделаем все, чтобы звук получился искаженным. На данном этапе развития техники звук такого выстрела заглушить невозможно, не прибегая к сооружению величиной с комнату, однако звук можно ослабить, исказить и направить в сторону от стреляющего, лучше — вверх. Мы разработали несколько типов глушителей. Один из них представляет собой нечто вроде большого резинового веера или павлиньего хвоста. Он собирается из шести элементов, похожих на резиновые ласты, и крепится под дульным срезом...

— Слишком громоздко?

— Да.

— Где же выход?

— Выход только в тактике: в каждом отдельном случае для стрелка надо готовить особое стационарное убежище или, может быть, подвижное в большой закрытой машине. Стрелок должен делать только один выстрел. Ни в коем случае не делать второй. Если промахнулся, лучше вернуться к той же цели через некоторое время, через месяц или два. Нашим глушителем звук выстрела искажается и отбрасывается вверх. Случайные свидетели, которые находятся прямо рядом с убежищем стреляющего, вертят головами и ищут источник звука в облаках, никто не понимает, что это за звук и откуда он происходит. Звук настолько искажен, что никто его не воспринимает как звук выстрела, скорее — раскат грома в ясном небе...

— Хорошо, проводите сравнительные испытания, лучший образец заказывайте промышленности, принимайте на вооружение спецгрупп.

— Мы планируем нелегальными путями забросить такое вооружение в районы его применения в будущей войне и заложить в стационарные тайники.

— Правильно, действуйте.

— Есть.

— И последний вопрос, товарищ Холованов...

— Слушаю, товарищ Сталин.

— А где же Мессер?

13

Рудольф Мессер пожал руку командиру польского пограничного наряда, толкнул лодку от берега и вскочил в нее, не замочив ног.

С польскими пограничниками проблем нет. Мессер махнул рукой в сторону советского берега и пояснил:

— Я хочу туда.

— Как пану будет угодно.

Препятствий ему не творили и не спрашивали, кто он такой. Может, узнали, а может, заглянув в магнитные его глаза, охоту потеряли вопросы задавать. Только подивились: всегда оттуда, с советской стороны, лодки в темноте плыли, и вдогонку хлопали выстрелы. Первый раз кто-то ночью сам в Советский Союз просится. Добровольно.

Таких в Польше насильно не держат.

14

— Товарищ Сталин, командир спецгруппы Ширманов и его люди вышли на Мессера через уголовный мир Берлина. Спросили у главарей разрешения побеседовать, те передали просьбу Мессеру, Мессер согласился. Наши люди представились американцами.

— С рязанским акцентом?

— Нет, это были настоящие американцы, которые давно и плодотворно работают на нас. Мессеру предложили сотрудничество и миллион долларов. Мессер отказался от миллиона, а приглашение ехать в Советский Союз наши люди не имели возможности передать. Мессер прекратил беседу до того, как они успели все полностью изложить. Возможно, что Мессер сам пробирается в Советский Союз.

— Почему?

— Мы собрали записи известных его выступлений. Он никогда открыто не высказывал своих политических взглядов, но анализ однозначно указывает — он монархист.

— Зачем же ему в Советский Союз?

— Он, видимо, ошибочно считает, что вы, товарищ Сталин, являетесь монархом.

15

Слух по Москве. Слух по Питеру. Слух по Барнаулу. И по Находке. Слух от Москвы до самых до окраин. Люди говорят про чародея. Чародей в России. После Гришки Распутина — первый чудотворец на Руси объявился. За 23 года после Гришки много в России чудес свершилось, а чудотворца не было. Истосковалась Россия по чудотворцу. Ждала его. И вот он.

— А почему его не арестует НКВД?

— Он на НКВД кладет с прибором.

— Чудеса нашему народу вредны — это предрассудок. Опиум. Сажать надо!

— Куда?

— Ну так убить. Он что, бессмертный?

— А вы слышали, что он в Киеве отчудил?

— А что?

— А вот слушайте!

— В Москве он и не такое творил!

— А что он в Москве отколол?

16

— Здравствуйте, товарищ Мессер. Моя фамилия — Холованов.

— Здравствуйте, Александр Иванович.

— Вы меня знаете?

— Нет, я вас не знаю.

— Откуда же вы знаете, как меня зовут?

— Мне показалось, что вас так зовут.

— Мне выпала честь, товарищ Мессер, передать вам приглашение товарища Сталина. Завтра в шесть вечера. В Кремле.

— Спасибо, приду. Товарищ Сталин, как мне представляется, желает получить доказательства моих способностей.

— Да. Вы принесете с собой миллион долларов.

— У меня нет миллиона.

— Достаньте.

— Хорошо, я принесу товарищу Сталину миллион с условием — после демонстрации верну его туда, где взял.

— Да, конечно. Пропуск в Кремль я вам закажу...

— Спасибо. Не беспокойтесь. Я... без пропусков.

Улыбнулся Холованов:

— Кремль — самая большая и мощная крепость Европы. Кремль бдительно охраняется.

— Я все-таки постараюсь без пропуска.

— Товарищ Сталин будет ждать в...

— Не тратьте времени на объяснения, я знаю, где меня будет ждать товарищ Сталин.

— Товарищ Мессер, в Кремле много дворцов, храмов, арсенал, музеи, казармы на целый полк, административных зданий...

— Не беспокойтесь, найду...

17

Доллар — хорошие ботинки. Пять — костюм. Триста — великолепный «линкольн». Тысяча долларов — двухэтажный дом с гаражами на три машины, с просторным подвалом и еще с комнатами на чердаке, с автономными системами отопления и канализации, с бассейном, с приличным куском земли. А зачем людям миллион?

Странный человек вырвал из школьной тетради чистый лист, протянул сквозь решетку кассиру:

— Миллион долларов, пожалуйста.

Лысый кассир внимательно осмотрел чистый лист, кивнул:

— Вам какими отсчитать?

— Самыми крупными, сотнями.

— Я с удовольствием выдам деньги, но разрешение на такую сумму должны дать директор и казначей.

— Да, конечно, — вежливо согласился посетитель, мягкой улыбкой показывая, что он понимает важность момента и уважает установленный в столь почтенном учреждении порядок.

18

Некий Брэм написал когда-то великую книгу — «Жизнь животных». Про зверей. Во многих томах расписал Брэм зверскую жизнь: как живут зверюшки, чем питаются, как размножаются, повадки зверские на примерах показал и еще множеством картинок книгу изукрасил, ибо наглядность — всему голова.

Взяв Брэма за пример, Институт Мировой революции создал свой многотомник — «Жизнь царей». И в том многотомнике расписано во всех подробностях, где живут цари, чем питаются, как размножаются, повадки царские примерами растолкованы, и картинок завлекательных в тех томах во множестве. Переплюнув старика Брэма, добавили авторы еще один раздел к своему исследованию: «Как с царями бороться». Из-за этого раздела вся книга секретная.

Этот раздел самый важный. Все тут про устройство гильотины, которой королевские головы рубили, и про тактику бомбометателей, взорвавших Александра Освободителя, и страсть какие интересные подробности про ликвидацию Николашки Кровавого, Николашки Второго, и последнего.

В испанской группе — упор на ненависть. Как, впрочем, и во всех других группах. Без пролетарской ненависти не обойтись. Все на ней и держится, на ненависти. Когда-то выпадет девочкам убивать королей, президентов, князей и графов, министров и банкиров, а для такого дела злость нужна пролетарская. Непримиримость.

19

Директор слегка поклонился, улыбнулся и еще раз поклонился. Госбанк — это миллиарды рублей и сотни миллионов иностранной валютой. Только миллиарды эти идут ноликами в бесконечных столбиках цифр: дебет-кредит. Получить деньги — это получить бумажку, и выдать деньги — выдать бумажку. Из одного цифрового столбика отнять и к другому прибавить. Арифметика, не более того. Выдавать же наличность — не дело Госбанка.

Но и не выдать нельзя. И никогда кассир Петр Прохорович в своей жизни миллиона долларов не отсчитывал. И казначей тоже. И директор. Потому директора и смутило: необычно это — миллион отсчитать и отдать. Ну, принять — куда ни шло. Но выдать...

Не хотелось выдавать. Потому директор искал причину или только предлог, чтобы денег не выдавать. А уж если и придется выдавать, так хоть не сейчас. Если не избежать выдачи, так хоть уж оттянуть ее. А на то причина нужна.

Думал-думал, и озарило его: а ведь, может быть, это просто проходимец!

Потому улыбнулся директор, подмигнул казначею и вежливо, слишком даже вежливо, обратился к посетителю:

— Ваш чек не вызывает сомнений, но, может быть, это... как его... не ваш чек! — И уже не оставляя места ноткам вежливости, директор рыкнул, как заместитель начальника киевской гарнизонной гауптвахты:

— Предъяви документ, падла!

Глава 9

1

— У любого оружия должно быть название. От названия многое зависит. Название должно быть коротким, красивым, грозным и загадочным. В названии должно содержаться все для тех, кто знает, о чем идет речь, в то же время это название не должно сказать ничего тем, кто в тайну не посвящен. Как же мы назовем наше противотанковое ружье для истребления врагов? Думали ли вы над этим?

— Думал, товарищ Сталин.

— И до чего додумались?

— СГ.

— СГ?

— Именно так: СГ.

— Сталинский гром?

— Так точно, товарищ Сталин.

— Красиво. Очень красиво. Сталинский гром. Кратко, емко, грозно, загадочно. А почему бы не назвать СА?

2

— Какой документ? — не понял посетитель.

— Личность удостоверяющий! — змеем подколодным прошипел директор. Мягенько прошипел, ехидно, сочетая в двух словах и шипении ненависть к аферисту, глубокое к нему презрение и великую гордость своей находчивостью: это же надо — никто во всем Госбанке не додумался потребовать у проходимца паспорт!

Посетитель на мгновение задумался, как бы растерялся... Оживились охранники и кассиры: уж не проходимец ли посетитель этот?

Но растерянность соскользнула с лица, он ослепительно улыбнулся, развел руками, вновь выражая и уважение к установленному порядку, и намерение твердо выполнять требования администрации. С черного полированного столика он взял все ту же школьную тетрадку, поднял над головой, чтобы все ее видели, с треском выдрал еще один чистый лист в клеточку и подал директору.

3

Это называется — развивать оперативное мышление. Получила новенькая толстую папку с документами: план Зимнего дворца, планы дворцов в Петергофе, основные маршруты движения императора Николая по городу, сведения о системе охраны, чертежи царской яхты «Штандарт», список лиц, допущенных к особе самодержца... И много-много еще всякого.

Условие мягкое: спать сколько нравится, гулять сколько хочется, есть и пить когда вздумается, но за 48 часов материал изучить, понять, выводы сделать и к исходу вторых суток сдать тетрадь с сочинением на тему: «Как бы я убила царя».

Новенькая взвесила-вскинула на двух руках папку и решила: спать не выгорит. И помощи ждать неоткуда. Другие девочки тоже заняты, тоже сочинения пишут с планами уничтожения Чингисхана, Бонапарта, Нерона, Калигулы, Тимура и Александра Македонского.

Оперативное мышление развивать надо.

4

Сконфузило директора. Зароптали кассиры: это что же такое выходит? Видано ли обращение такое с клиентом!

Но клиент попался не из обидчивых — доброй улыбкой показал всем, что сердиться не намерен, что одобряет директорову бдительность, даже если, проявляя оную, директор и вышел слегка за рамки приличия: миллион долларов — это вам не фунт изюму, лучше в таком деле проявить излишнюю бдительность...

Желая загладить грубость, директор вежливо:

— Как же вы такую тяжесть потащите?

— А я ваших милиционеров-охранников на часок позаимствую.

— Какая красивая идея!

5

После двух суток без сна — час отдыха. Только уснули девочки — подъем. Хватит, куколки тряпочные, поспали и будет. Вкалывать надо. В испанской группе, как и во всех других, каждый новый день тяжелее, чем все предшествующие дни жизни, вместе взятые. Да и давно усвоить пора, на все последующие дни до самого последнего, на все времена: если чего-то хочешь добиться в этой жизни, надо работать так, чтобы недосып слоился, копился и терзал. И нагрузки повышать. Каждый день. До самого последнего включительно. Успеть в жизни надо. Уложиться. А уж потом отоспимся...

— Предположим, девоньки, что все вы убили своих Николаев, Александров и Чингисханов. А дальше что?

Действительно: что дальше? Потому каждой — по две тетради. Во всех тетрадях гриф «Совершенно секретно». Одна тетрадь — черновик. Вторая — для основной работы. Тема задана: «А что дальше?»

Убить владыку — не проблема. Проблема в том, чтобы после убийства власть перехватить. Чтобы власть удержать. Чтобы из рук не выпустить. А то ведь скользкая.

Думайте, кошечки сиамские.

И пишите.

А чтобы служба медом не казалась, каждой — стажировка в камерах дознания. День и ночь — допросы, допросы, допросы. С пристрастием. Нужно из подследственных врагов информацию вырывать. Точную информацию. Методы для начала совсем простые: врагов, к примеру, можно перетирать веревками. Руки вражеские перетирать. Ноги. Живот. Можно веревку пропустить между пальцами рук или ног. Да мало ли что еще можно перетирать... Можно — толстой веревкой, можно — тонкой: у веревок разной толщины свои преимущества. Можно быстро тереть. Можно медленно. Опять же — разный эффект. Беда в том, что при применении даже таких простейших приемов дознания враг начинает признаваться во всем, включая и то, чего не было. А ведь тут — не НКВД. Тут учреждение серьезное, и требуется добывать только достоверную информацию. Зерна от плевел отделять.

Каждый допрос дает обучаемым новые знания, новые навыки. От простого — к сложному. От примитивных способов дознания — к более действенным, а от них — все выше и выше по лестнице познания к сияющим высотам профессионализма. Жаль, времени в обрез. Мировая революция не за горами. Так что трите, девочки, врагов веревками, ремнями, тросами и думайте, думайте, думайте. О том, как тему изложить. Чтобы было все просто и понятно. И о новых сочинениях думайте. Старайтесь предвосхитить экзаменатора, старайтесь понять его логику и вычислить тему следующего сочинения... Кто знает, в каких условиях его писать выпадет.

А у того, кто темы для сочинений выдумывает, фантазия неисчерпаемая, как энтузиазм миллионов.

6

Совещание. Огромный кабинет. Высокие узкие проемы окон в стенах трехметровой толщины. На окнах — шелка белые. Сверху донизу. Как волнистые туманы. Стены дубовыми панелями крыты. Под зеленым сукном — длинный стол. Ковры красные. С узорчиком. По коврам Сталин ходит. А народные комиссары за столом сидят. Заседают. Речи говорят. Обсуждают пути резкого увеличения производства боеприпасов. Тут не только народному комиссару боеприпасов задача задана. Тут народному комиссару цветной металлургии есть над чем голову ломать. И народному комиссару лесной промышленности. Если произвести снарядов на миллион тонн больше, чем в прошлом году, это сколько же дополнительно деревянных ящиков потребуется? И народному комиссару путей сообщения задача: металлы к заводам подать, готовую продукцию с заводов вывезти. А куда их девать потом, эти самые снаряды?

Думайте, ответственные товарищи. Думайте. Вас народ не зря на высокие посты выдвинул.

Сталин ходит вдоль стола. За спинами говорящих. Кавказские сапоги в коврах азиатских тонут. Шаг глушат. Говорит народный комиссар, дельное предложение выдвигает, а обернуться не смеет. И не понять: либо в угол Сталин на мягких кошачьих лапах ушел, либо за спиной стоит. Молчит Сталин. Никого не перебивает, никого не поправляет, никому не перечит. А это может означать что угодно...

Через каждые пять минут — звонок. Сталин поднимает трубку, слушает, кивает головой и кладет трубку, не произнося слов.

Сегодня тема совещания мало Сталина волнует. На совещание вызвал народных комиссаров для того, чтобы они свидетелями стали, чтобы в шесть часов вечера победно заявить: «Я пригласил Мессера, а он не пришел. Его попросту не пустили в Кремль!»

Сталин смотрит на старинные часы. Узорчатые стрелки приближаются к тому моменту, когда малая будет показывать ровно шесть, а большая — ровно двенадцать, стрелки в это короткое совсем время образуют единую прямую линию, дробящую циферблат на две половины. Телефонные звонки — это доклады Холованова: тайными агентами на подходах к Кремлю Мессер не обнаружен, к внешнему оцеплению Кремля не приближался, к воротам не подходил, никого через Спасские ворота не пропускали, а Боровицкие, Троицкие и Никольские заперты. За последние семь часов в Кремль не пропустили ни одного человека, ни одной машины.

7

В сталинский кабинет Мессер вошел без стука. За ним — трое красных ошалевших милиционеров с чемоданами. Мессер указал, куда поставить чемоданы — рядом со сталинским креслом. Поставили. Отпустил их чародей, потом спохватился: как же они теперь из Кремля выйдут? Потому приказал ждать в приемной. Товарища Поскребышева, сталинского секретаря, дружески попросил о милиционерах позаботиться, угостить: заслужили. Поскребышев кивнул, распорядился...

Стрелки часов вытянулись в прямую линию, французский механизм заиграл мелодию, и бронзовый молоточек звякнул по сверкающей тарелочке: бо-о-о-м-м-м.

— Его нет! — объявил Сталин.

— Кого нет? — не понял Мессер.

8

И снова сочинение. Тема вроде бы простая: «Как подчинить сто миллионов свободных граждан». Но в том сложность, что на обдумывание темы всего две недели отрезано. И не сидят сочинительницы в кабинетной тиши. Вовсе нет — каждую парашютами обвешивают и, объявив тему, бросают из-за тяжелых облаков в дикие снежные горы. На Памир. Без карты, без компаса, без спецснаряжения, без пайка аварийного, без денег. Надо приземлиться мягко, парашют в снег зарыть, представить Москву вражеской столицей и пробираться в нее. Надо найти дорогу домой, надо уложиться в срок, надо не попасться на маршруте, а потом, слегка обсушившись-отогревшись-откормившись, мысли свои следует изложить ясно, просто, четко, доходчиво и две тетрадки — с сочинением и черновую — сдать в секретную часть.

9

Сталину очень хотелось, чтобы Мессер пришел, чтобы проломил все кордоны, все заставы. Сталин любил людей сильных, людей талантливых, людей, одаренных необычными способностями. И в то же время Сталин не хотел, чтобы Мессер пришел. Не хотел, чтобы самая мощная в человеческой истории система охраны и безопасности была кем-то прорвана. Сталина тянуло к этому необычному человеку и в то же время не хотел Сталин встретить того, кто в чем-то сильнее самого Сталина.

Мессер вошел в сталинский кабинет за четыре минуты до назначенного времени, а ровно в шесть в ответ на победный сталинский клич объявил, что он уже прибыл и только ждет момента, когда на него обратят внимание. Только тут его и увидели. И тихое смятение прижало совещавшихся к стульям, и каждый глаза опустил, стараясь не видеть происходящего, как бы ограждая себя от этого мира.

И только Сталин улыбнулся, озорные чертики запрыгали в его глазах, все грязное и черное в одно мгновение как бы отошло и отстало от Сталина, и все его существо переполнилось единым порывом того восхищения, которое русский человек может выразить только коротким матерным возгласом. Сталин не был по рождению русским, но, покорив русских и властвуя над ними безраздельно, перенял у них многое, даже манеру выражать восторг. Он один на всей земле знал о системе своей охраны, потому только он один мог оценить величие совершенного. Когда-то люди полетят в космос, когда-то они достигнут Луны, Венеры и Марса, когда-то — Сатурна и Нептуна. Но что будет означать полет первого человека в космос в сравнении с тем, что совершил чародей? Полет в космос будет означать очень мало. Для всего человечества, понятно, это будет великий праздник. Но планета будет ликовать только потому, что никто в мире, никто, кроме Сталина, даже приблизительно не представляет мощи тайной системы охраны, которую преодолел Мессер. В сравнении с этим вся предшествующая и вся грядущая история человечества меркнет. Достижений выше этого быть не может. Унести из банка миллион — чепуха. В былые времена товарищ Сталин сам банк курочил. С партнерами. Европе на удивление. Банк он и есть банк. Но как пройти сквозь бесчисленные невидимые цепи сталинской охраны и несокрушимые стены?! Невозможно.

Перед Сталиным стоял человек, совершивший невозможное. Потому Сталин подошел к нему, обнял, отошел, вытряхнул пепел из трубки не в пепельницу, а мимо, ибо глазами Мессера не отпустил, стукнул ладонью по столу, не удержал в себе, но звякнул-грохнул той самой фразой, единственно возможной в данном случае для правильной оценки совершенного: «Во, бля!»

10

В испанской группе — урок выживания. Для каждой — свой пункт старта и свой пункт финиша. Для новенькой старт в Яхроме, финиш — в Наро-Фоминске. На маршруте одна контрольная точка: Москва, Красная площадь, памятник Минину и Пожарскому. Надо положить к основанию букет цветов. От старта до финиша можно использовать любой вид транспорта: лететь самолетом, скакать на коне, катить на велосипеде или верхом на палочке. Как нравится. Но, как всегда, стартует каждая без оружия, без денег, без документов. А чтобы придать уроку реализма, московская милиция и части НКВД оповещены о побеге из Дмитлага банды особо опасных преступниц-садисток, которые людей в карты просаживают и бритвами режут, и сообщены кому следует приметы каждой. Можно предполагать, что если попадется девочка милиционерам, то они ее могут и не убить на месте, просто изнасилуют, изобьют, изувечат и доклад пошлют победный: ...доношу, девятым отделением милиции города Москвы...

Ясно, что потом последует отчисление из группы, а вот что после этого — неизвестно. Потому — лучше не попадаться. Потому надо пройти Москву тенью, пройти привидением, пройти так, чтобы не заметили.

Сегодня урок выживания. И, как все предыдущие, он усложнен тем, что надо думать не только о скорости и направлении, не только о своей безопасности, но и о чем-то другом. Это другое задано на старте: сочинение на тему «Почему надо истреблять царей, королей и императоров». Пройдя маршрут, надо будет не валиться в траву, не хватать воду большими глотками, а писать. На финише руки дрожать будут, мысли путаться, а глаза слипаться, и времени на сочинение — тридцать минут. Действуй как нравится: можешь в пути все обмозговать и написать. В общем, каждый сам свой выбор делает...

11

— Ты зачем пришел в мою страну? — тихо Сталин спросил, как только закрылась дверь за последним из совещавшихся.

— Ты меня звал.

— Я охотился за тобой, я посылал людей...

— За мной все охотятся: Гитлер, Черчилль, Рузвельт. И ты тоже. В Берлине меня встретили два американца. Но я-то понял: на тебя работают. Я просто увидел за ними твою трубку. И усы. Твоих посланцев я прогнал. Но еще до того... ты меня звал. Я слышал твой зов.

— Правильно. Я тебя звал.

— Зачем?

— Ты, Мессер, будешь мне служить.

— Я не буду тебе служить.

— Почему?

— Я сильнее тебя. Ты, Сталин, слабее. Сильный подчиняет слабого, а не наоборот.

— Ты, Мессер, мне силу свою показал, но моей силы еще не видел. Теперь мое время. Теперь моя очередь силу показывать.

12

Чумазый мальчишка-оборванец из рукава вытащил мятый букетик ландышей и положил на красный гранит прямо под надписью: «Гражданину Минину и князю Пожарскому благодарная Россия, лета 1818-го». Красивый подтянутый милиционер незлобно по шее врезал: «Вали отседа, яйцы-то щас выдеру».

Чумазый только нахально хмыкнул, но совет принял — на Красной площади не задержался.

Белый букетик ландышей — седьмой на искристом граните. Раньше кто-то завалил подножие постамента роскошными букетами.

Подивился милиционер: праздник сегодня какой?

В сквере у собора встал со скамейки огромный дядька в кожаном пальто, свернул газету, сунул в пузатую каменную урну — культурный. Обомлел милиционер: мужик-то прямо с газетной полосы, летчик знаменитый, не то Валерий Чкалов, не то сам сталинский пилот Александр Холованов. Вытянулся милиционер, ладошку под козырек. Ответил кожаный на приветствие, пошел к одинокой машине: новенькая опять последняя. Контрольная точка — только полонина пути, ей еще вторую половину пройти, не нарваться, не засыпаться, еще и сочинение писать. Может к финишу опоздать. Но это не страшно: она ведь не в основном составе.

13

Садись, — Сталин приказал.

— Я постою.

— Садись, — повторил Сталин.

— Я постою.

Это с вами тоже бывало, как и со мной: случайно упрешься взглядом в чьи-то глаза незнакомые и поначалу вроде в шутку уступить не хочешь. Потом обозлишься, потом, не мигая, давишь взглядом: покорись! Гляделками, гад, моргни! Отведи глазища бесстыжие! Опусти их, блудливые! Ресницами-то прикройся! Ты слабее меня! Моргни, падла, а то удавлю взглядом!

Вот и Сталин с Мессером вроде в шутку начали, но тут же у обоих, как у волков, загривки взъерошило:

— Садись!

— Я постою!

Сталин вдруг ощутил себя маленьким человечком. В клетке с бешеным тигром. Только дрессировщика пожарники с брандспойтами подстраховывают. Только у дрессировщика револьвер за поясом и стальной штырь в руке: в случае осложнений в пасть тигриную пырнуть. А у товарища Сталина — ни пожарников с брандспойтами, ни револьвера, ни штыря стального. Пересохло во рту. Той сухостью рот осушило, которая говорить не дает. Которая слова не позволяет вымолвить. Выдохнул Сталин. Глаза опустил. И вдруг развернулся весь к Мессеру и тихо то ли повелел, то ли попросил:

— Садись.

14

Для всякой секретной операции должно быть придумано кодовое слово. К примеру: «Гроза». Ходят офицеры в штабе, говорят. О чем-то.

— В соответствии с «Грозой»...

— Для подготовки «Грозы»...

— На втором этапе «Грозы» надо будет...

Поди догадайся, о чем речь. Хорошо, если размах операции сам за себя говорит:

— Для «Грозы» надо пару миллионов тонн боеприпасов двинуть в известный вам район...

Или:

— За три месяца до начала «Грозы» нужно из военных училищ выпустить 310 000 офицеров по плану и еще 70 000 досрочно...

Когда о таких масштабах речь, то догадаться можно. Да только не каждый такие разговоры слышит. Обычно все из осколочков, из отрывочков:

— В Брест надо срочно перебросить десять тысяч тонн угля и шесть тысяч тонн рельсов. «Гроза» надвигается.

Так и в любом деле секретном — с самого начала, еще на этапе замысла, вводится единственное слово или даже несколько букв, которые все собою покрывают. Которые тайну хранят...

Чтобы конструкторы противотанкового ружья и конструкторы бронебойного патрона, испытатели и снайперы не повторяли между собой каждый раз суть дела, пусть даже в самом секретном разговоре, приказ вышел: называть эту штуку сокращением СА. И никак иначе.

— Завтра надо установить превышение траектории СА над линией прицеливания.

— На полную дальность?

— Да. На полную дальность.

И все. Поди посторонний сообрази, о чем речь идет.

15

Так в цирке бывает: взбесился тигр. Прямо во время представления взбесился. И тогда варианты возможны. Первый: пожарным мигнуть, они непокорного ударят водяным напором. Все разом ударят. С разных сторон. Так ударят, что неповадно будет бунтовать. Только после того тигра-бунтовщика из цирковой труппы придется списать в зоопарк. Дальше с таким работать нельзя. А второй вариант: укротить. Отношения выяснить. Повиноваться заставить. Дрессировщику прямо на арене, всех остальных зверей выгнав, надо укрощать одного зверя, непокорного. Профессия так ведь и называется: укротитель! Вот и работай. Укрощай.

Потому, забыв все, потому, публику почтеннейшую презрев, надо волю укротителю собрать в точечку жгучую и повелеть зверю приказы выполнять. Зверь будет реветь. Зверь на удары бича клыки выскалит. И пена из пасти. А клычищи желтые. А глаза людоедские. И, прижавшись к решетке, шипя от злости, он вдруг бросится на ненавистного человека...

Его не штырем стальным, не плетью цыганской, его взглядом остановить надо. Смирись! Власть над собою признай!

Десять минут усмирения. Двадцать! Человек и зверь. Один на один. Тридцать минут! Грудью против него! Взглядом! Смирись, зверюга! Подчинись! Я сильнее тебя! Главное тут: жизнью не дорожить. Зачем она — жизнь? Черт с нею, с жизнью, лишь бы зверю место указать. Лишь бы показать кровожаждущему: не боюсь клыков твоих. Не боюсь когтей. Смирись!

А уж зритель победу оценит. А уж зритель благодарный взревет победным ревом, страшнее бешеного тигра взревет. И уж зритель ладони отшибет во славу победителя. И топотом пол проломит. Потом. Когда зверь покорится. Когда зверь, рыча и огрызаясь, приказ нехотя выполнит: ладно уж...

Через много лет неукротимый британский лев по имени Уинстон Черчилль признается в мемуарах: на конференциях большой тройки в Тегеране и Ялте всегда выходило так, что Сталин появлялся последним. Всегда. И когда Сталин входил в зал, все вставали. Они не знали, почему. Они вставать были вовсе не обязаны: Сталин им не командир, и они ему не подчиненные. Но вставали. Все разом.

А сын президента США Эллиот Рузвельт, который состоял при отце адъютантом, свидетельствовал: при появлении Сталина президент США подняться не мог. Не мог потому, что был парализован. Но... изо всех сил старался это сделать.

Заставить встать любого при своем появлении — не проблема. Для того чтобы заставить встать, Сталин даже не прилагал никаких усилий. Они сами вставали. Все.

Сейчас же речь шла не о том, чтобы заставить встать — это было бы легко, — сейчас надо было заставить чародея сесть.

Не было зрителей в кабинете кремлевском. Не московский тут цирк на Цветном бульваре и не цирк под вывеской Ялтинской конференции. Тут огромный глухой кабинет меж несокрушимых стен. Колизей без зрителей. Укрощение строптивого. Некому тут орать, восторгом исходя. Один на один. Между ними и осталось — то ли попросил Сталин, то ли повелел:

— Садись.

И Мессер сел.

Тогда Сталин, успех закрепляя, тихо совсем:

— Карту видишь?

16

В банк милиционеры вернулись в сопровождении врача и двух санитаров. «Скорая» у центрального входа замерла в готовности, в ожидании. Рудольф Мессер предусмотрительным был, знал, чем фокусы завершаются, потому вместе с милиционерами и миллионом послал еще и «скорую».

Не понял кассир Петр Прохорович, зачем ему миллион возвращают: он миллион выдал, правильную бумагу взамен получил, в чем же дело? Вот она — бумага. На месте. И в бумаге все правильно. Ткнул кассир перстом в чистый листочек тетрадный, осекся, присмотрелся, удивился, поперхнулся, сомлел, захрипел, губы посиневшие закусил, глаза закатил, со стула сполз. Тут-то его и подхватили санитары.

Предусмотрительность — великое дело.

Если займетесь чародейством, не забывайте врача с санитарами к потерпевшим приставлять. Милосердие украшает.

17

— Карту вижу.

— Красное — Советский Союз.

— Знаю.

— Теперь смотри еще раз: теперь все на карте красное, все континенты.

Не верит себе Мессер: точно — все вдруг континенты на карте кроваво-красными стали. Зажмурил Мессер глаза, снова открыл: дери черт этот Кремль и его обитателя — не может быть такого, но все страны красные. Как сказал Сталин, так и есть: только что были континенты на карте разноцветными, как одеяло лоскутное, а тут — единого цвета. Цвета крови, в боях пролитой.

— Веришь силе моей?

— Верю. Ты сильнее меня, Сталин. Отпусти.

— Отпускаю.

Тут же разом все континенты на карте заплаточками разноцветными изукрасились. Один только Советский Союз, как ему и положено, красным остался. Чудеса.

Не встречал Мессер на белом свете человека сильнее себя. И вот встретил. Признал силу. А выразить восхищение чужой силой не знал как. Потому только махнул рукой, головой кивнул и на русский манер изрек кратко:

— Во, бля!

Глава 10

1

Если вы решили, что и Сталин был чародеем, то я вас разочарую. Это, конечно, не так. Товарищ Сталин чародеем не был и магическим даром не обладал.

Он был укротителем чародеев.

2

Почему Мессер зарабатывал деньги тяжким трудом циркового фокусника, если мог просто взять в любом банке ровно столько, сколько ему требовалось? Да и вообще, зачем ему деньги, если мог иметь все, что хотел, без денег? Зачем он демонстрировал всему миру свои необычные способности, если была возможность жить тихо, шею над толпою не вытягивая, и творить то, что нравится? И почему он не рвался к власти, хотя мог управлять любыми толпами? Почему Мессер пришел в Советский Союз? Почему не в Америку?

На все эти вопросы у меня ответов нет. Я не знаю. Я только знаю, что во всем мире чародей Рудольф Мессер уважал одного человека — Сталина. После укрощения стал уважать даже больше...

После той встречи в Кремле, показав свою силу и почувствовав сталинскую, чародей Рудольф Мессер стал другом Сталина, возможно, единственным другом. Других друзей у Сталина не было. Были собутыльники, были соперники, были соратники, были ученики и подчиненные. А друзей...

И вот появился.

Может, Сталину не хватало того, кому можно излить душу? Может, нужен был кто-то, с кем не надо лукавить? Может быть, нужен был Сталину рядом человек, который имел почти такие же способности управлять людьми, как и сам Сталин, но к власти не рвавшийся?

И сразу так у них повелось: в присутствии посторонних — на «вы», а вдвоем — на «ты» говорят. Как в чародейском мире заведено. Знаю еще, что Мессер сразу открыл Сталину свою слабость: он боялся собак, ротвейлеров. В присутствии ротвейлера не мог работать. (Мессер не говорил высоким слогом: гипнотизировать, чаровать, колдовать, он говорил просто — работать.) Почему Мессер раскрыл Сталину свою слабость, мне тоже непонятно. Их, чародеев, разве поймешь? Никому никогда не рассказывал, а Сталину возьми и откройся. На самой первой встрече.

— Странно, — сказал товарищ Сталин. — Такой человек и боится собак. Странно. А я, знаешь, никого не боюсь. Никого, кроме людей.

3

Трудная это штука — доводка. Вырубить скульптуру зубилом легко. Шлифовать трудно. Так и оружие любое, да и вообще любой механизм и машину легко сделать, трудно потом до кондиции довести.

Макар-спецкиномеханик дни и ночи на спецучастке. Идет доработка чудо-оружия с непонятным названием СА. Этим оружием доблестная советская разведка будет беспощадно разить теоретически недосягаемых врагов.

А пока испытания. Пока — доводка. Конструкторы оружия суетятся и конструкторы боеприпасов, и оптику разную опробовать надо. Лучшую выбрать. Потом прицелы разметить требуется — вот где морока! Установлено, что стрелять придется только со станка, наводить только с помощью винтов, иначе любое движение стрелка, малейший вздох смещают ствол. Смещение минимальное, его вообще никакими приборами не зафиксируешь, но на дальности в четыре километра отклонение получается неприемлемое. Надо в голову бить, чтобы шкуру не испортить, а голова вражеская все врем вертится. Сердце снайпера должно биться в такт с сердцем убиваемого. Этот такт чувствовать надо. Снайпер должен предвидеть все движения цели, и оружие его должно не сопровождать цель, а как бы опережать ее движения. Если убиваемый танцует, то и ствол снайпера должен танцевать вместе с целью, на секунды упреждая каждое движение для того, чтобы пуля имела время долететь, для того, чтобы посланная пуля встретила голову врага и прошила ее между глаз, разрывая череп в осколки. Стреляя из легкой снайперской винтовки на километр-два, можно легко угадывать движения цели и слегка водить стволом, сопровождая и слегка ее опережая. Но как наводить огромное тяжелое противотанковое ружье винтами? Нужно придумать что-то другое. Потому эксперименты продолжаются. Потому грохочут над спецучастком выстрелы, искажаемые спецглушителями.

4

Но и Сталина мне не понять: кремлевские стены толщину имеют до шести с половиной метров, высоту до девятнадцати и бдительно охраняются, и уж если нашелся в мире один человек, который способен сквозь такие стены проходить, то на всякий случай против этого человека (мало ли что?) надо было в Кремле и на сталинских дачах завести хотя бы по две-три сотни этих самых ротвейлеров. Так нет же. Не распорядился товарищ Сталин усилить охрану ротвейлерами. Наоборот, приказал всех ротвейлеров из кремлевской охраны убрать, если таковые в ней имелись.

Если кто может мне объяснить сталинский поступок, объясните, я же в данном случае сталинской логики решительно не понимаю.

5

Между снайперами-испытателями конкурс неофициальный. Может, кто догадается? По червонцу сбросились — тому достанется, кто самую лучшую расшифровку придумает сокращению «СА».

— Сатана Антихристович...

— Стальной Арбалет...

— Сталинское... Что сталинское?

6

— А ведь ты, Мессер, монархист.

— Ты снова мои мысли читаешь?

— Нет, Мессер, просто мои люди твои высказывания аккуратно собирали и анализировали.

— А ведь и ты, Сталин, монархист. Не может человек, покоривший великую страну, не быть монархистом, не может верить в мудрость толпы.

— Не может.

— «Социализм — это не что иное, как крайнее выражение монархической идеи, для которой революция была ускорительной фазой». Так сказал...

— Так сказал великий Густав ле Бон.

— «Психология толпы». Люблю Густава.

— И я.

— Ты монарх?

— Тайный.

— И толпа об этом не догадывается?

— Как видишь. Все меня считают Генеральным секретарем ЦК ВКП(б). По ошибке.

— Ты будешь расширять свои владения, товарищ монарх?

— Без этого нельзя.

— И уничтожать монархии на своем пути.

— Буду. И не только монархии, но и республики. Все они насквозь прогнили.

— А вместо этого — новые монархии?

— Это будет называться народной демократией.

— Но в принципе — монархии?

— Да. Власть одного.

— Так почему бы тех, кто будет уничтожать старых монархов и занимать их места, не назвать царями, королями, императорами?

— Какой ты, Мессер, понимаешь, нетерпеливый. Это вредно для пропаганды.

— А зачем об этом объявлять? Пусть звания будут тайными...

7

Так давно заведено: на любом спецучастке — дом отдыха для исполнителей, с речкой, с пляжем, с хорошей кухней и добрым поваром, тут же — стрельбище, чтобы сталинским стрелкам форму не терять, тут же и расстрельный пункт — слышат люди за забором стрельбу, знают: стрельбище там у них, тренируются. Ясное дело, эксперименты тоже лучше всего на спецучастках проводить. Особенно, если эксперимент одновременно включает и точную стрельбу на огромное расстояние, и расстрел. Расстреливаемым ведь все равно, как их расстреливают — в затылок из пистолета или с четырех километров из противотанкового ружья. Расстрел он и есть расстрел. Из ружья даже лучше. И стрелкам практика, и расстреливаемому легкая смерть, внезапная, без долгой подготовки предсмертной, без всех этих расстрельных приготовлений. Хороша смерть, когда не ждешь ее. Когда не подозреваешь ее рядом. Привозят тебя на прекрасный берег озера Селигер и пускают в пустую дачу на берегу. Дача начальственная, никто сюда не залезет. Но и сбежать не выгорит. Ходи один, ходи, удивляйся превратностям судьбы: вчера в камере смертной на нарах, сегодня — в даче роскошной. И никого вокруг. Только облака по небу, да ветер в елках шумит. Елки на Селигере по тридцать метров в небо. Взгорье вокруг. Тоже лесами непроходимыми затянуто. Только у дачи одинокой лес вырублен. И огорожена дача так, что злоумышленнику в нее не пробраться (а тому, кто в ней, без разрешения не вырваться). Вот и сиди, видом любуйся. Можешь купаться, только уплыть далеко не получится — там сеть стальная. Можешь на бережку сидеть. Чья-то рука оставила тут заграничные журналы с завлекательными картинками. Можешь кофе пить. Настоящий испанский «Эспрессо». Давно таким не баловался, гражданин бывший начальник? То-то. Садись за столик на берегу, наслаждайся.

Потом голова твоя — р-а-а-з — и разлетится в кусочки мелкие. Но ты, гражданин заключенный, этого заметить не успеешь.

Потом сюда другого бывшего начальника запустят. Тоже будет по берегу ходить, удивляться.

Сегодня очередь удивляться выпала бывшему чекисту, бывшему начальнику Амурских лесоповальных лагерей, з/к Ярыгину. Из смертной камеры его в лес привезли, вымыли, накормили, одели в костюм с галстуком, одного оставили.

8

Не знаю, о чем говорили Сталин с Мессером долгими ночами. Да и зачем нам это знать? Книга-то у нас не про Сталина и не про Мессера, а про ту запасную девочку из испанской группы.

А про Сталина и его друга-чародея мне совсем нечего рассказать. Известно только, что ранним мглистым утром провожает Сталин гостя своего, руку жмет:

— Ты мне поможешь?

— Помогу. Только с условием...

— Знаю твое условие: будущих властителей планеты королями назвать. Так?

9

Сталин не спит ночами. Он засыпает с рассветом.

Сегодня ему выпал бессонный рассвет.

Солдатская кровать. Серое одеяло: три синие полосы там и три синие тут. Под одеялом — Сталин. Смотрит в потолок, закрывает глаза, манит сон. Но сон, как вольная птичка, порхает рядом, поймать себя не дает. И тогда Сталин снова открывает глаза и снова смотрит в потолок.

Вопрос о власти решен: он выбрал себя сам, перегрыз десять миллионов глоток и тем доказал, что его выбор — единственно верный. Теперь предстоит освободить Европу, Азию, Африку. Когда-то все страны мира найдут единственно возможный метод выбора вожаков: каждый сам себя выбирает. Но сейчас пока, на первые годы и десятилетия, всем странам, которые предстоит освободить, надо подготовить вожаков. Этих вожаков выбирать будет не толпа по внешнему виду, их вырастит и выберет мудрый добрый правитель. Выберет не по внешнему виду, а по деловым качествам... Мудрый правитель уже готовит вожаков, вождей, лидеров для Европы, для Азии, для Африки... Потом он подготовит вожаков и для Америки...

Пусть даже в будущем мире глупая толпа тешит себя сказкой о том, что власть принадлежит ей. Править будут одиночки. Специально для того выращенные. Будут править, прикрываясь именем толпы. Назовем это демократией. Высшей формой демократии.

Почти на все вопросы жизни Сталин давно нашел ответы. Просто сейчас долгим бессонным утром он еще раз сам для себя выстраивает цепочку логических доказательств своей правоты. Железная сталинская логика доводит рассуждения почти до самого конца... Почти. Сомнения оставались в последнем вопросе... О форме власти. С содержанием вопросов нет, а формы могут быть две. Первая: в каждой стране пусть будет Генеральный секретарь коммунистической партии, ему-то надо будет приставить второго секретаря... Генеральным секретарем, допустим, в Испании будет, понятное дело, пламенная несгибаемая Долорес Ибаррури. Кто же еще? А вот второго секретаря к ней надо подыскать. Вырастить и приставить. В Болгарии Генеральным секретарем будет товарищ Димитров. А второго секретаря надо будет подготовить. Хорошая девочка есть в болгарской группе... В Польше Генеральным секретарем... Кого же в Польше? Да не один ли черт, кого поставить Генеральным? Главный-то не он...

Вторые секретари... Ставить только того, кто почувствовал вкус крови. Кто сам загрыз предыдущего вожака... Бойцы спецгрупп пройдут сквозь школу настоящей борьбы за власть. Они лично истребят правителей освобождаемых стран и после этого взойдут на их место...

Вторые секретари...

Или все же короли? Управлять десятками и сотнями миллионов — адский труд. Хуже этого не придумаешь. Тот, кто управляет, должен иметь за свой труд вознаграждение. От каждого по способностям, каждому по труду. Но как совместить? Как не отпугнуть толпу? Совместить можно. Пусть называются правители вторыми секретарями. Официально. Пока. А тайно пусть называются настоящим именем... Когда-то потом можно будет привести форму в соответствие с содержанием... Отменили же деньги. Потому что деньги — это нехорошо. От денег все зло. Вместо денег ввели «советские знаки». Без этого не обойтись. Но трудно выговорить такое, потому очень логично вместо мудреных совзнаков называть проклятые бумажки деньгами. И ордена отменили. Чтобы равенство было, чтобы не хвалился один перед другим. И это правильно. Но самых лучших отмечать надо, и тогда ввели знак отличия, который назвали орденом. И министров отменили, потому, что равенство должно торжествовать. Правильно, что отменили. Вместо министров ввели народных комиссаров — наркомов. Но чтобы звучало лучше, надо будет наркомов в министров превратить. А то несолидно както. И послов отменили. Вместо них — полпреды. И офицеров нет — красные командиры вместо них. Нет и генералов. Но как без них? Как без лампасов и золотых погон? Без послов и министров? Как без царя? Из коричневого угловатого сейфа Сталин достал конверт, опечатанный пятью печатями, посмотрел в окно на вершины елок, швырнул конверт в полыхающий камин. Из аккуратной стопки взял чистый лист, усмехнулся, написал что-то толстым синим карандашом, сложил лист, вложил в конверт...

10

В испанской группе последнее сочинение.

Сегодня не будет никакой сложности: сиди пиши. Шесть часов. У каждой — две тетради. Все тетради с грифом «Совершенно секретно». Страницы пронумерованы. Каждая тетрадь у корешка прошита двумя нитками, нитки на последней странице связаны узелком, а узелок закрыт печатью Института Мировой революции. Листочек не вырвешь. Одна тетрадь — черновик. Вторая — основная работа. Проверке подлежат обе тетради. Черновик может оказаться важнее основной работы. Проверяющему надо вникнуть в ход мысли сочинительниц...

Раскрыли девочки тетради, замерли.

Заместитель директора Института Мировой революции товарищ Холованов взломал печати на сером конверте, прошитом красной нитью, вытащил лист:

— Тема сочинения...

Пробежал глазами Холованов, не поверил, поперхнулся, захлебнулся, закашлялся, точно как кассир в Госбанке, но совладал с собой, выдохнул шумно, объявил чужим голосом:

— Тема сочинения: «Кабы я была царица».

Глава 11

1

Ночь. Спит страна. Сталин не спит. Он вообще ночами не спит, покой страны бережет. Как бессменный часовой. Много дел у товарища Сталина. Сегодня сочинения правит. Смакует. Девочки — отличницы, читаешь — душа радуется. И с грамматикой все в порядке, и чистенько, и почерк у каждой — образец для подражания. Черновики любо-дорого читать, а уж как чистовик раскроешь, то и оторваться трудно, вроде самим Пушкиным писано. Потому спит Москва, а товарищ Сталин бодрствует и радуется: умницы, да и только. Он сам себе приказал читать сочинения, но не читать имен сочинительниц. Он решил узнать каждую по стилю, по манере излагать, более того — по манере мыслить...

Проблема: какому сочинению предпочтение отдать?

2

А снайперов подобрали тех еще. Девок. Если пуля весом 64 грамма пошла вперед со скоростью 1012 метров в секунду, то в плечо стреляющего шарахнет отдача такой же силы. Ну-ка прикинем.

В прикладе амортизатор устроен, все равно ключицу отдача переломить может. Прижимать приклад к плечу надо, чтобы не было зазора, чтобы плечо вместе с прикладом одновременно назад бы отлетало, а не встречало бы удар. А стрелками надо мужиков дюжих ставить, двухсоткилограммовых. А дурак какой-то на это дело ссыкух легковесных ставит. Эх, темнота!

3

Завершил Сталин работу. Поставил последние оценки: пять за изложение материала, пять за грамматику. Отодвинул стопочку тетрадей в сторону. Зевнул, потянулся. И спохватился. Стопку к себе рванул. И еще тетрадей не пересчитав, налился-переполнился мягкой ласковой тигриной свирепостью — яростью без внешних проявлений:

— Холованова ко мне.

4

Идет доводка системы оружия СА. А рядом в сотне метров уже стрелков готовят.

Удивляется Макар: зачем девок к этому делу?

А одна ему знакомой показалась. Тоненькая, глаза что у твоей стрекозы. Ее отдача выстрела чуть не на метр отбрасывает, она явно вся в синяках от отдачи, но от ружья ее не оттащить. Аж визжит от удовольствия.

5

Сталин почему-то наперед знал, что двух тетрадей в стопке не хватает. И знал, чьих. Шесть великолепных сочинений и шесть черновиков. Все правильно, все чудесно. Но от той, от последней, от запасной, он почему-то не ждал образцового сочинения. Он почему-то ждал какого-то шага необычного, который за рамки выламывается.

Где же эта необычность? Пересчитал тетради: ...десять, одиннадцать, двенадцать. Шесть сочинений, шесть черновиков, а седьмая что делала?

— Разрешите, товарищ Сталин?

Сталин как бы и не заметил вошедшего. Молчит. Он вообще ни на кого не кричал. Никогда. В гневе он отворачивается, ходит, смотрит в окно или себе под ноги, возится с трубкой, долго раскуривает ее. Чтобы внешние проявления гнева погасить и скрыть... Но Холованов знает, что означает сталинская сосредоточенность на пробивании дырочки в мундштуке. Холованов оценил ситуацию мгновенно. Он сообразил, что ошибся. Надо было сразу доложить, как было... Сейчас (и он это знает) единственный путь к спасению — не оправдываться. Потому Сталин молчит, сопит, продувает дырочку, опять ковыряет трубку особым шильцем и снова продувает.

И Холованов молчит.

6

Дверь зеркальная закрылась.

Семь девочек в большом круглом зале. Стены — одно сплошное зеркальное поле. С потолка — потоп света. Все сверкает и переливается. Только дверь нарушает искрящееся однообразие. Но вот закрыли дверь. Зеркальный круг замкнулся. Теперь даже трудно и сообразить, где она, дверь.

Тренировка — ровно час. Прозвучит музыкальный сигнал: динь-дон-дон, и с этого момента надо представить себя королевой или царицей.

Совсем недавно тут, в зеркальном зале, каждая должна была представлять себя вторым секретарем испанской коммунистической партии. Официально братскими партиями правят первые секретари из местных товарищей, а на деле правят вторые секретари, Москвой поставленные. Вот их-то девочки тут, в зеркальном зале, и изображали. Каждая — актриса, и в то же время каждая для остальных — зритель и судья. Оценок за этот урок не ставят — каждой и без оценок ясно, что она собою представляет на фоне других.

Теперь все так же, как и в прошлый раз, но только кто-то почему-то изменил программу подготовки, теперь надо играть роль не второго секретаря, а роль королевы или царицы. И не думайте, что так это просто — целый час из себя царицу корчить. Не думайте, что играть роль царицы легче, чем роль второго секретаря. Понятно, ни одна царица не имела столько власти, сколько второй секретарь братской коммунистической партии, и все же играть роль королевы или царицы вовсе не так просто, как со стороны показаться может. Еще и тем задание усложняется, что в зале не одна царица, а сразу семь.

Впрочем, седьмая уже как бы не в счет. Ее скоро из группы выгнать должны. Не уживается запасная в коллективе, не вписывается. Все у нее на свой лад. Все ей не так. Недавно сочинение писали «Кабы я была царица». Объявил товарищ Холованов тему, все только черновые тетради открыли, а она, тему услышав, черновую тетрадь даже не раскрыв, сразу черкнула что-то в основной тетради, бросила Холованову на стол и вышла.

Вот и теперь прозвучал сигнал, все величественные позы приняли, лишь она презрительно усмехнулась и видом своим показала, что в этой игре принимать участие не намерена.

7

Долго трубка не поддавалась очищению. Но всему приходит конец. Сталин положил трубку в правый карман френча и тут только обратил удивленный взгляд на Холованова: ах, вы тут, я и не заметил.

И Холованов игру поддержал, себя виновным выставляя, прикинулся, что вошел без разрешения и теперь спрашивает:

— Разрешите, товарищ Сталин?

— Да, входите. Я вас вот по какому вопросу вызвал, товарищ Холованов, меня волнует состояние дел в шведской группе.

И этот прием Холованову известен: Сталин уже подавил вспышку гнева, но при первых словах она может вспыхнуть снова. Потому он начинает издалека, чтобы успокоить не только свой дьявольский мозг, но и речь свою.

— Товарищ Сталин, думаю, нет оснований беспокоиться о состоянии дел в шведской группе. Есть проблемы, есть срывы, но все в рамках поправимого и устранимого, в рамках нормального рабочего ритма...

— А что у наших греков?

— В греческой группе все в норме, только одну девочку считаю необходимым отчислить за нарушение дисциплины.

— Что случилось?

— Самовольная отлучка.

— Продолжительность?

— Сорок шесть минут.

— Отчисляйте и примите меры сохранения тайны.

— Меры сохранения секретности приняты, расстрельный материал готов, представлю завтра.

— Хорошо. Идите... Нет, постойте. Есть еще вопрос...

Вот оно... Сжался Холованов. Внутренне сжался. Внешне он — сама беззаботность: что там еще?

— Тетрадей с сочинениями испанской группы должно быть четырнадцать.

— Тринадцать, товарищ Сталин. Она черновиком не пользовалась.

Холованов старается говорить так, как говорит Сталин: предельно ясно, предельно четко, экономя слова и время. Потому, экономии ради, он не назвал по имени ту, которая черновиком не пользовалась, для краткости обозначив все местоимением. Почему-то, говоря о ней, он считал, что пояснений не требуется. Он почему-то думал, что говорить о ней можно, не называя имени, товарищ Сталин и так знает, о ком речь, знает, кто способен на такие вольности.

Действительно, Сталин не заметил, что имя той, которая вопреки установленному порядку черновиком не пользовалась, еще не названо. Речь о ней. И это обоим ясно.

— Хорошо, товарищ Холованов, допустим, она черновиком не пользовалась, тогда тетрадей должно быть тринадцать. Где же тринадцатая тетрадь?

— Товарищ Сталин, она не справилась с заданием. Ее сочинение неудовлетворительно.

— Это буду решать я. Где тетрадь?

И Холованов понял, что спасен. Получив срочный ночной вызов в Кремль, он в мгновение вспомнил тысячу дел, сто тысяч вопросов, на которые Сталин может потребовать немедленный ответ. Поди сообрази, зачем вызывает Сталин в три ночи, поди упомни тысячи своих подчиненных и уйму хитроумных комбинаций, в которые каждый вовлечен сталинской волей. Из тысяч дел поди выбери единственно нужное в данный момент... Он открыл огромный сейф с документами категории «Совершенно секретно. Особой важности», скользнул взглядом и снова запер сейф. Открыл второй, с документами категории «Совершенно секретно». Снова скользнул сверху вниз по тысячам папок. Наугад выхватил тетрадку вздорной девчонки с сочинением на тему «Кабы я была царица», запер сейф. Опечатал оба своей персональной печатью и понесся в Кремль.

Теперь, когда Сталин протянул требовательно руку и грозно спросил: «Где тетрадь?», Холованов просто опустил руку в портфель и, как великий чародей, вытащил единственное, что в нем находилось, единственное, что требовалось: вот она.

Он знает: не окажись тетради с ним, никаких объяснений Сталин не примет и ждать, пока тетрадь привезут, не станет. При таком раскладе Холованова ждал арест на выходе и расстрел на заре.

Обошлось.

8

Не скажу, что новенькой не хотелось быть королевой. Хотелось. И даже очень. Но ей хотелось быть королевой настоящей, а не ряженой. Ей претило из себя королеву изображать. Какая-то внутренняя сила сдерживала ее, прикидываться не позволяла. В зеркальном зале нет уголка — круглый зал, но одно кресло все же в стороне от других. Роскошное кресло, явно из будуара Луи Тринадцатого. Вот в это кресло она и села, подперла щеку рукой и смотрит на своих величавых подруг, не выражая ни интереса, ни одобрения, ни порицания. Она просто созерцает происходящее с полным пониманием, что в коллектив она не вписалась, что теперь-то уж ее не простят, теперь ее из группы выгонят.

9

Тетрадь Сталин взял как-то осторожно, как-то бережно, как большой мастер берет в руки работу любимого ученика: ну-ка посмотрим. Он отошел с тетрадью к окну, как бы разворачиваясь к свету прожектора заоконного, одновременно отворачиваясь от Холованова.

Он нетерпеливо пролистал чистые листы, начиная с последнего, наперед зная, что почти все они чистые, что ей одной первой страницы вполне хватило. Но надо удостовериться. Да, ей хватило одной страницы. Одного предложения. Растягивая удовольствие, Сталин пропустил два мгновения перед тем, как написанное прочитать.

Прочитал.

И просиял.

Он никогда никому не показывал своих чувств. И сейчас он неспроста отворачивался от Холованова. Он ожидал сюрприза, но не знал, какого именно. Он не хотел показать своей реакции.

И ему думалось: не показал.

Но Холованов, видя только сталинскую спину, вдруг понял: сияет.

10

Прозвучал сигнал: динь-дон-дон. Растворилась дверь зеркальная: занятие закончено, выходите. Сразу девочки из королев и цариц превратились в наших родных советских комсомолочек, зачирикали на модную тему о новом фильме «Петр Первый». Почему-то раньше все фильмы были про борцов-революционеров: про Чапаева, про Щорса, про Кирова, про Ленина, а теперь вдруг пошли очень интересные фильмы про гетманов, князей, царей и императоров: про Александра Невского, про Богдана Хмельницкого или вот — про Петра. Говорят, про Ивана Грозного будет...

На выходе — как принято: основной состав вперед, потом запасная.

В зеркальной двери запасная обернулась в пустой зал и усмехнулась в пространство: ломать комедию — не по мне.

11

Отгремел день — хуже некуда. И ночь пронесло такую — не позавидуешь. Время спать. По личному приказу Сталина Холованов-Дракон обязан спать не менее четырех часов каждые сутки. Время пошло. Но не спится Дракону. Глаза — в потолок монастырский.

В последние дни он перестал понимать Сталина. Это тревожит. Много лет он уворачивался от ударов судьбы только потому, что понимал логику Сталина, потому, что наперед знал, за что Сталин будет хвалить, за что расстреливать. Но появилась эта девчонка в испанской группе, и все потеряло логику. В ходе занятия по выживанию она пришла к финишу последней, но это почему-то Сталина вовсе не интересовало. Все девочки ухитрились пронести по большому букету, ему же почему-то понравился маленький букетик ландышей, который она пронесла в рукаве на Красную площадь. Ему почему-то захотелось самому на контроль встать. Из длинной черной машины, из-за бархатной занавески смотрел... Во время последней стрельбы на четыре километра она не попала в голову приговоренного, бронебойная пуля прошла ниже, разорвав грудь и плечи. Но и на это Сталин внимания не обратил, ему почему-то понравился ее восторг, он совсем рядом был, невидимый, в будочке заколоченной, и не результаты его почему-то интересовали, а эмоции стреляющих. С сочинением она оскандалилась — три всего слова, тринадцать букв. Разве это сочинение? А Сталин почему-то сиял от такого, извините, «сочинения».

Вот и сегодня: смотрели втроем через прозрачное зеркало. Все девочки приказу следуют: цариц изображают, и здорово получается — какие жесты, какая мимика! Лишь она одна царицу изобразить не сумела. И не пыталась. Демонстративно. С вызовом. А уходя, вдруг плеснула надменным взглядом прямо туда, где Сталин за зеркалом стоял. То ли догадалась, то ли почувствовала... Швырнула взгляд, словно камень. Товарищ Сталин за зеркалом аж отшатнулся.

— Характер, — хмыкнул Холованов.

— Гнать такую, — Мессер отрубил.

А товарищ Сталин качнул головой, чуть в усы улыбнулся:

— Какие, понимаешь, есть девушки в русских селеньях.

Глава 12

1

Она не вписалась в группу. Это ясно всем. Прежде всего это ей самой ясно. Она понимает, что больше ее тут держать не будут. Потому — в дорогу. Ей никто еще приказа не давал. Она сама себе приказала. Сборы не долги. У нее давнее правило: все должно поместиться в один зеленый солдатский мешок заплечный. Все, что не помещается, — лишнее, все это надлежит выбросить. Но нечего ей выбрасывать. Нет у нее с собою лишнего. И еще правило: в мешок — только то, что можно потерять. То, что терять нельзя, — на себя. Потому: портретик товарища Сталина сняла со стены — и в карман нагрудный. Комсомольский билет и удостоверение личности — во внутренний карманчик-тайничок. Шинель — с гвоздика. Затянула гимнастерку широким командирским ремнем. «Парабеллум» — в кобуру. Два ордена Ленина — на грудь. Смолкли девочки разом: ни у кого в группе двух орденов нет, а у нее два оказалось. Да каких! И молчала, зараза. Впрочем, ордена не помогут. Ей в такой группе места нет. Даже с орденами. Даже в числе запасных. Но где же она ордена такие получить успела?

Тут и Холованов в дверь:

— Готова? Прощайся. Ты больше в группе не состоишь.

2

В любой хорошей комиссии — три человека. Так повелось: выпивать, так на троих. И вовсе не зря в каждой русской пивной — картина с тремя богатырями. И в трибунале — трое. И в любой расстрельной комиссии — опять же трое. Понятно, в комиссии по утверждению претендентки на должность королевы Испании триумвират: директор Института Мировой революции товарищ Сталин, его нештатный консультант товарищ Мессер и заместитель директора товарищ Холованов.

Обсуждение.

Совещания у товарища Сталина идут по образцу классических военных советов — первым говорит младший по положению, званию и должности, затем мнения высказывают все более и более высокопоставленные лица, а самый главный говорит последним. Если сделать наоборот, если самый главный будет высказывать свое мнение первым, то нижестоящие будут мнение начальственное иметь в виду и свое мнение с начальственным сообразовывать и соразмерять, а то и вовсе нос будут по ветру держать, поддакивать, главного хвалить за мудрость и с ним соглашаться. Какой тогда прок от совещания?

Распределили так: товарищ Сталин — самый главный. По этому вопросу прений не возникло. Вторым по положению признали Холованова: у него должность официальная. Мессер — третий, потому как без должности — на правах вольного консультанта. Потому ему первое слово.

— Товарищи, — начал он, невольно приобщаясь к общепринятой манере обращения на совещании столь высокого уровня. — В испанской группе шесть человек основного состава и одна запасная. Запасную мы из группы вывели ввиду явной несовместимости. Из шести претенденток основного состава и одной запасной лучшей, на мой взгляд, является запасная. Мне представляется, остальные должны быть сразу отсеяны — не потому, что они плохо подготовлены, а потому, что запасная наделена какой-то внутренней силой. Я не могу этого объяснить словами, но силу эту чувствую. И если мы обсуждаем сегодня кандидатуру будущей королевы Испании, то обсуждаем только одну кандидатуру. Остальные отпадают без обсуждения.

— Согласен, — кивнул Холованов.

— Согласен, — кивнул Сталин.

— Итак, — продолжает Мессер, — шестерых мы отфильтровали. Теперь остается решить, можно ли оставшуюся седьмую, запасную, назначить на должность королевы Испании? Мое мнение, товарищи: нельзя.

3

Макару снилась девушка с большими синими глазами. Она ему каждую ночь снится. А днем, когда никого нет, он достает тот самый веселенький фильм и крутит его сам для себя. Кем она была? За что ее расстреляли? Интересно, если бы Макару выпало ее расстреливать, то...

4

— Она необычна. Она не такая, как все. И если уровень других можно выразить на графике горизонтальной линией, то она на этом графике будет вертикалью: в чем-то она неизмеримо хуже всех в группе, а в чем-то неизмеримо лучше. Другими словами, она как бы из другого измерения. На ее фоне другие претендентки померкли, как звезды на заре, их кандидатуры даже и обсуждать не хочется. Однако уж слишком наша претендентка своенравна, слишком строптива. Боюсь, что, захватив власть, получив власть над Испанией, дорвавшись до власти, она немедленно выйдет из-под контроля.

— А вы что думаете, товарищ Холованов?

— Не знаю, товарищ Сталин. Набирать новую группу? Снова из трех тысяч кандидатур выбирать только шесть... И снова готовить? А потом за этим же столом мы будем обсуждать,.. вспомним нашу запасную и снова разгоним новый состав просто потому, что другой такой претендентки на престол нам не найти, она все равно затмит всех остальных. С другой стороны, характер ее мне знаком — она упряма и непредсказуема. Опасность, что выйдет из-под контроля, велика... Не знаю...

5

Она не знает, что о ней сейчас спорят. Она спит. Впервые за много дней в ее программе ничего нет. Потому она спит за прежний недосып. Спит на будущее, кто знает, когда поднимут, на какое дело пошлют.

Во сне она сразу уходит в далекое детство, в Серебряный бор, в дачный городок высшего командного состава Красной Армии. Она одна в большом бревенчатом доме с высоким крыльцом и резными наличниками. Во дворе на длинной цепи страшный пес Робеспьер — гроза почтальонов, садовников, гостей. Пес летит из одного конца двора в другой, и за ним свистит цепь по стальной проволоке: шшик!

В зону, куда могут дотянуться его клыки, не рекомендуется попадать никому. Туда может войти только хозяин.

Настенька одна на крылечке. Под забором кто-то роет подкоп. Это другая собака. Соседская. Белая пушистая лайка с голубыми глазами...

6

— Мне, товарищи, она нравится. Ах, какое она сочинение написала! Уложилась в тридцать секунд. В одно предложение. В три слова. Тринадцать букв... А как она вела себя в зеркальной комнате! Не знаю, догадалась она, что мы наблюдаем, или нет, но все прикидывались царицами, хорошо роль играли, а она роль не играла. Разве настоящая царица позволит себе царицей прикидываться?

— Но, товарищ Сталин, она непредсказуема.

— Товарищ Сталин, она иногда неуправляема.

— Ладно, тогда вопрос ставится на голосование.

7

На карнавал к Ежову сегодня не пришел никто. В первый раз. Такого не бывало. Что кавказский Гуталин готовит дальше? И что делать? Застрелиться? А может быть, все уладить? Попроситься на понижение? Уехать из Москвы? В Сибирь? На самую низкую должность. Командующим пограничными войсками Дальнего Востока, например.

8

— Кто за то, чтобы назначить запасную королевой Испании? — смотрит Сталин на Мессера, потом на Холованова. Оба рук не подняли.

— Хорошо, — говорит товарищ Сталин и медленно поднимает правую руку.

Холованов и Мессер, не сговариваясь, отвернули головы в разные стороны, один рассматривать лохматую бороду Маркса на портрете, другой — нахального взлохмаченного воробья с маленькими глазками-бусинками, прыгающего с предерзким видом за оконной рамой.

— Хорошо, — почти по слогам повторил товарищ Сталин. — А кто против?

Поднялась рука Мессера.

— Кто воздержался?

Поднялась рука Холованова.

— Мнения разделились, товарищи, один — за, один — против, один воздержался. Что делать? Решим так: каждый голос — это 33,33% от общего числа. Мы втроем составляем — 99,99%. Куда же в этом случае девался 0, 01% от общего числа? Все мы в комиссии равны, но в этом случае получается расхождение с математикой. Поэтому предлагаю считать, что голос каждого члена комиссии это — 33,33%, а голос председателя — 33,34%. Тогда при сложении мы и получим желанные 100%. Кто будет возражать против законов математики?

Против законов математики возражений не возникло.

— Поэтому, товарищи, — продолжает Сталин, — запишем так: «за» — 33,34% голосов, «против» — 33,33% голосов при 33,33% воздержавшихся. Таким образом, предложение считается принятым...

— Товарищ Сталин, — Мессер строг. — Товарищ Сталин, она не может быть королевой!

— Почему?

— Она не тянет на королеву. Просто по комплекции не тянет. — Мессер показал Сталину, какими в его представлении бывают у королевы бедра и каков объем груди.

И Сталин согласился. В его представлении воплощением настоящей королевы была немка на русском троне — Екатерина. Сталин представлял ее женщиной с могучей грудью и столь же могучими бедрами. До своих сосков она, в сталинском понимании, могла дотянуться, но только самыми кончиками пальцев.

Претендентка на испанский престол этим стандартам не соответствует.

9

Начальник спецпоезда Кабалава спешит на агентурную встречу. Порядок установлен строгий: если выставлен сигнал, значит, в десять вечера он должен быть в условленном месте. Место: пустой почтовый вагон в тупике среди тысяч таких же вагонов. Там ждет его кто-то без имени, похожий на Пилсудского. Он платит по двадцать пять рублей за встречу и требует о Берия все. Буквально все: с кем встречался, с кем говорил, о чем говорил, сколько минут говорил.

И на весь персонал спецпоезда материал усатый требует: у кого слабости какие, кому что требуется...

— Два дня назад товарищ Берия после работы был в поезде. С ним в машине был товарищ Завенягин. Они вошли в купе и говорили тридцать минут.

— Пан ошибся. Встреча продолжалась тридцать две минуты.

— Может быть. Вчера вечером сюда к товарищу Берия приезжал товарищ Серебрянский.

— Зачем?

— Не знаю.

— Что имел с собой?

— Портфель.

— Что в портфеле?

— Как мне знать?

— При тебе не открывал?

— Нет.

— А ведь пан врет. Пан Серебрянский открыл портфель в коридоре вагона. Так?

— Так.

— Вот что, пан Кабалава, будешь врать, я тебя пану Берия сдам. Вот и папочка на пана. Зачем мне такой брехливый пан нужен?

Прикинул Кабалава: а ведь сдаст.

10

— Стандартам она не соответствует, — сокрушенно подвел итог Сталин, — и на королеву не тянет. Это ясно. — И вдруг нашелся: — А на принцессу тянет?

Смутился Мессер. В его представлении, принцесса — маленькая, тоненькая, хрупкая, трепетная... Признать был вынужден: по комплекции на принцессу тянет.

— Во! — сказал Сталин. — Во! Для начала назначим принцессой. На королеву не тянет, и ничего, из кого же королевы происходят? Будем оптимистами, будем питать надежды, что со временем она разовьется в королеву. Товарищ Холованов, пишите.

11

Сигнал вызова на агентурную встречу простой и ясный. За забором станции, где спецпоезд пана Берия стоит, рабочий класс живет, белье стирает и сушит. Регулярно. Если вон у того окна подштанники белые вывешены, значит...

Сегодня они вывешены. По ветру полощутся, как стяг.

12

А Холованов уж за огромным «Ундервудом», и уж бланк готов — «Пролетарии всех стран, соединяйтесь! Всесоюзная Коммунистическая партия (большевиков). Центральный Комитет». В правом верхнем углу привычно и быстро отшлепал: «Совершенно секретно. Особая папка». Отбил и замер. Взгляд на Сталина: готов.

Сталин прошел по комнате, развернулся, остановился.

— Постановление ЦК, — продиктовал хрипло. — Центральный Комитет постановил... двоеточие... назначить испанской принцессой... скобку открыть... инфантой... скобку закрыть... запятая... наследницей испанского престола... Стрелецкую Анастасию Андреевну... запятая... агентурный псевдоним... тире... Жар-птица... точка...

Глава 13

1

— Здравствуйте, товарищ Стрелецкая.

— Здравствуйте, товарищ Сталин.

— Я просмотрел все материалы, которые собраны на вас, включая фильм про расстрел. Главное в нашем деле — контроль. Я вам устроил контроль. Все испытания вы прошли. Вы хорошо себя вели... А Холованов хорошо расстреливал. Главное, стрелять рядом с головой, но не повредить слуховые нервы проверяемого. Обморок при контрольном расстреле для девушки вашего возраста, как мы теперь установили, явление обычное. У вас был глубокий обморок. — И улыбнулся. — Надеюсь, вы не обижаетесь на меня за то, что я контролирую своих людей не совсем обычными способами.

И она улыбнулась:

— Я бы своих людей тоже контролировала... Необычными способами.

Этот ответ явно понравился Сталину. Он этого не скрывает. Бывали в его жизни моменты, когда над всеми его качествами вдруг поднималась-искрилась человечность. В эти моменты он не играл роль и не обманывал собеседника, собеседник это знал. Этими редкими моментами откровенной человеческой доброты Сталин мог заворожить любого. Хлеще всякого чародея.

И если бы Настя Жар-птица в этот момент получила приказ отдать жизнь за Сталина, она бы приказ выполнила, без мгновений на размышления. Он давно очаровал ее. Сейчас она просто смотрит в веселые озорные огоньки его лучистых глаз, видит и не видит их, она упивается счастьем быть с ним.

— Товарищ Стрелецкая, вы прошли контроль, и я вызвал вас, затем чтобы задать один не вполне обычный вопрос. Минуту на размышление не даю. Требую мгновенный ответ без размышлений...

2

Спецкурьер Центрального Комитета ВКП(б) Стрелецкая Анастасия Андреевна, агентурный псевдоним — Жар-птица, вышла из сталинского кабинета испанской инфантой, наследницей престола. На сталинский вопрос она ответила просто, быстро и решительно: да, испанской королевой быть готова. Сталин знал наперед ее ответ, только такого ответа, только такого тона от нее и ждал. Сталин сказал, что она будет испанской королевой, будет непременно, но для этого надо много работать над собой. А для начала она назначается испанской принцессой, инфантой по-ихнему. Зачитал товарищ Сталин соответствующее совершенно секретное постановление Центрального Комитета и пожелал успехов в освоении новой профессии.

В сталинской приемной на наследницу испанского престола внимания не обратили. На лбу у наследников их высокие титулы не написаны, корона еще не положена, впереди не бегут трубачи, и фанфары не возвещают о появлении царствующей особы. Пока. И вместо королевских нарядов на наследнице престола гимнастерка с алыми петлицами да командирский ремень широкий. Так что смотреть-то в общем и не на что. Кабы не ордена.

В сталинской приемной своей очереди ждет молодой авиаконструктор: на широком отвороте полосатого пиджака орден Ленина. Один орден. Еще ждет приема бывший заместитель народного комиссара оборонной промышленности. Тот без орденов. Его прямо из Амурлага на прием к товарищу Сталину дернули. В фуфаечке. Холованов на «Сталинском маршруте» доставил. В полете бывшего заместителя наркома ананасами кормили и рябчиками, потому как для пассажиров «Сталинского маршрута» рацион единый без различия, зам ты наркома или бывший зам. Так вот он без орденов. У обитателя Амурлага вместо орденов номера многозначные грудь украшают. И спину. Его не признать. Вообще надо сказать, что обитатели Амурлага почему-то быстро вес сбрасывают и внешний вид меняют. Потому бывший зам наркома на себя не похож. Потому другие ожидающие его не узнают. Как бы. В окошко смотрят, трещинки на стене кремлевской разглядывают. Бывшего повелителя, который круто правил гигантскими заводами от Воронежа до Комсомольска, узнать и вправду нелегко: шея — что у вашего гуся. С кадыком. А уши на бритом черепе — вроде ручки у кувшина. Оттопырились.

Еще в приемной усатый командарм сидит. У того — четыре ордена Красного Знамени. Рядочком сверкающим. Есть и орден Ленина. Но только один. А тут из сталинского кабинета фифочка выпорхнула: ни тела, ни мяса, душа одна ремнем перепоясана. А на груди два ордена Ленина сверкают платиной и золотом. То ли полярница со льдины, то ли разведчица из вражьего стана.

Все трое ей вслед развернулись: сильна!

3

— Товарищ Сталин, какие будут указания по испанской группе?

— Жар-птица из группы исключена, ей там больше делать нечего. Ее готовить индивидуально по основному варианту. Ответственный за подготовку — Мессер, а на вас, товарищ Холованов, возлагаю персональную ответственность за агентурный выход.

— Есть.

— Испанской группе — трое суток каникул. Позаботьтесь, чтобы люди отдохнули. Загнанных лошадей мне не надо. Да и вам бы, товарищ Холованов, отоспаться пора. По моим сведениям, вы не выполняете приказа и положенных четырех часов в сутки не спите. От такого рвения производительность не повышается, а падает. Приказываю отдохнуть.

— Есть отдохнуть.

— После трехдневного отдыха подготовку испанской группы продолжать, но теперь уже по запасному варианту. Цель подготовки испанской группе разрешаю открыть. Понятно, эту цель не называть запасной.

4

— Здравствуй, Жар-птица. Я — чародей. Ты будешь моей ученицей.

— Здравствуй, чародей.

5

Понятное дело, вопрос возникает: имеет ли право Центральный Комитет Всесоюзной Коммунистической партии (большевиков) назначить кого-то на должность испанской инфанты?

Тут я вынужден сказать чистую правду: Центральный Комитет имеет право назначить на любую должность.

6

— Знай, Жар-птица, я выступил против тебя. На мой взгляд, ты лучше всех, но испанской королевы из тебя все равно не получится. А у товарища Сталина другое мнение. Товарищ Сталин приказал готовить тебя. Приказ я выполню, за короткое время постараюсь научить тебя многому. Запомни сразу: если хочешь добиться успеха, никому не подражай. Учиться у других можно и нужно. Ты должна у всех учиться. Но не смей никому подражать. Если поэту говорят, что его стихи так же хороши, как стихи Пушкина, то поэт не должен воспринимать это как похвалу. Наоборот, это самое страшное, что он может услышать. Это означает, что Пушкин первый, а наш поэт всего лишь второй, пусть даже и после Пушкина. Лучше быть первым Пушкиным, чем вторым Пушкиным. Помни, Жар-птица, ты должна быть первой. А для этого надо искать свой собственный путь. Пути, пройденные Коперником, Гоголем, Фордом, Магелланом, Айвазовским или Огиньским, вели к успеху только потому, что по этим путям до них никто не ходил. Каждый, кто за ними пойдет во второй, третий и сотый раз, — всего лишь подражатель. А успех лежит на тропинках, которых еще нет, которые никем не протоптаны. Потому требую: ищи свой путь. Совершенно необычный. В любом деле ищи свой стиль, свой подход. В тебе эта черта есть. Ты всегда по бездорожью ходишь. Так пусть же так и остается. Твое дело — разведка, твое дело — захват и удержание власти. Ищи свой путь в этих делах. Иди своим путем, чтобы другие тебя ни с кем не сравнивали, чтобы другие знали: ты на этом пути первая. Пусть другие тебе подражают...

А добиться этого легко. Просто надо всегда оставаться собой. Все люди разные. Каждый уникален. Надо просто ценить свою уникальность. И ты уникальна. Уникальна, как... — Он замолчал на мгновение в поисках сравнения. — Ты уникальна, как снежинка.

7

Рубаха на Драконе шелковая, алая. Как щеки с мороза. Сапоги отряхнул, и — в горенку.

Весело в печке поленья сосновые трещат. А за окном дождь хлещет. Со снегом. Ветер гудит. Сумерки ранние тайгу кроют.

— Разбирайте тетрадки свои. Сразу говорю: за сочинение «Кабы я была царица» у всех отличные оценки.

Плащ на Драконе весь вымок. И сапоги мокрые.

Плащ с него девчонки снимают. Сразу все. Всем почему-то Дракону помочь хочется, прикоснуться к нему, пылинку с его красной рубахи смахнуть.

— Ну-ка все к огню. Я вам, девочки, сейчас расскажу что-то интересное.

8

У трех вокзалов — толпа. У трех вокзалов — трамвайное нашествие. Трамваи — красота, с зелеными и синими огонечками. И все гремят, все колесами на поворотах скрежещут, все тормозами скрипят, у всех разом с дуг искры до земли сыплются, все звонками звенят не унимаются, во всех трамваях люди спрессованы, как шпроты в банках — в масле, в томатном соусе и в собственном соку, на всех трамвайных подножках народ московский гроздьями. Рельсы переплетены в единый клубок, а поперек путей рельсовых — машины косячком и народ валом.

Кепочки, шапочки. Пассажиры отъезжающие и приезжающие. Носильщики-матерщинники — в каждой руке по три чемодана и еще по два мешка на каждом плече, вперекидку. Шпана с гармошкой. Дети орут. Тетка злая, огромная, в белом грязном рваном халате вся искричалась, пироги резиновые расхваливая.

Кот вокзальный крысами хрустит, весь от счастья измяукался. Промысловые проститутки развернулись, как китобойная флотилия в Беринговом море. Карманники скользят. Инженер в очках. С портфелем. На доклад прибыл, похвалиться, как Райчихлаг планы перевыполняет. Комсомольцы-добровольцы в тайгу вольняшками-бригадирами едут. А энтузиасты-недоучки по путевке комсомола прут на почетную работу надзирателей и конвоиров. На БАМ. Гитары звенят, девушки в платочках на платформе пляшут.

Память народная, как ты коротка. Где тебе, память, упомнить какой-то БАМлаг и полмиллиона бамовских зэков, которые с 1933 года валили сосну под магистраль века, сыпали насыпи, рубили откосы, грызли тоннели?

— Иди, Настя, к милиционеру, проси пистолет.

Пошла Настя.

— Дай пистолет.

9

— Товарищ Сталин, испытания системы СА успешно завершены.

— Хорошо. Вы думаете, если с четырех километров размозжить вражью голову, то стоящие рядом не догадаются, что именно произошло?

— Не догадается никто.

— А если рядом будут профессионалы высокого калибра?

— Все равно не догадаются.

— Это надо проверить. Проведите еще один эксперимент.

10

Милиционер на посту Соловьем-разбойником щеки раздувает, в свисточек посвистывает, палочкой помахивает. Мимо него в десять рядов трамваи едут железным рядом, как танки по Красной площади. Только танки в одну сторону прут, а тут все одновременно, никому пути не уступая, во все стороны сразу, и каждый норовит всем остальным помешать. И машины табуном. А уж люди друг другу так на головы и лезут. Милиционеру только глазом моргнуть, мигом все перемешается. Потом он палкой машет, не моргая, от службы не отвлекаясь.

Тут к нему и подошла девчонка нахальная, вида его грозного не убоявшись, подошла, да и говорит: «Дай пистолет!»

Такой наглости...

Развернулся к ней грозный милиционер в твердом намерении взглядом наглую девку иссушить-сокрушить-испепелить.

Не вышло. Сам на ее взгляд напоролся. Плеснула она взглядом, усмирила.

Достает милиционер пистолет новейшей конструкции «ТТ». А пистолет не просто так, к рукоятке пистолета кожаный ремешок пристегнут, чтоб не потерялся. Улыбнулся милиционер, отстегнул ремешок, подал пистолет и делом своим занялся: мол, а теперь отойди и не мешай работать.

11

На сотни километров дикий лес дремучий. Мокро в лесу, темно, холодно и страшно. Гудит буря, вершинами кедров балует. Звери от бури по берлогам прячутся. Холодно зверям в лесу, противно. А люди под крышей. В тепле. В уюте.

Привез Холованов с собой угощение: водки «Посольской» ящик, пива бочонок, икры осетровой полведерка, хлеба московского душистого. Привез сала полтавского, десяток кругов колбасы краковской. Не нашей «краковской», а настоящей, той, что из города Кракова. А поляки, должен вам доложить, в производстве колбас понятие имеют. Еще много всего привез: ну-ка, хозяюшки, на стол накрывайте!

Шесть хозяек, один гость: все на кухню картошку чистить и жарить, а гостя — в баню. Пусть косточки с дороги попарит, тогда пировать будем. Проводили Дракона хохотом, шутками: живем в монастырском смирении, мужского пола на сто верст не водится, потому некому тебя, Дракон, и веником похлестать.

12

Агентурный выход — это операция, смысл которой в том, чтобы из столицы мирового пролетариата наш человек оказался бы во вражеском логове.

Звучит просто, но есть оговорка: во вражеском логове надо оказаться так, чтобы по прибытии в означенное логово не взяли бы нашего брата за пушистый хвост, не закрутили бы ласты за спину.

За агентурным выходом — легализация и создание базы вербовочной. На всем можно сгореть, но прежде всего горят на связи. Связь в агентурной разведке бывает личная и безличная. Горят как на той, так и на другой. По мировой статистике, 93% провалов — на агентурной связи.

— Откуда, чародей, ты все это знаешь?

— Меня всегда влекли дела тайные. Поэтому я посещал лекции в лучших разведывательных школах и академиях мира.

— Хорошо тебе, чародей, пришел куда хочешь, охмурил всех, сиди и слушай, что люди болтают.

— Чепуха. Ты не должна никого гипнотизировать. Никого, кроме себя. Ты себя убеди, что ты лучшая, ты себя убеди, что тебя в любом деле ждет только успех, и только оглушительный успех, ты себя убеди, что жизнь твоя — триумф. Судьба всегда дает каждому ровно столько, сколько от нее требуешь. В любом деле для успеха нужно только одно: желание. Закрой глаза и скажи: «Хочу!»

13

Удался пир. Первый тост за товарища Сталина, за его заботу о разведчиках. Растопила водка «Посольская» ту стену ледяную, по одну сторону которой начальник, по другую — подчиненные.

— Догадались ли, девочки, для каких дел вас готовят?

— Мы, Саша, догадались, но лучше, если ты сам скажешь.

Не положено такого ответственного товарища Сашей называть. Его или товарищем Холовановым, или агентурным псевдонимом — Дракон... Но сейчас почему-то всем теплее оттого, что нахалка Гюрза Дракона как-то по-домашнему назвала. Глаза ее лукавые аж потемнели, и улыбка многозначная в самых уголках губ прячется.

И как-то всем сразу просто стало и радостно. Дракону это тоже нравится. По нему видно.

— Работа у вас, девочки, будет почетная. В ходе войны из вас каждая возглавит агентурно-террористическую группу. Задача: истребление людей с очень высоким положением.

— Мы так и поняли.

— Это не все. Вы займете места истребленных вами и примете бразды правления. Каждая из вас будет править огромной провинцией Испании: Андалузией, Каталонией, Валенсией, Гранадой, Наваррой...

Не ждали девочки столь высокого взлета. Думали: предстоит истреблять мэров городов да капиталистов. А товарищ Сталин вон какое доверие оказывает. Потому каждой хочется свою любовь к товарищу Сталину излить. Но нет тут, в тайге дремучей, товарища Сталина. Потому вся любовь, товарищу Сталину предназначенная, на Дракона изливается. Он у огня, у печки, истории рассказывает. А каждая норовит к нему поближе, каждая к нему прижаться хочет. Круг слушательниц потому совсем тесный.

— Это не все. Поначалу вы будете как бы в тени, вы будете управлять, оставаясь невидимыми. Но со временем вам будут присвоены титулы. Вы станете баронессами, княгинями, герцогинями... Кто знает, может быть, какой из вас и выше предстоит подняться. Первый этап вашей подготовки уже завершен, и потому объявляю вам трое суток каникул.

14

Поет патефон песни разложившейся буржуазии. Стол сдвинули. Танцы. Решили так: чтобы никого не обидеть, у Дракона отобрано право на танец приглашать. Девочки сами очередь установили. По жребию. Наломали от веника палочек разной длины, Дракон те палочки в кулаке зажал одинаковыми кончиками наружу. И тяни каждая свою судьбу. Какой самая длинная палочка выпадет, той и танцевать с Драконом первой. А какой самая короткая палочка, той последней быть. И пошел Саша Дракон кружить каждую по очереди. Танцором оказался умелым. И неутомимым. Одну за другой, всех закружил. Недаром он у товарища Сталина личным пилотом состоит. Недаром на воздушных парадах петли в воздухе часами крутит. Крутит, пока керосину хватает. Приземлится, заправится — и опять. Голова у него никогда не кружится. Силищи и выносливости в нем — на трех бугаев. И душевного тепла — всем достанется. И еще останется. И танцевать с ним — удовольствие.

Девочки — в кружочек, шепчутся, смеются, на Дракона поглядывают. Делегата меж собой выбирают. И Дракон смеется, в кресле развалился, шутейно себя газетой «Правда» обмахивает. Словно веером японским.

К нему Зараза, делегатом от общественности: глаза зеленые изумрудным светом горят. Смотрит нахально, прямо и смело:

— Саша, можно к тебе по личному вопросу обратиться?

— Обратись.

— У нас у всех просьба.

— Давай.

— Куда по такой погоде полетишь? Оставайся у нас на всю ночь. А?

15

Написал старик Андерсен сказку про принцессу на горошине. Мы после того так и считаем: принцесса — значит, неженка. Так оно и было. Правду Андерсен сказал. Потому они, цари-короли, власть потеряли: разнежились. Где они теперь, монархи?

Потому у товарища Сталина в Институте Мировой революции подготовка руководящих кадров монархического состава поставлена на другую основу:

— Ну-кась, Анастасьюшка, подтянись по рабоче-крестьянски.

Глава 14

1

Людей не хватает. Людей всегда не хватает. Не хватает инженеров на строительстве новых пороховых заводов. Не хватает квалифицированных рабочих на производстве пикирующих бомбардировщиков. Не хватает конструкторов артиллерийских систем. Не хватает следователей НКВД: они оказались врагами, и потому их пришлось перестрелять. Тысячами. Нужны новые. Где взять? И в разведке людей не хватает. Всегда не хватает. Просто потому не хватает, что нам всегда хочется знать больше того, что мы знаем.

— Слушай, Жар-птица, боевую задачу. Сейчас я тебя отвезу в кремлевское ателье. Там французские журналы мод. Выберешь, что нравится, тут же тебе сошьют костюм. Примерка через час. Вторая через два. Между примерками тебе сделают прическу. Там умеют. Туфли, сумку крокодиловой кожи, перчатки, браслеты, кольца, перстни, серьги — все получишь на складе. Там этого в достатке. На мой взгляд, к твоим синим глазам больше всего подойдут сапфиры. К вечеру ты должна быть Золушкой преображенной, в хрустальных туфельках. Поедешь со мной. В немецком посольстве новая дипломатическая тетенька появилась. В добывании работает. Обнаглела до того, что под меня клинья бьет. Вербовать норовит. Мы ей в этом удовольствии откажем. Мы ее сами вербанем. Она слишком самоуверенна. Материала на нее в достатке. Мы воспользуемся сразу многими видами оружия, в том числе и самым страшным — ревностью. Ты пойдешь со мной в театр. Мои ребята провернули такой финт с билетами, что ее ложа будет с нами рядом. Ты, Настя, будешь играть роль моей любовницы. Только очень осторожно играть. Надо создать у немочки впечатление, что официально мы с тобой просто сослуживцы или хорошие знакомые, но за этим якобы кроется что-то более серьезное. Все поняла?

— Все.

— Справишься?

— Справлюсь.

— И помни, тебе это на будущее пригодится: ревность — самая страшная, самая разрушительная и самая созидательная сила. Все великое, что совершило человечество, делалось в порыве ревности.

2

— Товарищ Сталин, для последнего эксперимента с системой оружия СА нужны эксперты высшего класса. Кого, как и под каким предлогом собрать?

— Собраться я им сам прикажу. На совещание.

— Где?

— Правительственная дача на озере Селигер.

— Кто будет присутствовать?

— Берия, Аказис...

— Аказис, товарищ Сталин...

— Ах да. Аказис почему-то в окошко прыгнул. Тогда Завенягин, Серебрянский... И нужен еще один...

3

Фигаро тут. Фигаро там. То тут, то там. В зале темно. На сцене светло. По сцене Фигаро скачет.

Не видит Настя Фигаро, не слышит его. Ей не до Фигаро. У нее сердечко стучит так, словно за нею — стая гончих псов. Стучит сердечко громко до неприличия. Сейчас соседи оборачиваться начнут и шикать: тише, девушка, слушать мешаете! Настя дышать пробует, как учили: глубоко вдохнуть и задержать вдох как можно дольше, а потом выдохнуть глубоко и выдох задержать... Не помогает. Причиной тому — Дракон. Он рядом. Саша Холованов. Дракончик. Сашенька. Они будут сидеть молча очень долго. Пока Фигаро скакать не перестанет. Они будут сидеть рядом. Делать вид, что им ужасно интересно на скачущего Фигаро любоваться. Они будут в ладоши бить. Вместе со всеми. Но сидят они рядом не ради Фигаро. У Жар-птицы и Дракона сегодня работа. Агентурная операция. Они — хорошие знакомые. Они пришли в театр. И ее плечо на таком расстоянии от его плеча, на котором плечи хороших знакомых находиться должны. Только на один миллиметр ближе положенного. Она не смотрит на него. Она смотрит на сцену. И он тоже. И рук их со стороны не видно. Потому ее ладошка по ошибке его руки коснулась. Нечаянно. И сжала руку Драконову. И отпустила. И его рука сжала ее ладонь мощно и нежно и тоже отпустила.

И тут Настя не удержалась и, повернув медленно голову вправо и назад, скучающим взглядом оценила сдержанную, молчаливую компанию в соседней ложе. Немцы. Гитлеровцы. Форма черная. Канты и отвороты — белые. Кто-то взял великолепного сукна и облил тем сукном их стройные фигуры. На левых рукавах красные повязки с черными свастиками. Форма притягивает, завораживает и пугает. Знает Настя, что это форма германского министерства иностранных дел, да уж очень на СС похоже. И понимает: одно другому не мешает, под дипломатической формой может скрываться любая другая. Как у нас. У нас ведь не абы кого во вражеские столицы под дипломатическое прикрытие отправляют. У них — тоже. В группе немцев седые дипломаты генеральской выправки. В группе немцев молодые спортивного вида ребята, жеребцы племенные. Чистокровные. С ними потрясающей красоты женщина. Тоже в черной форме, с белыми кантами и отворотами, в черной пилотке с маленьким серебряным черепом и скрещенными костями, с золотым партийным значком на галстуке. Чуть прикусила Настя губу, скользнув по прекрасной немочке надменным взглядом, и более уже ни единого мгновения своего внимания ей не подарила.

4

— Враг народа Трилиссер!

— Я.

— Если бы вам поставили боевую задачу ликвидировать Троцкого, справились бы?

5

Длинный черный «линкольн» везет Холованова и Настю домой.

Дракон радостью цветет:

— Не думал, Настюха, что ты актриса. Настоящая. Как же ты роль играла! Нас ребята страховали. Они в восторге. Говорят, тебе в лучших театрах Москвы играть, премии Сталинские получать. Жаль, ты под глубокое прикрытие уходишь, мы тебя и так уже подсветили слегка, тебя светить больше нельзя. А то бы! Эх, черт... Я бы тебя напарницей к себе взял...

6

— Да! — вдохновенно выдохнул враг.

— Тогда так, гражданин Трилиссер, обвинения с вас не сняты, дело ваше временно прекращено. Товарищ Сталин предоставляет вам последнюю возможность своей жизнью послужить великому делу полного истребления врагов народа во всемирном масштабе, где бы враги ни прятались. Вам присвоено звание комиссара государственной безопасности второго ранга. Четыре ромба. По армейским понятиям — командарм второго ранга. Вот ваша гимнастерка с новыми знаками различия. А брюки, сапоги, фуражку и все остальное получите позже. Сейчас главное в том, чтобы восстановить ваш вес и здоровье. Любая еда в нормальных количествах для вас сейчас смертельна. Кроме бульона.

Хлопнул огромный дяденька в ладоши, раскрылась дверь камеры, водопад света влетел в распахнутую дверь, и в лучах восходящего солнца возник силуэт толстого повара. Обгоняя свет, в камеру вломился и переполнил ее густой аромат...

7

Может ли чародей, даже самый лучший, за несколько месяцев научить всем чародейским премудростям свою ученицу, пусть даже самую талантливую? На этот вопрос я вынужден дать ответ отрицательный. Категорически заявляю: за столь короткое время всему научиться нельзя.

Однако...

Однако кое-чему чародей свою ученицу уважаемую, но нелюбимую научил.

Как он ее учил и чему именно, я, откровенно говоря, не знаю. Мне не дано знать и сотой доли чародейских секретов. А если бы я те секреты знал, так тогда бы, хо-хо! Тогда бы я сам чародеем заделался, охмурял бы широкие народные массы в мировом масштабе.

Быстро подготовка завершилась. Время не ждет. Вторую мировую войну начинать пора. Потому приказ откуда-то с самого верха: инфанте испанской срочно прибыть на выпускной бал-маскарад.

Наследнице испанского престола — персональный транспорт: ремонтный поезд «Главспецремстрой-12».

8

Нет озера прекраснее Селигера. Это большевики лучше всех поняли. Потому объявили селигеровы берега заповедными. И возвели на заповедных берегах дачи высшего руководящего состава.

— Отдыхайте, набирайтесь сил, — улыбнулся начальник спецгруппы Ширманов.

Знает комиссар государственной безопасности второго ранга товарищ Трилиссер, как улыбаются палачи перед расстрелом. И в улыбке вежливого холовановского холуя почудился оскал смерти.

9

Это только незнающим поезд ремонтным кажется. А внутри, в вагоне не то почтовом, не то багажном, все так устроено, чтобы пассажиру было удобно и уютно. За окном дождь унылый. А внутри — чисто, тепло, тихо. Только колеса стучат.

Когда-то давно, как бы в другой жизни, Настя Стрелецкая была пассажиром этого поезда. Тут все ей знакомо, все привычно. И проводник знаком.

— Здравствуйте, Сей Сеич.

— Здравствуй, Жар-птица.

— Куда повезете?

— К городу Куйбышеву. На 913-й километр. В Москву-600.

10

Один Трилиссер на правительственной даче. Откормился. Врач персональный приставлен. Повар персональный. Еще кто-то там персональный. На даче созданы все условия для отдыха и плодотворной работы. Товарищ Трилиссер работает. Никому не дано знать, над чем именно работает. Потому повар, врач и прочая обслуга появляются только в отведенные им часы и минуты, и тут же строгая охрана выставляет их за ворота. Так и должно быть: товарищ Трилиссер по приказу товарища Сталина разрабатывает план истребления самого главного из всех врагов человечества — изверга Троцкого.

Знает Трилиссер: удастся дело — немедленно товарищ Сталин на грудь отличившемуся Трилиссеру орден Ленина повесит и вознесет на заоблачные высоты власти.

Долгими вечерами бродит Трилиссер по пустому огороженному кусочку берега. Хорошо тут. Вольготно. Звонки телефонные не донимают.

Одна мысль Трилиссера терзает: как бы идею не украли. Идея проста и прекрасна: послать к Троцкому нашего человека, который троцкистом прикинется, даст наш человек Троцкому статью почитать о том, что Троцкий умница, склонится Троцкий над статьей, улыбкой дьявольской оскалится, бородку «а-ля черт» пощипывать будет, в это время наш человек его топором по черепу и звякнет!

Все так красиво смотреться будет: сами троцкисты Троцкого и убили! Перегрызлись в своей своре собачьей! И смерть Троцкому будет не мгновенная, а медленная, мучительная...

Но придумал Гуталин кавказский обсуждение плана: Берия пришлет, еще кого-то. Послушает Берия план, а потом объявит, что это он сам все придумал...

Неужто Сталин-Гуталин так низок, чтобы позволить идею Трилиссера кому-то другому на исполнение отдать?

11

Она любит спать в поезде. В поезде сон слаще. Потому как ритм сердце успокаивает. Под этот ритм она и уснула.

И тут же, прорыв под забором нору, вынырнула белая пушистая холеная собака с голубыми глазами и отряхнула землю с себя. Лайка полярная. Она вошла на чужой дачный участок как хозяйка. И маленькая девочка Настенька сжалась от жалости и страха. Серый цепной Робеспьер разрывал любого, кто появлялся там, куда он мог дотянуться. Робеспьер растерзал соседского кота и когда-то появившегося тут лисенка. Робеспьер признавал только хозяина. Любой другой, человек или зверь, должен был отдать Робеспьеру жизнь, если бы осмелился подойти близко. Все знали об этом, потому рядом с ним не появлялись. Его потом убили, Робеспьера кровавого. Жарким летним днем 10 июня 1937 года люди товарища Сталина застрелили клыкастого. Без стрельбы комкора Стрелецкого арестовать не представлялось возможным... Но до того дня была целая жизнь — удивительная, веселая и радостная, и была в той жизни белая пушистая собака, которая пришла без страха прямо к Робеспьеру, не убоявшись его мерзких клыков. Девочка Настенька — одна на даче. Она да серый пес на цепи. И еще белая незваная нахалка. Сжалась Настенька от ужаса: сейчас Робеспьер будет рвать незваную гостью в клочья. Пойдут клочки по закоулочкам. Это так страшно. И так интересно. Но Робеспьер почему-то не рвал нахальную гостью. Он напрягся, замер, вытянулся, и только кончик его серого хвоста метался судорожно.

Белая собака бесстрашно обнюхала присмиревшего зверя и вдруг яростно и злобно его укусила...

12

— Подъезжаем.

— Да, спасибо, Сей Сеич. Я уже не сплю.

В вечернем сумраке разошлись стальные пути надвое. И еще раз. Разъезд 913-й километр. По откосу белыми камешками: «СЛАВА СТАЛИНУ!» На другой стороне: «ЛИКВИДИРУЕМ КУЛАЧЕСТВО КАК КЛАСС!» Кулачество ликвидировали, а лозунг остался. Впереди громада моста через Волгу. Но не пошел «Главспецремстрой-12» на мост. Его в сторону понесло, по ржавой колее — к Жигулям, к откосам крутым, в скалы. Справа уступы. Слева уступы. Лес дикий. Нетронутый. Тут ветра поубавило. Мраку поприбавило. А дождь хлещет.

Миновали ущелье красного гранита с березами и елочками на карнизах. Вот и роща дубовая. Орешник — подлеском редким стелется. Совсем небольшой тоннель на пути, а за тоннелем рельсы — в тупик. Нырнул ремонтный поезд в тоннель, а на той стороне не вынырнул. В тоннеле, с виду коротеньком, — ответвление в сторону и в глубину. Разогнался в подземелье локомотив на полную мощь. На поверхности ему запрещено ходовые качества кому ни попадя демонстрировать, а тут в тоннелях гони с какой нравится скоростью. Вот и гонит. И уж навстречу вылетает станция в потоке света. Ни дать ни взять «Маяковская». Только название другое: «МОСКВА-600». Любит товарищ Сталин «Маяковку». За высоту, за ширину, за простор, за легкость конструкций, за размах и изящество. «Маяковка» вон сколько призов на выставках международных сорвала. Потому неудивительно, что в Жигулях, в запасной столице СССР, тот же облик архитектурный повторен.

Плавно-плавно «Главспецремстрой-12» у серой гранитной платформы остановился. Вышла Настя, огляделась. Да. Центральный зал тут шире. И выше. И мозаика под потолками другая. Тоже красиво. Если людей на платформах посчитать, то явно за сотню. Но поглощает пространство людей. Ширина небывалая дворца подземного, легкость колонн сверкающих, высота потолков, светом залитых, — все это людей в малых гномиков превращает. Потому впечатление — безлюдно тут. Высадил «Главспецремстрой-12» своего пассажира одинокого и пошел вперед в неизвестность подскальную. А на его место подкатил товарняк с ящиками. Козырнул Насте лейтенант симпатичный, представился:

— Лейтенант Шадрин. Здравствуйте. Вы спецкурьер ЦК Жар-птица?

— Здравствуйте. Я — Жар-птица.

— Можно удостоверение?

Подает Настя платочек шелковый с печатью Центрального Комитета и несмываемой подписью товарища Сталина.

— Вам, Жар-птица, проход — везде. Я провожу вас.

Подхватил лейтенант ее шинель и мешок солдатский: следуйте за мной.

Эскалатор бесшумный поднял их в серый полированный гранитный зал. В стенах широкие темные щели. Вроде для красоты. Понимает Настя — это амбразуры, оттуда из скальной глубины автоматические авиационные пушки ШВАК на нее сейчас своими любопытными хищными рыльцами смотрят. И жадные глаза наводчиков. Улыбнулась Настя амбразурам: привет вам пламенный!

Из подземного зала бездонный колодец лифта ведет вверх, в рабочие бункеры. Если лифт поднят, то из этой западни гранитной нет вообще никакой возможности проникнуть туда, наверх. Звякнул лифт. Разошлись двери, пропустив Настю с лейтенантом внутрь, и бесшумно сошлись за спиной. Лифт самый обыкновенный, человек на тридцать. Только обычных в этих случаях кнопочек нет. Закрылись двери, и потянуло лифт наверх. Скорость большая. Ощущение неприятное, точно как в небоскребе, когда тянет высоко и быстро. Остановились. Открылись двери, и снова они в широком пустом зале с единственной броневой дверью и десятком амбразур со всех сторон. Только гранит тут красный. Тут документы проверили не только у Насти, но и у лейтенанта сопровождающего. Проверили быстро, без придирок, и пропустили за броневую дверь в паутину подземных галерей, коридоров и переходов. Прошли сводчатым мраморным залом, повернули направо, затем налево. Оказались в широченном коридоре, мощенном зеленым и белым камнем. На стенах мозаики: мудрые полководцы склонились над картами; мужественные командиры рассматривают поле боя в бинокли; голодные пролетарии мира с красными знаменами свергают ненавистных капиталистов, открывают двери темниц; солдаты Красной Армии в смертельном штыковом бою теснят и ломят озверевших врагов, и те же солдаты победоносной Красной Армии в парадном строю маршируют по освобожденным городам Европы.

— Вам туда, в коридор 66-К. До свидания. Мне туда вход воспрещен.

13

За броневой дверью встретил Настю Жар-птицу Ширманов, командир спецгруппы, помощник Холованова.

Тут, за дверью броневой, снова коридоры бесконечные. Уже заметила Настя: у каждого коридора — свое неповторимое сочетание цветов. Тут пол тоже в огромных шахматных клетках. Но цвета гранита — красный и белый. Каждый коридор вроде улицы, от которой влево и вправо — чистенькие нарядные переулочки. В один и свернули. С двух сторон — двери кожаные. У одной солдатик возится, отверткой крутит, бронзовую табличку прикручивая. На табличке — ни звания, ни имени, только агентурный псевдоним: «Товарищ Жар-птица». Отскочил солдатик в сторону. Руку под козырь. Человек мимо него проходит без всяких знаков различия. Да только знает солдатик, что под этими скромными гимнастерками скрываются птицы высокого полета.

Кабинет чист и светел. Настя не сразу и сообразила, чего тут не хватает. А не хватает окон. Стены от пола до потолка — мягкая теплая пробка. Вдоль одной стены — книжные полки с книгами ее любимыми. Кто-то ее вкус изучил. На другой стене — карта мира, карта Европы, карта Испании и отдельно большая карта Средиземноморского бассейна. Пол — паркет дубовый. Широкий толстый ковер. Рисунок крупный, яркий. Стиль явно афганский. Стол широкий. Батарея телефонов, среди них «кремлевка» и «вертушка». Огромный старинный сейф заперт. Сейф явно Путиловского завода. Явно работы дореволюционной.

— Ключ?

— Дракон сказал, что вы этот сейф без ключа открывать умеете.

Кивнула Настя, Ширманова отпуская. Осмотрелась. В боковой стене кабинета — три легкие двери. За одной — маленькая комната: шкаф, простая кровать, правда, под верблюжьим одеялом. За другой дверью — туалет и душ. В третьей комнатушке — нечто вроде кухни и полки до потолка с годовым запасом бутылок, банок, стандартных армейских продовольственных пакетов в серебристой фольге.

Осталась Настя одна, сбросила одежду, забралась в душ. Она любила истязать себя смертельно холодным и затем невыносимо горячим потоком, и вновь холодным, и вновь горячим. Она любила максимальный напор. Она любила мочалки жесткие, как стальные щетки. Жаль, только бани парной нет да чистого озера, покрытого льдом, с хорошей прорубью для купания.

Долго-долго растирала себя полотенцем, а потом просто сидела в кожаном командирском кресле с высокой спинкой и смотрела на карту Испании.

Стол дубовый под зеленым сукном. Зеленый цвет для глаз хорош — успокаивает. Кабинет прост, ничего лишнего. С кабинетом своим она разобраться успеет. Ей не терпится с незнакомым городом познакомиться. Подземным. Подскальным. Одни таблички на дверях чего стоят. На соседней двери успела заметить: «Товарищ Зверь». А могут встретиться и более романтичные псевдонимы. Да и как не побродить по городу, которому такая судьба уготовлена? Кому из вас довелось шляться по тихим переулкам будущей Столицы мира?

14

По коридорам — просто так. Без цели. Бродит, сама себе улыбается. Идет Настя гулкими пустыми пространствами. Тихо. Там человек пройдет, да там шаги простучат. В одних коридорах гул, суета, люди в форме и без. Словно муравейник перед дождем. Но повернешь за угол, и опять — шуршащая тишина. В случае нужды тут уймищу народу разместить можно. И запасов тут на многие годы, да еще в каждой комнате припасено. Кабинеты, кабинеты. Нет конца кабинетам. Двери вдоль коридоров — как чешуя вдоль рыбьей спины. В большинстве своем — на замках, на печатях. Пыль на сургуче. Построили, опечатали, будет нужда — вскроют. Стоит кабинет запертым в бесконечном ряду таких же. Только иногда то там, то тут попадет коридор оживленный, где двери хлопают часто, как солдатские подошвы на долгом марше. И опять — царство пустоты и тишины.

Нашла Настя много интересного, нашла спортивный центр с бассейном, потом еще один, но только тут бассейн пустой. Воды в нем еще не бывало.

Нашла ресторан, и еще один. А потом столовую безжизненную: в темноте — столов солдатских штабеля необозримые. И магазины кое-где попадаются, и опять своды, ходы-переходы, и двери вдоль коридоров. Потом пошли коридоры без гранита и мрамора. Просто серый бетон. Вроде как из центра города забредешь в индустриальные окраины. Трубы да кабели разноцветные. Тут уж совсем никого нет. Разбегаются коридоры в разные стороны. Там лампочка мерцает да тут. Не то чтобы страшно, но гнетет пустота. Ладно. Пойдем назад. Хорошо бы схемы на стенах висели: план коридоров и стрелочка зеленая — вы находитесь тут. Но нет таких схем. Не положены. Да и не во всякий коридор завернешь. Там решетками весь проход закрыт, как Волга плотиною. Там часовой штыком уральским путь обрывает: сюда заказано. Если документы предъявить, то ее-то пустят. Но к чему? А там ведет коридор черт знает куда, во мрак, в холод, в крысиную сырость. Капелька с потолка — бом-м-м-м. Носа туда совать никак не хочется. Покрутилась Настя туда-сюда, вернулась в места знакомые. Вот и коридор красно-белый, вот и кабинет. А жаль, что окна нет. Не помешало бы. Тут и звонок в дверь.

— По вашему заказу из кремлевского ателье доставлен маскарадный костюм шамаханской царицы. Не угодно ли примерить еще раз?

15

Когда ей что-то непонятно, она уснуть не может.

Непонятно: зачем устраивать выпускной бал-маскарад?

86 спецгрупп подготовили по одному монарху или монархине для всей земли. Все группы работали в строжайшем секрете, и ни одна не была связана ни с одной другой. Будущие правители друг друга не знали и знать не могли. И вот в чью-то глупую голову пришла идиотская идея лучших выпускников, тех, кто на самые высокие должности рекомендован и утвержден, собрать вместе и устроить маскарад. Каждому разрешили выдумать себе любой наряд, из любого материала, каждого отдельно кремлевское ателье обслуживало. Зачем это?

Маскарад завтра. Завтра будущие монархи впервые увидят друг друга. А индивидуальный инструктаж Настя прошла сегодня: на маскараде разрешается называть свой агентурный псевдоним, настоящее имя и настоящий, присвоенный Центральным Комитетом, титул. Да зачем же?

16

— Николай Кузнецов, агентурный псевдоним — Пух, кайзер Германии. — Кайзер чуть покраснел и поправился: — Будущий кайзер.

Настя, восточной правительницей наряженная, протянула будущему кайзеру руку для поцелуя, представилась:

— Настя Стрелецкая, Жар-птица, инфанта испанская.

Она считала неприличным называть себя будущей королевой. Лучше представляться тем титулом, который уже имеешь, — просто и скромно: инфанта.

Глава 15

1

Материал на агентурный выход представлен.

Товарищ Сталин еще раз просматривает все, что собрано на разведчика, который будет действовать в Испании под агентурным псевдонимом Жар-птица: результаты психологических испытаний, заключение медицинской комиссии, анкеты, протоколы негласных обысков, стенографические записи подслушивания, отчеты наружного наблюдения, записи разговоров во сне и в бреду, сочинения.

Сталин раскрыл тетрадь с грифом «Совершенно секретно» — сочинение: «Кабы я была царица». Сочинительнице хватило одной страницы. Одного предложения. Трех слов. Тринадцати букв.

Прочитал Сталин то, что так ему понравилось, то, что читал уже столько раз. Сочинение оказалось на две буквы короче своего названия: «Покорила бы мир».

Ухмыльнулся товарищ Сталин.

И решительно наложил резолюцию.

2

Хрипит «Амурлес» протяжным ревом.

Принял в Архангельском городе десять тысяч кубов соснового кругляка и ушел в туман. Ему в тумане не страшно. В тумане лесовозу некого бояться, кроме, понятно, айсбергов. Никто другой, ничто иное с лесовозом в тумане столкнуться не может. Если даже его в слепящей белизне не видно, если и гудков его не слышно, то все равно любой во мгле по запаху сообразит — лесовоз рядом. Капают слезы сосновые. Аромат таежной беды на пять миль вокруг. Внутри лесовоза смоляной дух зашибает, и солярный смрад, и нефтяной выхлоп. Запах океана и тайги — в едином букете. Опять везет по свету лесовоз мечту миллионов зеков лесоповальных лагерей завалиться в сосновый штабель и вместе с бревнами уплыть ко всем чертям, туда, где тепло. Лес в штабелях добрый. Свежий. Не лежалый. Не трухлявый. Прямо из Печерлага: «Комсомольский лес — Родине!»

Тяжелый вал Белого моря выплывает не спеша из непроглядной бесконечности, поднимает легонько «Амурлес» высоко к небу, отпускает бережно чуть не до самого дна и передает как эстафету следующему валу. Курс — Средиземка. Цель — Неаполь. Вождь итальянского народа Бенито Муссолини построил для хорошего друга товарища Сталина боевой корабль. Некоторые по незнанию зовут его голубым крейсером. Но это не крейсер, это лидер эскадренных миноносцев «Ташкент». Скорость у «Ташкента» небывалая. Изящество потрясающее. На такое одни итальяшки только и способны. И выкрасили проклятые макаронники лидер «Ташкент» не по-нашему, не в грязно-серый цвет черноморской волны, а в цвет лазурного неба Адриатики, всем черноморским портам на удивление и зависть. Лидер «Ташкент» скоро вступит в боевой состав Черноморского флота. Его доводят в Николаеве. И пора товарищу Сталину с милым другом расплачиваться. В безлесной Италии карельские кругляки в большом спросе, в хорошей цене. Потому идут караваны лесовозов, словно верблюды через Сахару. Цепочкой нескончаемой. В Италию. Лес везут.

И только капитану «Амурлеса» Саше Юрину известно: везет его лесовоз не только кругляки пахучие, но и пассажиров. Кто они, эти пассажиры, сколько их, по каким делам и куда едут, знать капитану «Амурлеса» не дано. Хочется капитану знать, но помнит: предшественники его, капитаны кругосветные, к какой-то загадочной информации случайно прикоснулись и после того долго на мостике капитанском не задержались. Может, повезло кому из них, может, рукою коченеющей в рукавичке драной, норму выполнив, пишет сейчас бывший капитан на вагоне фразу ритуальную: «Комсомольский лес — Родине!» Но не верит капитан Юрин в такое везение. Вряд ли того, кто в тайны такой глубины нос сунул, живым оставят. Потому капитан Саша Юрин пассажирами секретными не интересуется.

3

— Я знаю, что тебя, Жар-птица, тревожит. Ты готовишься стать королевой, но сомневаешься, есть ли в тебе королевская кровь?

— Да, чародей.

— Успокою тебя, Жар-птица, — в тебе есть.

— Откуда ты знаешь?

— Вычислил.

— Как?

— Давай вместе считать. Не полезем в глубь тысячелетий. Разберемся только с последним тысячелетием. Сто лет — это четыре поколения людей. Тысяча лет — сорок поколений. Представь пирамиду. Ты — вершина. А под тобою сорок этажей. На каждом этаже — предшествующее поколение. Прямо под тобой на сороковом этаже только два твоих прямых предка, отец и мать, которые тебя создали.

— Да.

— Без них твое существование не состоялось бы. Кто из них важнее? Оба. При отсутствии одного тебя просто не было бы.

— Согласна.

— А отца и мать создавали четыре человека. У тебя две бабки и два деда. Кому знать, от кого из четырех ты унаследовала больше, от кого меньше. И опять, кто из них был важнее? Все.

— Согласна.

— Итак, на 39-м этаже пирамиды у тебя четыре прямых предка. А прабабок и прадедов у тебя, как и у меня, как у каждого из нас, было восемь. Это 38-й этаж. Поколением раньше у каждого из нас было 16 предков.

— А до этого — 32.

— Вот тебе, Настя, задача: рассчитай, сколько у тебя было предков тысячу лет назад.

Легко с бумагой и карандашом считать. Но чародей задает задачи, которые без бумаги и карандаша решать надо.

— 64, 128, 256, 512, 1024, 2048...

Поначалу быстренько идет. Но уж очень круто цифры одна на другую наваливаются, мотаются и толстеют...

— 131 072 умножить на 2. Получится...

Получаются удивительные вещи. Всего только двадцать поколений назад, то есть пятьсот лет тому назад, каждый из нас имел миллион предков. 1 048 576 — для точности.

— Вот тебе и арифметика: до миллиона предков пришлось на двадцать этажей спуститься вниз, а уж этажом ниже их было два миллиона. Ну считай, мешать не буду.

До первого миллиона долго Настя добиралась, а потом пошли миллионы слоиться один на другой, превращаясь в десятки миллионов, в сотни...

Легко 134 217 728 на два умножить. Но просто некоторым трудно в памяти результат удержать и множить дальше и дальше. А Жар-птице с памятью повезло, потому она, уперев взгляд в потолок, губами шепчет:

— 137 миллиардов 438 миллионов 953 тысячи 472 умно-о-жим на два и получим...

Не спеша циферки множатся, множатся, множатся, и вот результат:

— Тысячу лет назад у меня должно было быть тысяча сто миллиардов предков.

— Точнее?

— 1 099 511 627 776.

— Может, я ошибаюсь, но у меня тот же результат получился. Теперь попробуй всех их сложить, всех своих предков за сорок последних поколений. Знаешь самый простой путь?

— Надо последнюю цифру из этого ряда умножить на два и отнять два.

— Правильно. Действуй.

— 2 199 023 255 550.

— Согласен. Столько у тебя должно быть предков только за одну последнюю тысячу лет. Мы исходили из того, что и мужчины, и женщины производили потомство в возрасте 25 лет. Если же они производили потомство раньше, а так оно все время и было, то тогда за тысячу лет набирается не сорок поколений, а больше, и количество предков увеличивается совершенно астрономическим образом. Если мы заглянем в глубину еще на тысячу лет, во времена Римской империи, во времена викингов и расцвета Византии, то пирамиду твоих предков невозможно будет выразить никакими цифрами.

— Но на земле никогда не было, нет и быть не может такого количества людей.

— Конечно, не было. Выводы сама делай. Если совсем немного подумаешь, то сообразишь, почему аристократы вели свою родословную только по мужской линии от деда к отцу, от отца к сыну, от сына к внуку.

— Получалась одномерная ниточка через века.

— Ага. А во времена матриархата родство вели по женской линии, тоже получалась одномерная ниточка. Но если учитывать одновременно и мужскую, и женскую линии, то получается трехмерная пирамида, составляющие которой не только невозможно запомнить по именам, но даже и выразить цифрами. Как только люди пробовали учитывать своих предков и по мужской, и по женской линиям одновременно, то быстро соображали: мы все происходим от общих корней. Потому еще римляне понимали: нет и не может быть цезаря, в котором не текла бы рабская кровь, но нет и не может быть ни одного раба, в котором не текла бы царская кровь. Все это можно выразить проще: все люди — братья.

4

Где же разместить пассажиров на лесовозе? Проблем нет. Присутствие пассажиров предусмотрено еще на стадии замысла. Конструкторскому бюро закрытого типа, где конструкторами для надежности были враги изобличенные, передали: «Есть мнение...». Чье мнение, не объясняли. А заключалось мнение в том, что богатый иностранец может иногда возгореться желанием путешествовать на советском лесовозе. Перевозка одного иностранца может принести дохода больше, чем перевозка тысячи кубов кругляка. Мнение было учтено, потому на лесовозах серии «Амурлес» этажом ниже капитанского мостика — глухой поперечный коридор. От правого борта до левого. Он называется коридором «А». У правого борта коридор «А» резко назад изломан и у левого борта тоже. На правый борт — три двухместные каюты и на левый — три. Еще в том коридоре есть что-то вроде кают-компании, крошечная кухня и кладовая. На правом борту коридор завершается тяжелым штормовым люком и выходом на нечто вроде балкончика, врезанного в корпус, — там шлюпка спасательная. И на левом борту устроено точно так же. Получилось, что лесовозы из чисто грузовых превратились как бы в грузопассажирские, понятно, с решительным уклоном на основное назначение. Славно конструкторы поработали, так все устроили, чтобы капиталистические пассажиры не мутили бы команду советскую, не заражали бы ее бациллами гниения буржуазного. Чтоб и не слышно их там было, чтобы музыка буржуйская и вопли разложения не нарушали бы трудовой ритм советского экипажа и не смущали бы его. Устроен коридор «А» так, что от всех остальных помещений корабля изолирован. Туда войти можно только из капитанского коридорчика. И даже если буржуй путешествующий на свою собственную крошечную шлюпочную палубу выйдет, то и тогда его можно будет увидеть только с берега или с другого корабля. А со своего «Амурлеса» никак ты его не углядишь. Это с домами многоэтажными бывает: так балкон соседский устроен, тяни шею, не тяни, а заглянуть не выгорит.

Впрочем, выглядывать-то и нечего. Так пошло дело, что никакие буржуазные пилигримы на кораблях «Экспортлеса» не путешествуют. Потому вход в коридор «А» всегда заперт тяжелой дверью с мощным замком внутренним. Да еще и панелью прикрыт. Потому о существовании таких коридоров на лесовозах типа «Амурлес» мало кому известно даже в экипажах. Сам капитан в коридоре «А» был только дважды. Во время досмотров. Немцы, чтоб им неладно, хоть и друзья заклятые, но сообразили, что количество иллюминаторов снаружи не соответствует количеству внутри: дополнительные помещения быть должны. Полезли таможенники и полиция портовая в Гамбурге по кораблю: а это что? а это? Показать пришлось капитану Саше Юрину: тут каюты пустые. Осмотрели полицейские. Порядок. А зачем жратвы столько в кладовке? Чтобы жрать, капитан отвечает. А что, нельзя жратву, что ли, в кладовой этого коридора держать? Успокоились фашистские комрады. А второй раз тоже в Германии дело было. В Ростоке. Немцы, понятное дело, друзья, особенно те, которые из гестапо, но носы в каждую щель засунут, в которую уважающий себя француз и не полез бы. И опять капитан Саша Юрин сообщить вынужден был, что каюты там для пассажиров предусмотрены, но никем никогда не используются, там запас жратвы на всякий случай держим и одеяла с простынями и подушками. Немцы осмотреть настояли. И вроде бы все прошло. Только в одной пустой каюте окурочек свежий оказался с красной помадой. Тепленький. Капитан Юрин — первым идет. Как хозяин необъятной родины своей. Ватага проверяющих — следом. В каюту войдя, обстановку оценив, не раздумывая долго, Саша Юрин тот окурочек рукою хвать! И в зубы его, тлеющий. Закашлялся, потянув. Некурящим с непривычки — как гвоздь в печень. Но пронесло.

Вот и сейчас прет «Амурлес» в братскую фашистскую Италию, считается, что нет никого на корабле, кроме команды. Проверяй от киля до клотика, никого не найдешь. Правда, капитан в случае проверки обязан все возможное сделать, чтобы в коридор «А» проверяющие попали бы в самую последнюю очередь. А лучше, чтобы вообще туда не попали. Дверь туда хоть и тяжелая, но малозаметная, в глаза не бросается.

Сегодня капитан Саша Юрин нутром чувствует: проверок не предвидится, а пассажиры есть. И не только нутром знает. Снабжение пресной водой там автономное. Но горячая вода от общего котла туда идет. Магистраль — под полом каюты капитанской. Вот на ту магистраль тепловую Саша Юрин любопытства ради водяной счетчик привертел. Мало ли в капитанской каюте каких приборов нет: тут тебе и хронометры, и еще какие-то штуки с циферблатами и стрелками, которым нам, людям сухопутным, никогда применения не придумать. Среди всяких приборов и та стекляшка с цифрами. Мало ли зачем? Только знает капитан Юрин: кто-то расходует воду горячую в коридоре «А». Интенсивно расходует. Пусть расходует — кипятильников на «Амурлесе» хватит на две дивизии. Но по расходу воды горячей капитан Саша Юрин всегда, пусть и приблизительно, прикинуть может, сколько их там, пассажиров. На этот раз, судя по показаниям счетчика, много их. Видимо, полностью каюты заняты. Шесть кают по двое: двенадцать. А может, они там по очереди спят? Тогда их, может быть, даже и двадцать четыре. И тридцать шесть.

Куда же они прячутся, когда полиция рыщет? Явно, не под матрасы.

5

Перед отходом «Амурлеса» из Архангельска последняя проверка нагрянула. Погранцы у нас бдительные. Весь корабль обшарили до погрузки. Потом во время погрузки каждую связку бревен осмотреть надо. Мало ли что? Лес на экспорт миллионами кубов идет, так шутники-лесорубы оттяпают на лесоповале кисть суке какой-нибудь и в штабель ее или в бревен связку, с записочкой: «Протягиваем руку дружбы угнетенным пролетариям буржуазного мира. Привет от комсомольцев-добровольцев 32-го лаготделения Усть-Вымьлага». А то могут и голову вложить. Пилою отпиленную. У них ума хватит. Потому — контроль и еще раз контроль. Чтобы снова не оконфузиться перед братьями по классу. Потому еще и перед отходом общая проверка корабля. Это уже на золотишко и всякие такие штучки проверка. А чтобы матросики работе погранцев не мешали — общее собрание экипажу. Тема: «Советский матрос в буржуазном порту — полномочный представитель Родины мирового пролетариата».

— Вот я вопрос, товарищи, ставлю: достаточно ли велика группа из пяти человек? Увидел в чужом порту достопримечательность, поделиться с друзьями хочется, а в группе всего пять человек. Так и получается, что интересное мимо многих проходит. Предлагаю ходить в чужих портах не по пять человек, а по десять! Чтобы впечатлением сразу со многими делиться!

— По пятнадцать!

— По двадцать!

— А давайте, товарищи, дурака не валять! На чем цифры основаны? Десять, пятнадцать, двадцать? Ни на чем. Субъективизм чистой воды. Уж если и ходить вместе, так всем экипажем. Кто за это предложение?

Выражение на лицах матерное, но приняли единогласно.

— А еще, товарищи, почему бы по возвращении в родной порт нашу инициативу не распространить на весь торговый флот Советского Союза? Представляете, как нас матросы с других кораблей за такую инициативу любить будут?

Каждый в экипаже представляет, как за такую инициативу их на всех судах дальнего плавания и во всех портовых кабаках полюбят. Однако делать нечего — единогласно одобрили.

Но энтузиазм масс неисчерпаем, инициатива снизу неиссякаема:

— А в каждом ли вражеском порту советскому моряку на берег сходить следует? Вот в прошлый раз мы в Александрии были. Есть ли в Александрии ленинские места? Бывал ли товарищ Ленин в Александрии? Черт его знает. Значит, не бывал. Значит, нет там таких мест. Так на что же нам в той Александрии смотреть, на что любоваться? Не на что там смотреть. Был там маяк александрийский, и тот поломался. Отсталая капиталистическая техника так загнила, что все у них валится и рушится. У нас в Архангельске маяк уже три года стоит и не валится. Его отремонтировать, так он и еще столько же простоит. А у них, буржуев, маяк сразу и завалился.

— Может, его никогда и не было там!

— Правильно!

— Или вот мы в Неаполь идем...

Притих экипаж, насторожился...

— А бывал ли товарищ Ленин в Неаполе? Нет у нас таких сведений. Значит, не бывал. Так на что же нам тогда в том Неаполе, извините, любоваться? Его и так видно, Неаполь, через иллюминатор бортовой...

— Правильно!

— Нечего нам, людям советским, по всяким Неаполям шляться!

Психология толпы везде одинакова. В толпе люди творят то, чего никто в отдельности никогда не совершил бы. Не мы одни. В ночь на 4 августа 1789 года французская аристократия в едином порыве отказалась от всех своих привилегий. Добровольный отказ не повлек за собою вспышки любви народной. Наоборот, на аристократию обрушился обвал унижений, притеснений и насмешек. Притеснения множились и скоро вылились в конфискацию имущества, в изгнание, в падение монархии. И многие из тех, кто бежать не успел, поднялись вскоре на кровавые доски высокого помоста на площади Согласия. За аристократией под ножи матушки Гильотины пошли полицейские и чиновники, матросы и офицеры, печники и лавочники, булочники и колбасники, воры и проститутки, крестьяне и грузчики — все те, кто вчера ревел от восторга, когда публично рубили голову королевскую. И полетели головы в корзины. Кто бы мог подумать, что срезанные головы не умирают сразу? Кто мог предположить, что головы могут еще ругаться, шипя, что могут кусаться? Кто знал, что раз в неделю придется менять корзины для сбора голов? Головы отрезанные имеют странную тягу пожить еще самую малость и этим презренным миром любоваться.

Всего этого предвидеть в деталях было нельзя. Но можно было предполагать, что отказ от привилегий завершится чем-то ужасным. И это аристократы предвидели. И это знали. И ни один не мог потом объяснить, зачем надо было делать самоубийственный шаг. Ни один из тех, кто с восторгом отрекался от привилегий, не сделал бы этого, если был бы один. Каждый в отдельности — против, все вместе — за.

Как у нас на общем собрании.

6

Шумит собрание, ревет экипаж, новых ограничений сам для себя требует.

Капитан Саша Юрин инициативу народных масс одобряет. Ему-то это выгодно, а то сбежит матросик в каком-нибудь Неаполе, а кого на лесоповал дернут? Правильно, капитана. И еще многих. Так что лучше на берег в портах чужих команде не сходить. А капитан всегда отлучиться может. По делам. Интересно, как пассажиры тайные корабль покидают? И где? И как на него попадают? Еще один момент непонятен капитану: во время нашествий таможенников и вражеской полиции тайные пассажиры из коридора «А» явно уходят в какой-то тайник, который еще при проектировании предусмотрен, при строительстве сработан добротно, как у нас иногда умеют. Но почему бы в момент, когда полиция и таможенники поднимаются на борт, не предусмотреть простую совсем процедуру? Почему бы капитану из своей каюты в переговорную трубу, ни к кому персонально не обращаясь, не сказать бы: «Атас!» Неужто капитану этого доверить нельзя? Одно словечко в трубу бросить, а пассажирам — больше времени за собой убрать, в тайник спрятаться... Им же спокойнее. И безопасности больше...

Шумит собрание. Капитан глазами блестит, словно огнями маяка александрийского: молодцы, ребята! Люблю вас за коммунистический энтузиазм! За сознательность! Нечего вам на берегах чужих делать! Не нужен вам берег турецкий и Африка вам не нужна! На родном корабле веселее. Тут у нас портреты товарищей Ленина и Сталина висят. А есть ли такие портреты в том Неаполе вонючем? Да ни черта там нет, кроме порнографии. А разве советский моряк голыми бабами интересуется?

Цветет капитан еще и потому, что озарило его. Нам всегда радостно, когда, сложив вместе факты разные, вдруг результат неожиданный получаем. Открылось Саше Юрину: не нужен тайным пассажирам сигнал тревоги. Не нужен потому, что они в каждый данный момент, видимо, совершенно точно знают, что на корабле происходит... Потому что прослушивают все помещения. Потому что не могут не прослушивать!

7

Ночь черна. Шумит собрание экипажа «Амурлеса». А погранцы по кораблю рыщут. Завершили. Удалились. Теперь подходит еще машина. Большая. Вроде воронка. Тоже с погранцами. Фуражки зеленые. Плащи брезентовые. Эти зачем-то тюки и ящики грузят. В больших количествах. Руководит погрузкой товарищ Ширманов. Он в пограничном плаще. И люди его тоже. Задача: убрать все в коридоре «А», привести помещения в порядок, сменить постельное белье, заправить цистерну пресной водой, проверить работу связи, прослушки и сигнализации, работу замков и запоров в тайниках, а если потребуется, то и провести мелкий ремонт, еще загрузить багаж пассажиров, запас продовольствия. Завершили быстро. Теперь из машины появляются еще трое. Тоже в фуражках, тоже в брезенте. Поднимаются по трапу. Один огромный. Второй поменьше. А третий совсем маленький. Как три медведя.

Их путь — в коридор «А». Вошли. Разделись: Холованов, Мессер и Настя Жар-птица. Ширманов принимает фуражки и брезентовые плащи, докладывает Холованову о готовности тайников «Амурлеса» для переброски агентурной группы, жмет руки, желает успеха. Трое остаются в коридоре «А». Тяжелая дверь запирает их как в подводной лодке, щелкают замки. Группа Ширманова покидает корабль. Ширманов передает фуражки и плащи помощнику, сам вызывает капитана Юрина: осмотр корабля завершен, претензий нет, счастливого пути, несите с гордостью флаг родины мирового пролетариата через океаны и моря.

Капитан жмет пограничнику руку и, изменившись лицом, команде:

— Ко-о-нчай демократию!

Взревел «Амурлес» протяжно и радостно.

И ушел в туман.

8

Разбегаясь издалека, холодные волны бьют беспощадно в борт «Амурлеса», словно озверевший боксер добивает соперника обессиленного. Пучины арктические зовут лесовоз с экипажем и тайными пассажирами в спокойствие и тишину глубин.

Скрипит «Амурлес» переборками, стонет. Но держится. Выберешься на шлюпочный балкончик — жуть. Пена с волн, как с бешеного жеребца. Крутит ураган серую воду, водоворотами затягивает в глубины бездонные и выбрасывает из глубин новые миллионы тонн, перемешивая с пеной и ветром. Снежный заряд облепил лесовоз покрывалом мокрым, ослепил окошки. Если какому-то дураку внутри не сидится, то цепью пристегиваться надо. Каждая волна, как обвал в шахте, расшибет и раздавит любого, кто не ту сторону для прогулок выбрал. Воздух — свежесть, водой переполненная. Грохочет океан, злобствует. Напьешься воздуха океанского — в сон валит. Но некогда пассажирам спать. Занятия продолжаются. Задача Мессеру — времени на переходе не теряя, подготовку наследницы престола испанского продолжать. Жар-птице задача — инструктора слушать, ума набираться. Дракону — Жар-птицу высадить, самому в Москву вернуться, но уже не на «Амурлесе», а другим средством, другим путем. На переходе задача Дракону — безопасность инфанты обеспечить.

— Ну-ка послушаем, о чем наш доблестный экипаж болтает?

9

На троих шесть кают двухместных. Простор. Еще и коридор с двумя поворотами да с двумя шлюпочными балкончиками: если ветер правый борт изломать норовит, выходи гулять на левый. И наоборот. В любой ситуации — один балкончик без ветра ураганного, без волн безумных.

Надышится Настя ветром океана, и в душ. Горячим напором с себя усталость сшибает и недосып. И снова работать готова:

— Здравствуй, чародей!

— Здравствуй, Жар-птица!

10

Перед выходом в море чародей еще раз к Сталину зашел:

— Не получится королевы из нее.

— Посмотрим.

— Давай спорить!

— Давай.

— На что?

— Проигравший в присутствии всех членов Политбюро под стол залезет и себя громко и внятно козлом назовет.

— Идет.

Ударили по рукам. И вот который уже день болтает океан чародея, Дракона и Жар-птицу в недрах лесовоза. К делу порученному чародей — со всей честностью. Ему тоже хотелось бы из этой девочки королеву сделать. На одного монарха на этой планете больше будет. А бюрократии меньше станет. Один монарх собой заменяет минимум миллион воров-бюрократов. Потому монархии народу дешевле обходятся. И впервые шевельнулось в чародее: ведь может из нее монархиня получиться. Тогда придется чародею себя публично козлом признать. Это ничего. Если из нее выйдет толк, то чародей готов принять позор на голову свою. А если нет, то козлом себя товарищ Сталин публично называть будет. То-то веселья...

Эта возможность, правда, с каждым днем тает. Почувствовал чародей в ученице упорство, которого не предполагал. Распорядок не чародей устанавливал, она сама установила: пять часов работы, два часа на сон и всякие личные нужды, полчаса прогулка на шлюпочной палубе над волнами гремящими, еще полчаса горячий душ напора невыносимого. Выйдет румяная, как яблоко наливное, и снова готова весь рабочий цикл повторить. Каждые сутки — три смены. Всего из двадцати четырех часов — пятнадцать часов работы, шесть часов сна и личного времени, полтора часа — над волнами и полтора — в душе. И снова работать.

— С чего, чародей, начнем сегодня?

— Начнем с обсуждения твоего сочинения про то, как подчинить сто миллионов свободных граждан.

11

Остался капитан лесовоза Саша Юрин в своей каюте один. Из угла в угол ходит. Сам с собою говорит. Как кот ученый.

12

— Ты знаешь, Жар-птица, я не все, откровенно говоря, в твоем сочинении понял.

— Все просто. Вот парад на Красной площади. Шеренги по двадцать человек. В каждой коробке — десять шеренг, двести человек. А этих коробок — за горизонт. И все шаг чеканят единообразно — залюбуешься. Каждую коробку по два месяца дрессируют до седьмого пота на майский парад и еще два месяца — на октябрьский. Это не говоря о ежедневной, круглый год, строевой подготовке, которая идет помимо парадной подготовки. И это не только в Москве.

Это повсеместно. Нужно ли на войне ходить парадным шагом, коробками по двести человек? Нужно ли на войне драть ноги выше пояса, нужно ли не гнуть колени и оттягивать носки? Нужно ли грудь колесом выпячивать и подбородок выше носа задирать? Зачем мы всей этой чепухой занимаемся? А смысл в том, чтобы заставить тысячи людей действовать одновременно и однообразно, подчиняясь приказу, а не здравому смыслу.

— С этим не поспоришь.

— Вот и все. Надо перенести подобные упражнения на сотни миллионов людей.

— Заставить гражданских ходить строевым шагом?

— Конечно, нет. Я о содержании говорю, не о форме. Главное в том, чтобы упражнения были дурацкими и чтобы сотни миллионов людей действовали одновременно. Надо заставить их регулярно совершать глупости.

— И ты придумала такие глупости?

— Это просто. Можно заставить все население Земли каждый год по два раза переводить стрелки часов.

— А чем это мотивировать?

— Объявить, что таким образом энергия экономится.

— Но она не экономится?

— Нет, конечно. Основные потребители энергии — заводы. Переведем мы стрелки вперед или назад, заводы будут потреблять такое же количество энергии. Основной потребитель энергии — транспорт. Переведем стрелки или не переведем, транспорт все равно будет потреблять то, что ему требуется. Основной потребитель энергии — шахты угольные. Там всегда темно. Начали работать — включили энергию. Кончили — выключили. Какая разница, на час раньше или на час позже? Основные потребители энергии — освещение улиц и дорог. Когда темно, свет включаем, когда светло, выключаем. Если стрелки перевести, что изменится?

— Но часть энергии люди потребляют в своих домах.

— Правильно. Меньше одного процента. И не весь этот процент идет на освещение. Скоро наступит такое время, когда в домах у людей будут электрические утюги и электрические мясорубки, додумаются до того, что у каждого в доме будет телефон, радио и электрическое кино. Переводи стрелки или не переводи, от этого расход энергии не меняется. Да и с освещением квартир то же самое: летом так по утрам светло, что все равно света электрического не надо, хоть в пять часов вставай, хоть в десять. А зимой так темно, что все равно без света не обойдешься, как ты стрелки на часах ни крути.

— Ты считаешь, что пользы от перевода стрелок не будет?

— Будет вред. Большой вред.

— И никто не возразит?

— Толпа не способна мыслить. Толпа примет это как должное и будет сама себе творить проблемы. Как только мы введем для населения Земли десяток таких глупейших упражнений и все безропотно подчинятся, мы будем владеть миром.

13

У чародея сон короткий совсем. Как и у ученицы его. Но не спится. Сталин, возможно, прав: из нее может повелительница получиться. Какая идея красивая: заставить миллиарды людей творить глупости вопреки своим интересам и здравому смыслу.

14

Каюты «Амурлеса» готовили как бы для иностранцев. А иностранцев мы любим больше, чем себя. Садишься в Ленинграде на белый теплоход — иностранцев вперед пропусти. Им почет и уважение. Прибываешь в Нью-Йорк: гражданам Америки преимущество — опять мы в дураках. Для иностранцев у нас лучшие рестораны и гостиницы. Иностранцев везде впереди себя пускаем. Потому и тут, на лесовозе, уют создавался предельный. Настя оценила с первого взгляда и кожу мягкую, и ковры, и бронзу благородную, и свет невыразимый каюты корабельной. Так бы и плыла всю жизнь к горизонту, так бы и качалась на волнах, так бы и слушала шорох капель дождевых по иллюминатору и удары волн океанских о стальные борта.

Занятия с чародеем — чередой непрерывной. Короткий сон, прогулка, долгий душ и снова занятия. К ним Дракон на огонек наведывается. Пока ему забот меньше всех. Потому на нем кухонные обязанности: колбасу резать, банки с супом, тушенкой и кашей вскрывать, греть, варить, жарить, стол накрывать, себе и чародею в чарки плеснуть.

— Эй, психологи, у меня проблема неразрешимая.

— Докладывай, Дракон.

— Я постоянно весь экипаж слушаю.

— Хочешь, Дракон, угадаю, о чем экипаж болтает? О бабах.

— Правильно. О чем же еще?

— Так в чем проблема?

— Проблема в том, что капитан Юрин, он, как и я, — Александр Иванович, когда один остается, сам с собою говорит.

— Это с каждым из нас случается. Причем регулярно. О чем же говорит капитан Юрин в одиночестве? Тоже о бабах?

— В том и проблема, что не о бабах. Наверное, свихнулся капитан.

— Хочешь, Дракон, угадаю, о чем он говорит в одиночестве?

— Угадай, чародей.

— Все просто. Уверен, моя ученица тоже способна угадать. Что скажешь, Анастасьюшка?

— Тут легко догадаться. Если капитан Юрин, оставшись один, сам с собою говорит не о бабах, значит, речи патриотические произносит. Правильно?

15

Сверкающий поезд товарища Берия, скрипнув тормозами, остановился на тихой конечной станции без названия. Кругом охрана. Рядом озеро неописуемой красоты. Тут, вдали от шума и суеты, состоится совещание на тему, которая всех так волнует.

— Именно так! Говорит словно с трибуны. Говорит словно на партийном собрании. С ума спятил? Понятно, в присутствии экипажа только правильные речи говорить надо. Но оставшись один...

— Диагноз я бы такой поставила: капитан Юрин умнее других в экипаже. Никто, кроме него, не догадался, что корабль полностью прослушивается, потому в тесном кругу или наедине люди говорят всякие глупости. А капитан «Амурлеса», Юрин Александр Иванович, сообразил, что корабль — необычный, что еще на стадии проекта ему заданы какие-то секретные функции, на таком корабле без прослушки не могло обойтись. Сообразив, что подслушивают, можно молчать все время. Но можно и говорить, но только то, что ушам подслушивающего адресовано. Говорит капитан Юрин так, чтобы ты, подслушивающий, в протокол вписывал пропагандную чепуху как самые его сокровенные мысли. Правильно, чародей, я обстановку понимаю?

— Браво, инфанта.

Глава 16

1

Звезды в небе — огонь ледяной. Небо черное, море черное. В небе звезды, в море звезды. Плещут волны. Впереди по курсу нет звезд. Из этого следует, что впереди или тучи, или утесы закрывают небо. Вот и прибой слышно. Шуршит прибой мелкими камушками. Пора. Полоснул Дракон лодочку надувную ножом, вспорол ей бока и брюшко, подхватила их холодная пологая волна. Вознесло Дракона с Жар-птицей и опустило, и вновь вознесло. Страшно в черном небе, в черной волне. Снова подняло их и опустило, тут и дно под ногами. Волна без излишней свирепости к берегу толкает. Выплыли. Где-то далеко «Амурлес» море фосфорное чертит, подальше от острова уходит. Тепло там, уютно, душ горячий, еда сытная, постель теплая, коридоры в синем свете успокаивающем, каюты, к отдыху зовущие, и книги там умные, и программы по всем радиоканалам на любой вкус. А тут холодно. Если в море ночью не купаться, так, может, и ничего. И если от ветра пронзительного да от холодного тумана укрытие есть, тогда тоже жить можно. А так выплыли вдвоем на пустынный дикий пляж — ни палатки тебе, ни одеяла, ни плаща какого. В случае, если полиция привяжется: вот, мол, купаемся ночью, купание любовью разбавляем. О, нет, не торговцы мы продуктами наркотического ряда. Боже упаси. И не шпионы. И денег с нами нет. Так себе. Копеечки. Песеты по-вашему. А паспорта, вот они, французские, в резиновом конверте, чтоб не промокли. Да серебряная фляжечка. Вот и все. Романтики, одним словом. Русские. Из Парижа. Белогвардейцы. Папы и мамы от проклятых большевиков, чтоб им неладно, убежали. А мы — молодежь беспутная, беззаботная. Нам не до политики. Ночами дома не сидится.

Но не оказалось береговой полиции рядом. Растер Дракон Настю. Зубами она так и стучит.

Высадка пока без срывов идет. «Амурлес» в Средиземке от маршрута отклонился, ходовые огни погасил, в темноте, якорей не бросая, просто придержал дизеля близ Балеарских островов, возле самого большого из них, у острова Мальорка. По экипажу приказ: не высовываться, не орать, огни тушить. И тайный слух пущен: секретные гидрографические съемки у фашистского берега.

В эти минуты остановки сжал чародей Насте ладошку: не попадись! Обнял Дракона: береги ее!

Ночь — вроде кто ее по заказу для высадки планировал. Темнота, ветер, волны, звезды блещут, но явно нагонит скоро ветер тучи, и дождь ударит. Правда, волны тут совсем не такие, как в Норвежском море. И не такие, как в Белом. Тут волны мягче, и тепло тут. Тем, у кого одеяло есть. Просто все в плане было намечено: высаживаемся в полночь, ждем на берегу, утром садимся на первый автобус. Все предусмотрели, кроме холода. Дрожит Настя, три ее спиртом или не три. Дал ей Дракон хлебнуть. Мало помогает. Уймется дрожь на минутку и снова трясет. Это у нее почему-то теперь такая реакция. Однажды выпало в октябре через Волгу плавать. Ночью. А в октябре на Волге — не курорт. Не Средиземка. После того трясет ее от холодных ночных купаний. Неженка. Покрутил Дракон головой, как хороший пес носом потянул, смолу свежую унюхал. Что на берегу моря смолят? Ясное дело, лодки рыбачьи. Вперед, инфанта!

Думали, что вот рядом, но прошли не меньше километра берегом. Шли-шли, но лодки на берегу нашли-таки. Те, что недавно смолой крыты, — не интересуют. Голова заболит. Да новые лодки и под присмотром оказаться могут... Зачем людей тревожить. Там, где веками рыбачат, рядом с новыми лодками обязательно старые должны быть, брошенные. Видит Дракон в темноте, как кот. Да ногами постукивает. Нашел. Лежит на отшибе лодка вверх дном, старая, солью пропахшая, дно проломано. Залезай. Грейся. Под лодкой, как в домике, ветер не докучает.

Забралась Настя, комочком сжалась, колени обняла. Тут бы сейчас костер разжечь, как учили, без спичек, только привлекать внимание нельзя. Надо без огня обходиться. Пропал Дракон минут на пять. С огромным парусом возвращается. Это тебе и перина, и подушка, и матрас.

2

Перед ним снова плывет огромный, свистящий, рычащий, ревущий берлинский цирк... Чародей величаво опускает руку, и вместе с нею опускается тишина, окутывая собою все и покоряя всех... Последний вопрос программы. Тысячи рук. Чародей подвел публику к рубежу безумия. Кажется, между ним и публикой проскакивают, провисая, чудовищной силы разряды, как между землей и небом, озаряя все вокруг и сокрушая все, что попадет на пути... Итак, последний номер программы, последний вопрос в последнем номере... Вопрос уже задан. Вопрос простой: о великом будущем Германии, руководимой ее великим сыном Адольфом Гитлером. Толпа наперед знает ответ. Толпа уже разинула пасти в готовности орать. Толпа уже разнесла ладоши в готовности громом овации высадить двери и окна цирка. Ответ повергнет цирк в неистовый, бурлящий, клокочущий восторг... Чародей уж было выкрикнул тот задорно-ликующий ответ, да призадумался.

— Нет, нет, дайте подумать... Подумать...

Зашевелилась толпа. Зашепталась.

Чародей растерянно смотрит по сторонам. Каким-то чужим, ему не принадлежащим знанием, понимает: не так все радужно в будущем Германии...

— Мы вступили в 1939 год. Этот год принесет Германии великие победы...

Чародей сразу как бы охрип. Нет в его голосе победной радости.

— Мы доживаем последние месяцы мира. В этом году начнется война. Большая война. Самая большая война. Для Германии она хорошо начнется. Но плохо кончится.

Чародей смотрит в пол. Чародей говорит медленно и тихо. Его слышат все.

— Адольф Гитлер пойдет на восток. И там сломает шею...

3

Громыхает дождь по днищу баркаса, словно 4-я пролетарская кавалерийская имени товарища Ворошилова дивизия по Крещатику идет.

Жар-птица зубами в такт дождю дрожит. И Дракон тоже. Самое время в парус забраться, укутаться, согреться. Одежды на них совсем немного, но пропитана та одежда водой морской и дождевой. Мигом парус перемочишь.

— Знаешь, подружка, у нас с тобой спецзадание. Давай не стесняйся. В темноте я тебя все равно не вижу. Раздевайся вся. Я выжму одежду твою и свою, а ты в парусе погрейся. И мне место грей.

4

— Адольф Гитлер пойдет на восток... И там сломает шею, — зачем-то тихо повторил чародей.

Толпа молчит грозовым молчанием.

Чародей как-то потерянно оглянулся, поклонился публике полупоклоном, как бы извиняясь за неудачную фразу, и в давящей тишине ушел за занавес.

Он прошел мимо ошалевшего полицейского с дубиной. Отшатнулся полицейский, не зная, как поступить... Позади чародея толпа молчала еще никак не меньше полной минуты. За эту минуту Рудольф Мессер снял с гвоздика пальто и шляпу и пошел к не артистическому выходу, а к центральному. Тут-то и настигли его дикий рев и топот.

5

Прижалась Настя к нему, к голому, дрожит.
И он ее обнял. Теплее обоим.
Он ей: «Спи».
Она ему: «У тебя губы соленые. У меня тоже?»

6

Сам сообразил чародей или кто ему сверху подсказал, но взревел он яростным воплем, сжал кулаки, побежал впереди ревущих, выкрикивая проклятия. А навстречу толпе уже прет размашистой рысью с переходом в галоп конная полиция. Уже свистят полицейские свистки дерущим уши свистом. Уже сиренами машин улицу затопило. Уже хватают каких-то. Уже дубинами молотят.

— Где он?! — толпа орет.

— Где он?! — Мессер орет.

Озверели бюргеры законопослушные, крушат все, что на пути попадается. Рядом опознали кого-то, и сразу там клубок мелькающих рук и ног. И вопль над клубком:

— Ах ты, Мессер!

А Мессера за рукав красавец белобрысый потянул и пасть уже разинул для вопля. Но не вопит еще. Потому не вопит, что не верит пока своей удаче открывателя. Каждому открывателю пять секунд требуется для того, чтобы сначала самому открытием насладиться, а уж потом возвестить об открытии всему миру. Мессеру для самозащиты чародейством бы своим прикрыться. Но в такой момент забыл он о чародейских наклонностях. А вот о чем не забыл, так это о кулаке своем, не то что пудовом, но увесистом. И пока красавец открытием своим упивался, пока растягивал челюсти для вопля победного, хрястнул его Мессер не по-чародейски, а по рабоче-крестьянски. Промеж глаз. Хрястнул так, что на мгновение озарилось и просветлело черное небо над столицей Третьего рейха. От удара такого согнуло красавца и понесло назад с разворотом. И тут же замелькали над ним кулаки и зонтики:

— Ах ты, Мессер!

Чародей же шляпу ниже бровей не напяливал, нос в воротник не прятал, но орал громче других:

— Вот он, Мессер! Бейте его! В полицию тащите! Вот еще один!

Потом были долгие дни и ночи. Был мерзкий дождь со снегом. Были ляпающие капли-снежинки. И арест.

Увидел ясно чародей угол мокрого дома и ротвейлера, суку, и не мог больше молчать — закричал, возопил.

И проснулся...

Сердце стучит, зубы стучат, дыхание срывается.

Страх успокаивая, осторожно оглянулся чародей, прислушался. Где это?

Темнота. Дождь стучит по железу, как тогда в Берлине. Мерцает свет синий. В Берлине такое же было. От полицейских машин. И зеленое мерцание было. От светофора. И холодно там было. А тут тепло и сухо. Где-то волны по железу: бу-бух. И дождь не по железным вывескам грохочет — по палубе. Это «Амурлес». Это коридор «А». Дракона и Жар-птицу чародей проводил. Теперь в коридоре «А» один остался. В каюте своей.

Где они сейчас, Настя с Драконом?

7

Согревается Настя. Вместе с теплом медленно, а потом все быстрее разливается в ее теле знакомое непреодолимое желание чего-то. Желание кусаться, целовать и царапать ненавистного человека, который обнимает ее. И она целует его губы. И кусает их.

8

Не спится чародею. Сел. Включил свет. Подушки под спину.

Протянул руку к полке книжной: давненько я «Майн кампф» в руки не брал. Чародей прочитал много книг. Он читал их быстро и по сотне раз. Это были или самые любимые, или те, которые не мог понять. Он раскрывал такую книгу на любой странице и начинал читать с того предложения, которое первым на глаза попалось. Вникал. Автор этой толстой книги, Адольф Гитлер, сразил чародея одиннадцатой главой второй части. Эту главу писал Гитлер, но дьявол явно позади стоял и рукою его водил. Написана глава выше человеческих возможностей. Написана тем, кто знанием сатанинским наделен, кто знает душу толпы, умеет повелевать толпами, кто находит в этом высшее наслаждение. Эту главу чародей всегда перечитывал с восторгом и светлой завистью. Остальные главы Мессер знал наизусть, но не считал, что полностью их понимает. Пришло время заняться этой книгой всерьез. Ему некуда спешить. Скоро Неаполь. После Неаполя долгое возвращение в Архангельск. Никто за чародеем не гонится. Никто не мешает. Достал из кладовки хлеба краюху, за долгое путешествие вконец зачерствевшую, покрутил в руке и для чего-то понюхал толстую ядреную луковицу, банку шпрот открыл, сала кусок нарезал тонкими розовыми ломтиками, поставил перед собой бутыль «Перцовки» и русский стакан-гранчак. Налил. Выпил. Крякнул. Закусил. Раскрыл «Майн кампф».

И углубился.

9

Дракон не сопротивляется. Чуть нажала Настя на плечо и перевернула его на спину. Так ей удобнее целовать. Он не противится. Но и на поцелуи не отвечает.

10

Капитан Юрин Александр Иванович приказ имел от маршрута отклониться и придержать дизеля в назначенное время в назначенной точке. Ему тоже объяснили: гидрографические исследования. Кто проводит те исследования и зачем, ему не объясняли: делай, что приказано! Отсчитал капитан минуты положенные, на мостик вернулся со штурманом и рулевым и, не включая огней ходовых, повел лесовоз на правильный курс.

Уже через несколько часов капитан по показаниям счетчика расхода горячей воды вывел: человек тридцать тайных пассажиров корабль покинули. Расход горячей воды полностью прекратился.

Великое дело любопытство. Может, спуститься ночью потихоньку в коридор «А»? По самым неприметным признакам можно будет определить, кто там был и с какой целью...

11

Переполнило ее злостью, свирепой первобытной злостью пушистой полярной собаки. Теперь-то она поняла причину той свирепости: белая собака требовала любви. И Настя того же требует. Ей не часть любви Драконовой нужна, не кусочек, не фракция, он ей нужен весь и навсегда. Потому кусать она его начала вроде бы нежно, но быстро до остервенения дошла. Он сжимает ее, сдерживает. И сжимает губы свои. Чтобы не ответить на ее поцелуи. Он знает, что сначала надо довести ее до полного бешенства. Он любит доводить до бешенства. И умеет.

И еще одна причина не отвечать на ее поцелуи: понял он, что она попросту не умеет целоваться. Ее никто не научил. Учиться целовать надо всегда. Поцелуй — искусство. Надо всю жизнь осваивать это искусство и оттачивать. И сколько ни учись, всегда есть неисчерпаемые возможности для безграничного совершенствования. Он знал, что она способная ученица. Он знал, что она будет постигать технику быстрее любой из тех, которым Дракон этот сложнейший из предметов преподавал. А преподавал многим. Он учился у каждой и каждую учил. Но неумеющую, которую надо обучать с самого начала, с нуля, он встретил впервые. Именно это его возбуждало.

И он растягивал удовольствие, упиваясь ее неумением.

12

Совершенно секретное совещание. Тема: «Как ликвидировать Троцкого».

Председатель: народный комиссар внутренних дел, Генеральный комиссар государственной безопасности товарищ Берия. Присутствуют еще трое: заместитель народного комиссара внутренних дел, начальник Главного управления лагерей НКВД СССР, комиссар государственной безопасности первого ранга товарищ Завенягин, начальник спецгруппы зарубежных ликвидаций, старший майор государственной безопасности товарищ Серебрянский и бывший начальник Иностранного отдела ОГПУ, комиссар государственной безопасности второго ранга товарищ Трилиссер.

Каждый на других смотрит. Почему такой выбор? Почему Сталин-Гуталин приказал собраться именно им? Присутствие Берия понятно. А зачем тут Завенягин? Какое отношение к убийству Троцкого может иметь начальник ГУЛАГа? Впрочем, он заместитель Берия. А почему тут Трилиссер? Отчего его вдруг на повышение понесло? Впрочем, все четверо недавно под ручку со смертью безносой гуляли. Задержись Ежов на пару недель у власти, и не было бы сейчас Лаврентия Павловича Берия, а были бы светлые о нем воспоминания. А Завенягин из лап смерти еле вырвался уже после Ежова. У Трилиссера и Серебрянского ситуация и того смешнее: обвинения с них не сняты и приговоры не отменены.

Итак... Как же нам, товарищи, уничтожить Троцкого?

13

Озверело море. Лупят волны в берег. Свистит ветер. Вода каскадами с неба... А они согрелись. И даже жарко вдвоем под парусом. Озверевшая, как штормящая Средиземка, девочка обнимает, охватывает Сашу Дракона горячими ногами, страстно сжимает энергичным рывком, как бы нехотя отпускает и снова, как бы взрываясь вся, сжимает.

Дракон чуть ответил на ее злобный укус и понял: пора.

14

Чем хорошо на озере Селигер, так это тем, что берега тут заповедные. Красота неописуемая. Для маскировки хорошо. Макар-кинематографист развернул оптику, не спеша из чехлов достал огромное новенькое противотанковое ружье типа СА.

Рядом командир спецгруппы Ширманов. С мощным немецким биноклем.

— Всех видишь?

— Вижу четверых.

— Узнаешь?

— Берия, Завенягин, Трилиссер, Серебрянский.

— Не ошибешься?

— Нет.

— Еще раз удостоверься. — Развернул Ширманов перед Макаром фотографии четверых: фас и профиль. Макару это не требуется. К выполнению эксперимента он подготовлен.

– Не спутаешь, спрашиваю?

- Нет.

Тогда заряжай.

15

Правой рукой он сжал ее щеки, разомкнув широко губы. Сжал до стона. Она поняла это как защитный прием самбиста против ее укусов. Она ошиблась. Он готовил ей другое. И в то же время она не ошиблась. Ему действительно надоели ее неумелые поцелуи и вполне умелые укусы. Защитить себя от ее настойчивости он мог только поцелуем. Природа наградила его беспредельной щедростью. Он умел дарить. Поцелуи дарил.

Он вдруг провалилась в бездну. Как умелый танцор, он повлек ее за собою. Он повлек ее в поцелуй, как в танец. И она пошла смело за ним, как идут за умелым, доверяясь искусству и опыту. Он дарил ей тот поцелуй, который суждено помнить. Он отдавал его с царской щедростью. И в благодарность за подарок она хотела кричать, она хотела поделиться с ним, рассказать, как ей хорошо, ей надо рассказать ему, что в кино целуются совсем не так, что она даже и не предвидела, что это может быть так... Она не знала, как. Слов ей не хватило бы, чтобы выразить восторг. И она понимала, что слов ей все равно не хватит, потому решила просто сказать, что ей хорошо, что у него очень даже получается, чтобы он продолжал. Но и это ей сказать не дано — рот ее поцелуем переполнен, поцелуем, которому нет конца. И тогда она выразила сразу все одним глубоким внутренним стоном.

16

Он разбудил ее на заре.

Им тридцать минут на сон выпало. Только уснули, обнявшись, — подъем. Он проснулся сам. Он всегда просыпался минута в минуту в тот самый момент, который назначил себе при засыпании.

У нее тоже такая способность отработана. Но не проснулась она сама потому, что, засыпая, забыла вовсе и о секретном задании, и о том, что на чужом она, вражеском берегу, — она вообще обо всем забыла. Не проснулась она потому, что не задавала себе никакого времени для пробуждения. Если бы не Дракон, она в истоме проспала бы до самого вечера. Сейчас она только разоспалась, только в сон провалилась. Будит ее Дракон, она от него отворачивается-отбивается:

— Сашенька, может, хватит уже, а? Ну отстань... Ну...

Трясет ее Дракон за плечи: хватит спать, уходить пора, пока не застукали.

Очнулась она. Тяжело. Ей бы выспаться сейчас. Ей бы в каюту на «Амурлес». И к чертям чародееву науку, все равно всего не выучишь. В душ бы на пару часов и спать, спать, спать...

— Эй, просыпайся же.

Выглянула она из-под лодки: чертова действительность, так во сне хорошо было. Тут надо правду сказать: на островах средиземноморских иногда тоже бывает противно. Редко, но бывает. Небо низкое. Облака рваные. Ветер холодный. Дождь мерзкий. Волны по берегу стучат.

А Дракон улыбается:

— Злая ты, Настенька, на любовь.

— Ты тоже, Саша, не очень добрый.

И засмеялись оба.

— Спасибо тебе, Дракон, за высадку, за ночь эту. Ты доставил меня во владения мои. Я тебя чем-то наградить должна. Чем?

Окинула взглядом инфанта испанская пустой дикий пляж. Ей оружие нужно. Меч. Нет тут оружия. Не валяются мечи на песке белом. Тут только лодки вверх дном. Ладно. Подняла ржавый якорь трехлапый: три стальных прута вместе сварены, а концы острые в стороны загнуты. По-нашему это кошкой зовется.

— Нет тут меча. Ничего. Отличился ты, Дракон, на морском поприще, безопасность мою обеспечил, высадил меня на мои земли. Потому становись на колени.

Не понял Дракон. Но подчинился. То ли в шутку, то ли всерьез. На одно колено опустился. Здоровенный мужик, он и на коленях выше Насти.

Положила Настя ему якорь трехлапый на правое плечо, переложила на левое и снова — на правое. Если со стороны смотреть, то и не поймешь, что тут происходит: мокрые оборванцы с якорем под дождем проливным, под ветром порывистым.

— Жалую тебя, Дракон, рыцарским званием и баронским достоинством. Повелеваю впредь тебя именовать бароном... Как острова называются? Балеарские? ...Именовать бароном Балеарским. Твои тут владения будут. Целуй руку, барон.

17

Дальше пошло без срывов. Подхватил их утром гремящий всеми железяками автобус и доставил в Пальму — в город, романтикой умытый. Взял он ее за руку и повел в паутину улочек. Улицы те метра по три, а то и по два шириной, и магазинов там перебор полный. Тут доброе слово позволю о тех магазинах сказать. Там есть все. Так прямо лежит, вас дожидается. Правда, бесплатно не дают. Полезный совет: лучше в те магазины ходить с деньгами. Без денег — одно расстройство. В один момент от черной зависти можно превратиться в коммуниста.

У инфанты Испанской и барона Балеарского денег вовсе нет. Но назначена встреча агентурная. Чекисты такую встречу называют моментальной. В военной разведке она именуется мгновенной встречей.

Главное — кто-то заранее должен подобрать для такой встречи хорошее место. Там, где проводится мгновенная встреча, должно быть много людей, там должны быть часы на стене, чтобы обоим участникам встречи все время на свои часы не смотреть и чтобы обоим по одним и тем же часам ориентироваться. Дальше все зависит от точности и дисциплины обоих.

Место подобрано хорошо: вход в огромный магазин «Гаран». Двери открываются ровно в девять и всасывают в себя толпу. Над входом — часы. Встреча — в девять ноль две. Чуть зазевался Дракон у входа, ожидая, когда минутная стрелка коснется второй черточки, и пошел в толпу. Толпа сжимает сотни людей в единый комок и тут же разносит в стороны и по этажам. Полюбовался Дракон товарами заморскими и через запасный выход вышел.

Во время высадки нельзя в кармане лишнего иметь. Идеальный вариант: застукала ночью на пляже пустынном береговая полиция полуголую парочку, а у нее ничего в карманах, кроме паспортов... Тоже, конечно, подозрительно: ночью по пляжу с паспортами гуляют. Но все же лучше, если с паспортами застукают, чем без них. А вот если денег много окажется, то тогда осложнения возникают. Нет, не потащит патруль подозрительных в участок полицейский, вовсе нет. Все проще: прострелят затылки, к ногам по камню привяжут и в море выбросят. А денежки — по-братски. Трудные времена в Испании. Полиции по шесть месяцев зарплату не выплачивают. А полицейские тоже ведь в определенной степени люди. Им тоже кушать хочется...

Учитывая это обстоятельство, высадку без денег рекомендовано проводить. А вот когда прошла высадка успешно, когда в город суматошный незаметно проскользнуть удалось и в толпе затеряться, тогда денежки требуются. Срочно. И в больших количествах. На то вспомогательная агентура заранее вербуется. Агент вспомогательный может деньги в тайник вложить, а может на мгновенной встрече передать. 93% провалов в агентурной разведке — на связи. На контактах. Потому контакт должен быть таким, чтобы его никто не засек. Даже те, кто рядом. Ввалился Дракон в огромный магазин с толпою вместе. Ввалился с пустыми карманами, а вышел с облегченной душой, но с отяжелевшим карманом. А кто ему в девять часов и две минуты в людском столпотворении в руку тугой кошелек сунул, это мне знать не дано. И засечь мгновенный контакт рук в толпе, когда все друг к другу прижаты туго, никому не выгорит.

Второй этап тоже прошел без срыва.

Пока Дракон на мгновенный контакт выходил, Жар-птица за углом поджидала.

Теперь выпить по чашечке кофе, отдать Жар-птице паспорт и деньги, пожелать удачи и оставить одну.

Ресторанчик малый совсем. Столы прямо на тротуаре вдоль улицы. Мимо народ валом валит. Нет дела полиции испанской до ободранных иностранцев за круглым столиком дешевого ресторана. У полиции свои заботы. Полиции выжить приказано.

— Пока все идет хорошо, инфанта.

— Благодаря вашей защите, барон.

Улыбается Настя широко и радостно. Подарил ей Дракон одну ночь, о которой она мечтала тысячу ночей. В деле Дракон оказался даже немножко лучше, чем в мечтах. Потому Настя коснулась его руки как бы нечаянно, сжала ее и отпустила. И он рукою своей коснулся ладошки ее, сжал мощно и нежно. Знает Настя: много у него девочек по спецгруппам, много за пределами спецгрупп, много по посольствам иностранным и по дальним странам — тоже много. Только понимает не разумом, а сердцем, что примагнитила Дракона. Навсегда. Пусть гуляет с немками дипломатическими, с парашютистками и диверсантшами, с будущими королевами и царицами. Пусть. А от нее никуда Дракон уже не денется.

И он это понимает. Ему сейчас путь в Марсель. Потом в Париж, а оттуда в Москву через Берлин. Много дел по пути. И много женщин его ждут в Марселе, Париже, Берлине. И в Москве тоже. И в Подмосковье.

Грустно Дракону. Сколько времени Настя Жар-птица рядом с ним была, а он открыл в ней взрывной любовный темперамент только сейчас, когда время прощаться. Много их было, а такой не встречал. Всю жизнь искал, а она с ним рядом была.

— Я никогда тебя не забуду.

Он помолчал и сказал то, чего никому никогда не говорил:

— Я люблю тебя.

Опустила Настя глаза: верить ли словам?

— Мы расстаемся ненадолго. Я много мотаюсь по миру, я буду иногда тебя навещать, Жар-птица.

Сжала Настя его руку:

— Нам недолго ждать. Скоро Мировая революция. Скоро наши танки придут во Францию и Испанию. Я стану королевой. Я сделаю тебя герцогом. И никуда от себя не отпущу.

Улыбнулся он:

— Перестань про это. Лучше возвращайся скорее. Я буду ждать тебя, Жар-птица.

Потемнели глаза ее. Так сапфиры синие иногда темнеют до полной черноты:

— Барон, я не поняла... Мне возвращаться? Куда возвращаться?

— В Советский Союз.

— Я никуда не намерена возвращаться, барон. Тут мое королевство. Скоро Испанская советская социалистическая республика войдет в состав Советского Союза, а потом мы только сменим вывески: Испанское королевство в составе Всемирной империи!

— Настя, ты все принимаешь слишком серьезно.

Сверкнула в глазах ее ярость неукротимая.

Тут-то она ему и сказала...

Глава 17

1

Есть простой прием анализа информации. Прежде всего надо душу очистить от зла. Надо заставить себя о плохом не думать. Освободившись от зла, пусть даже частично и временно, развернем над собою прозрачный купол. Нет, не купол берлинского цирка, и не купол московского, и даже не самарского, который на берегу Волги. Надо развернуть прозрачный купол, через который видны небо и звезды. Развернуть легко — только захотеть. Поначалу наш купол будет небольшим, как зонтик над головой. Потом с годами тренировок, по мере накопления опыта, купол будем разворачивать над собою все шире и выше. Если приложить достаточное усилие воли, то прозрачности купола не помешают ни бетонные своды, ни сплошная облачность, ни яркое солнце. Внешние условия не помеха — его можно развернуть над своей головой в блиндаже, в танке, в келье монастырской, в подводной лодке, в расстрельной камере. Сосредоточиться и развернуть.

Для тренировки вместо реальной обстановки можно для анализа использовать любую книгу.

«Войну и мир», к примеру. Пролистаем ее, стараясь удержать в памяти как можно больше. Нет, не о точках и запятых речь. Суть удержать надо. Теперь объект анализа распотрошим. Возьмем «Войну и мир» и растерзаем на странички. Мысленно. Нюанс для начинающих: потрошим одновременно два экземпляра. Если один, то нашему взору будет открыта только половина страниц, другая половина информации от нашего анализа ускользнет.

Вот этот-то текст и надо одновременно и мгновенно рассыпать по всему куполу ровным слоем так, чтобы покрыть всю его поверхность. Пластать страницы можно в любом порядке. Особенно подчеркну: речь о не запоминании — только об анализе. Для запоминания книг и библиотек — другие приемы. Память наша бездонна и безгранична. Любой мозг способен удержать любое количество информации без всяких ограничений. Просто нас не учили своей памятью пользоваться, мы ею и не пользуемся. В школе нам не задавали выучить наизусть ту же «Войну и мир», и мы, понятное дело, не учили. Но ничего, анализировать текст можно даже и не выучив его весь наизусть. Его просто надо себе представить. Теперь передохнем мгновение, глубоко вдохнем, выдохнем и все страницы единым усилием, единым порывом души прижмем к куполу так, чтобы он засверкал, и, не переводя дыхания, сожмем купол в единую сверкающую искросыпательную точку. В этот момент, в единое мгновение, нужно представить все содержание книги, сразу все во всей возможной и даже невозможной яркости с максимальным количеством подробностей. Надо представить сразу все, что запомнилось, как можно более живо, надо представить сразу всех героев, все их слова и все действия, все картины и события, надо увидеть блеск штыков, надо услышать гром пушек и цокот копыт, надо вдохнуть аромат балов и офицерских пьянок, надо осознать во всей глубине невыносимый ужас проигрыша в карты родового имения и прикоснуться к крестьянским армякам, надо не просто увидеть охоту на волков, а ощутить ее волчьей шкурой, надо войти в брошенную жителями Москву вместе с Бонапартом и с легкой тревогой внюхаться в запах первых пожаров, надо замерзнуть на Смоленской дороге, надо в панике бежать с поля боя и ликовать при виде брошенных в навоз знамен завоевателя. Все это должно уложиться в предельно короткий срок. В момент. И не о том речь, чтобы мысленно повторить слова и предложения, точки и запятые. Не это важно. Надо слова превратить в живые картины, в одну единую картину.

Все, кто уже был в лапах смерти, но чудом из них вырвался, рассказывают почти одно и то же. Они отмечают два момента: абсолютное спокойствие, во-первых, и настоящий потоп информации — во-вторых. Вот именно в это состояние и надо забраться: спокойствие и мгновенный охват практически необъятного. Между жизнью и смертью есть тоненький пограничный слой, вот в него-то и надо ухитриться втиснуться.

Многие из тех, кто анализирует информацию методом сверкающего купола, пишут с орфографическими ошибками, для них не важны знаки препинания, законы грамматики, правила и исключения, но предельно важны имена, даты, цифры.

Самое трудное: сжимание купола в точку. У некоторых сверкающий купол сжимается до размеров стола, у других — до раскрытой газеты. Нужно не сдаваться, нужно давить волевым усилием, давить, пока все не превратится в крошечную, нестерпимо яркую точку. И оттолкнуться от нее. Оторваться. Вырваться из того мира в этот. Это трудно. Это так же мучительно, как и вынырнуть из огромной глубины. Тому, кто возвратился оттуда, в нашем мире тяжело дышать. Его разрывает в нашем мире. Тут у него теряется речь, срывается дыхание, темнеет в глазах, его валит в обморок. Это плата за возвращение из невозможного. К этому надо просто привыкнуть.

Чародей привык. Сегодня он распластал по прозрачному куполу «Майн Кампф» и сжал его в точку ослепительного сверкания.

Распластать текст по куполу, превратить в сверкание, сжать в точку... Вовсе не обязательно после этого наступает озарение, которое открытие за собою влечет. Но бесспорно другое: после такого анализа появляется новое отношение к тексту. Появляется чувство пробуждения после вещего сна.

А у нашего чародея получается какая-то чепуха. Подверг чародей анализу «Майн Кампф» и теперь ничего не понимает. Почему Гитлер должен пойти на восток? Откуда это взято? Из книги это никак не следует, из выступлений Гитлера — тем более. Зачем чародей чепуху сморозил в берлинском цирке? Если «Майн Кампф» сжать в точку, то получится: внутренний враг — евреи, внешний — французы. Вот и все. Идея Гитлера: евреев — давить, французов — давить. Вскользь в огромной книге одной фразой сказано о землях на востоке. Сказано не как о конкретной задаче нынешнего поколения, а как о заветной мечте. Гитлер мыслил столетиями и тысячелетиями. Земли на востоке — далекая цель за горизонтом, маяк для будущих поколений. О каких землях речь? Если бы и бесплатно достались те земли Германии, то и тогда одно только строительство дорог разорило бы любую Германию. А контролировать те земли без дорог ни у какого завоевателя не получится... Контролировать те земли мог только Чингисхан, ему дороги не нужны, без дорог обходился. «Майн Кампф» — это книга не про земли на востоке, это призыв к освобождению от господства Франции-кровососа, это призыв спасти Германию от Версальского договора. Гитлер к власти пришел под флагом борьбы против Версаля. Гитлер дико ненавидит Францию. Он должен пойти против Франции. Но за Францию выступит Британия: они вместе в Версале немцам руки выкручивали. А за спиной Британии — Америка. По силам ли все эти противники Германии? Если Гитлер ввяжется в войну против Франции, Британии и Америки, то не до жиру будет герру Гитлеру, не до земель на востоке. И если идти на восток, то через Польшу, а Польше Британия дала гарантии. Британию опять же Франция поддержит. И Америка. Опять двадцать пять. Как ни крути, в случае войны Гитлер будет врагом всего мира.

«Майн Кампф» — книга против евреев. Против евреев внутри Германии Гитлер политику ведет. Результат? Результат все тот же: это Америке не нравится. И Британии, и Франции. Неужто Гитлер полезет против всего мира воевать, да еще и земли на востоке захватывать? Это самоубийство. Зачем ему самоубийство?

Поразмыслил чародей, своих предсказаний в берлинском цирке устыдился.

У каждого из нас в жизни момент памятный хоть однажды был: черт за язык дернул, сморозил чепуху и всю жизнь краснеешь. Вот и чародею стыдно за предсказания свои. Сидит в каюте один, третью бутыль допивает, луковкой закусывает.

2

Тут-то она ему и сказала слова дерзкие и обидные.

И так выпало, что трамвай мимо грохочет. Не тратя больше слов, вскочила Настя на заднюю подножку и в его сторону не смотрела больше.

Рванулся было Дракон за нею, но удержал себя. Одно движение, одно слово — привяжется полицейский. Вот он, рядом. А у Дракона денег в кармане пачка упругая. Вот тут уж точно в полицейский участок свезут, деньги умыкнут, а самого посадят, чтоб не шумел. У них умеют — в африканские колонии на каторжные работы. На цепочку. Статью пришить не проблема. Вообще в буржуазном мире закон ужасный действует: был бы человек, а статья найдется.

Скрипнули зубы Драконовы, как трамвайные колеса на крутом повороте. Предупреждал же Сталина: непредсказуема она. С ней до провала — шаг один.

И что делать теперь? У нее ни денег, ни паспорта. Куда она в чужом городе? И что ему делать?

Решил: ждать.

Попсихует — вернется.

3

Чародей решил: если Сталин для чего-нибудь собрал вместе на бал-маскарад всех будущих королей, царей, кайзеров, цариц и королев, значит, за этим что-то кроется.

4

Недалеко она уехала. Прямо за поворотом с подножки трамвайной соскочила. В толпе затерялась. Обогнула крюком площадь и с другой стороны из-за грязного рекламного щита на Дракона смотрит.

Упрямый он. Сидит словно фараон гранитный на берегу могучего Нила у каменных порогов в Асуане. Хотела она к нему подойти, сказать, что не прав он, что так нельзя к делу относиться. Но у нее тоже гордость. Пошла по улицам бродить. Через час вернулась. Сквозь дырочку в заборе Дракона обозревает. Сидит Дракон изваянием.

Снова Настя по городу пошла. Вернулась через три часа. Ноги гудят. Сидит Дракон на жаре испанской, невозмутимый, как сфинкс в песках. Вроде и позы не сменил. Только пустых чашек кофейных перед ним прибавилось. Сжалось сердце ее. Но сдержала себя.

Снова по улицам бродила. Уже к полуночи вернулась. Сидит Дракон. Что ему делать остается? Развернулась она, в толпе скрылась. Десять метров отошла. Вернулась решительно. Нет его. Бросилась вправо — нет. Влево — нет. И впереди нет.

Это с каждым бывало: есть возможность для примирения — мы хвостами пушистыми вертим, пропала возможность — жалеем.

Ни на кого Настя с жизни своей не обижалась. Правило у нее: причинил кто-то зло — прости его. Или убей. А обижаются люди слабые. На обиженных хрен кладут и воду возят. Саша Холованов, Дракон, барон Балеарский, причинил ей огромное зло. Она назначена инфантой, наследницей престола испанского. Но Саша Дракон к этому относится без должного почтения. За это убивать надо. Целый день она бродила по грязным улицам, чтобы гнев погасить. И вот решение принято: не убивать его, но миловать. Убить человека легко, простить трудно. Для прощения мужество требуется. Есть в ней мужество. Решила великодушие проявить. Но нет Дракона. Некого прощать.

5

За основу принято предложение товарища Трилиссера: Троцкого убить топором или молотком, решительным ударом в голову. Исполнителю — Героя Советского Союза бросить. Исполнитель на смерть идет. Самая большая вероятность: исполнителя убьют охранники Троцкого. Другая вероятность: его убьет мексиканская полиция. Третья: его убьет мститель из сторонников Троцкого. А если исполнитель приговора останется жив, если ему посчастливится вырваться, что почти вероятно, то его следует срочно эвакуировать из Мексики, присвоить звание Героя Советского Союза и ликвидировать силами спецгруппы НКВД. А спецгруппу НКВД — наградить орденами, вернуть в Советский Союз и расстрелять за троцкизм...

Желающих убить Троцкого найдется немало. Только что коммунисты проиграли Гражданскую войну в Испании. Проигравшим надо объявить, что во всем виноват Троцкий, тогда от убийц-добровольцев не будет отбоя.

Все вроде бы ясно, но дело такое требует много времени на обсуждение. Совещание — в старинном особняке на берегу озера Селигер, в дубовом зале, за темными шторами. В перерывах — отдых курортный. Мягко волна плещет по камушкам прибрежным. Озеро — миллион зеркал. Прямо к берегу — еловые чащи. Холмы вокруг, леса непроходимые. Товарищ Трилиссер окинул дальние берега сытым взглядом, улыбнулся удовлетворенно, вздохнул глубоко... И разлетелась его голова брызгами, обляпал товарищей Берия, Завенягина, Серебрянского. Не вскрикнул никто, не шарахнулся. Только друг на друга ошалело смотрят: что это было?

6

Растворилась инфанта испанская в улочках кривых. Затерялась. Не ищите ее в говорливой толпе, в суете, в шуме и крике, в бесконечных подвалах-переходах среди миллиона вещей, среди грохота и топота, среди плачущих и поющих, на улицах, где жалобно мяукают бездомные кошки с поломанными хвостами, с облезлыми ребрами-каркасами, где в вонючих закоулках копошатся в лужах нечистот злые, как крысята, тощие дети, где звенят гитары, гремят песни и бушует веселье, где прекрасные девушки продают любовь в изобилии по доступным каждому ценам, гордо пряча под роскошными юбками стройные ноги, на которых прекрасными розами расцвели первые робкие язвы сифилиса.

Пропала Настя Жар-птица. Пронесло ее через блеск и грохот, через скрип и визг, через ароматы и вонь и вынесло поздней ночью на прекрасный бульвар прямо у набережной. От бульвара — переулки. Точно как в подземном городе Москва-600. Только там безлюдно, а тут народ валом валит. Срамные девушки — стайками. На углах — чернявые гибкие парниши: штаны широченные по последней моде. Груди настежь. Цепи золотые бренчат. В карманах ножи да кастеты. А морды наглые.

Только сейчас Настя вспомнила, что целый день по душному городу ходила, что ночь не спала, что не ела ничего. Да и до того у нее не праздник был, а занятия бесконечные, интенсивные. Устала она. И идти ей некуда. Это очень плохо: оказаться ночью в чужом потном городе без единой песеты в кармане, когда никому ты не нужен, когда никто нигде не ждет тебя, когда никто тебе помочь не может.

Обратили на нее внимание. Из дверей трактиров и пивных ей посвистывают. А Настя обстановку оценивает. Что нужно? Нужны деньги. А еще штаны нужны. Ей бы мальчишкой-оборванцем нарядиться, чтоб глаза на нее не пялили, чтобы вниманием не ласкали, чтобы взглядами не насиловали.

А где денег взять? Где штаны достать темной ночью? Где девушки испанские деньги добывают после заката?

Присмотрелась Настя. Решилась. Другого нет у нас пути. Стоит у стенки под фонарем девушка-срам, грудищами как шлагбаумом народу путь перекрывает. Ступней правой — упор в стену. Оттого колено круглое сквозь юбки разрез вперед вынесено, путь народу преграждает, как и груди испанские. Кто ни пройдет, всяк на тех грудищах взгляд задержит, потом еще и колено оценит, вытрет слюни и мимо валит. А рядом — такая же срам-девица. Только грудью круче, только коленом выше.

Вот между двух грудастых под фонарем Настя и встала. Одним грудастые нравятся, а другим, может быть, девочки нравятся совсем тоненькие, вовсе без всякой груди выпирающей. Одним глаза черные, испанские, горящие подавай и конскую гриву черных волос с фиолетовым отливом, а кому-то больше по душе глаза голубые, волосы русые и прическа совсем короткая под мальчика. Испанок шоколадных — табун, а беленькая девочка славянская одна только...

7

Трое их. В салоне. Гремят колеса. За окошком лес пролетает. Спецпоезд в Москву прет.

— Что это было?

— Точно говорю, Трилиссер вздохнул уж очень глубоко. Может же быть такое, так вздохнешь, что голова лопнет?

— Может, это от напряжения мысли? Так долго над планом ликвидации Троцкого думал, что...

— Над планом ликвидации Троцкого Трилиссер не думал. План ему я подсказал. Над планом я все время думаю. У меня же голова не лопнула.

— А ведь треснула, как тыква.

— Как лампочка.

— Кабалава! Ты где, мерзавец?

Выскочил из соседней двери начальник спецпоезда:

— Тут я, товарищ Берия!

— Передай радистам — пусть начальнику Калининского НКВД шифровку бросят: к дому отдыха — три полка чекистов. В радиусе два километра на каждую спичку внимание обратить, на каждый след, прочесать все, всех собак управления НКВД на поиск.

8

Тут же гибкий чернявый, как чертик из коробочки, вынырнул:

— Это мой тротуар. Цены тут — три песеты за сеанс. После каждого сеанса — две песеты мне отдашь, одну себе забирай.

— Я не по этой линии. Я тут работать не буду, — Настя возражает.

— Хорошо. Потом разберемся. А меня помни. Я этому тротуару хозяин. — Чуть отвернулся гибкий чернявый, невзначай ручку ножа из кармана показал.

9

Машина серебряная. Крылья черные. «Лагонда» 1938 года. Знающие все эксперты объявили: это и есть вершина творения, придумать что-либо великолепнее этого невозможно. Спорить с экспертами — дело пропащее. Это нам сейчас такие заявления смешными кажутся. Но если на ту «лагонду» смотреть из 1939 года, из первой его половины, то сомнения отпадут: лучше этого быть ничего не может.

Именно такая машина с верхом открытым тут же перед Настей и остановилась. Красивый седой дядька за рулем. Бриллиант на руке в пару каратов. Рубаха шелковая. Запах одеколона французского. Сисястыми шоколадными испанками пресытился он. А тут появилась на бульваре тоненькая беленькая девочка славянская. По тормозам врезал так, что завизжали колеса и асфальт под ними. А если бы не он, то тут бы Настю спортивная «альфа» подхватила. Не выгорело «альфе». Ничего, через двадцать минут девочка освободится...

— Эй, сеньорита, я девочкам по три песеты даю. А тебе дам пять!

Усмехнулась Настя:

— Сто.

10

Берия зверем смотрит. В пространство. Взгляд его — нерасшифрованный взгляд крокодила, непонятный взгляд. Цепенеют люди под бериевским взглядом. Ест он траву кавказскую. Рукой. Низко к тарелке голову наклоняя. А наклонив голову, не в тарелку смотрит, но на каждого за столом. По очереди. Долгим пристальным взглядом. Глазами их не отпуская.

Наклонил голову Лаврентий Павлович к самому краю тарелки. Ухватил пальцами травы пук. Застыла голова над тарелкой. И рука застыла:

— Может, не вокруг, а на самой даче искать надо?

— Кроме нас никого там не было.

— А если невидимка?

— Какая невидимка?

— Мессер! Твою мать!

— А ведь правда. Мессер невидимым прикидываться может...

— Где он?

— По моим сведениям, Мессера уже пару недель никто нигде не видел.

— Знаю решение. Это Гуталин нам силу показывает. Пугает. Для того Мессера подослал.

— И что?

— Трилиссера убил Мессер.

— Чем?

— Взглядом! Твою мать!

11

Есть правило: каждый от судьбы получает ровно столько, сколько у нее просит. Мечтай о малом, мало от судьбы и получишь. А у Насти Жар-птицы огромный замах, и мечты ее беспредельны.

Оскалился элегантный в «лагонде»:

— Ну и запросы у тебя! Ладно, дьявол с тобой. Садись. Я дам тебе сто песет.

12

Давным-давно наш чародей Рудольф Мессер мальчиком был. В школе учился. Школа та — в столице Австро-Венгерской империи. В прекрасном городе. В Вене. Прямо около центра. И не школа вовсе, а закрытый пансион: парк старинный за чугунными решетками, белочки по кедрам скачут, особняк красного кирпича, а углы белые, каменные, окна высокие, узкие, сверху круглые, двери резные, ручки на дверях — бронзовые лапы птичьи. Рядом — центр великого города, а тут — тишина и покой.

Командовала тем пансионом фрау Бертина, фрау с прекрасными глазами. Цвет глаз ее никто не помнит. Потому не помнит, что не было никакого цвета. Были только огромные, как у кошки в темноте, зрачки. Раньше пансионом владел и управлял муж ее. Он как-то быстро и странно скончался. Полиция приезжала, но никого и ни в чем уличить не смогла. Вот после того фрау и взяла бразды нежной узкой ладонью с длинными пальцами.

13

Выскочили из города. Свернул элегантный с дороги на камушки к морю.

Фонарик засветил. Отсчитал из кошелька крокодиловой кожи десять больших синих бумаг. Вручил Насте. Тут надо особо подчеркнуть: сегодня сто песет — пыль в кармане. Но то были другие времена.

Вышли из машины. И опять отметить нужно, что в те времена сотворять любовь в машине, даже в самой шикарной, было не очень удобно. Это потом французы додумались так спинки у сидений делать, чтобы они назад откидывались. А уж за французами весь мир последовал. Так что ошибались эксперты, когда утверждали, что некуда больше автомобили совершенствовать. Есть куда. Можно еще и не до того додуматься.

Итак, вышли они в ночь, в чистый ветер, в ласковый моря плеск. Настя ему:

— Снимай штаны.

— Да нет, я только приспущу.

— Снимай, я их у тебя покупаю. Вот тебе цена за них небывалая — десять песет. Давай штаны.

Штанов элегантный не отдает. Вместо штанов руки к ней тянет. Не поняла Настя:

— Стой, амиго, не хватай. Давай разберемся. Ты мне обещал сто песет? Обещал. Ты их мне отдал. Вот они. А разве я что-нибудь обещала?

Этого аргумента он не понял. И тогда Настя дала ему в морду. Подождала, пока поднимется, и дала еще раз.

14

Фрау Бертину ставили в пример. Она вывела школу в число лучших в прекрасной столице. Попасть в ее школу-пансион можно было только за хорошие деньги. Фрау Бертина очаровательно улыбалась, и министры, приезжавшие наведать своих чад, целовали ей руку.

А когда родители уезжали...

Ее боялись все. Когда она кричала, у Руди Мессера темнело в глазах. И не только у него. Криком дело не кончалось, а начиналось. Она била. Всех. Старших мальчиков она еще наказывала и каким-то особым способом. Она забирала их по одному к себе на всю ночь. Потом они как-то грустно и загадочно улыбались. Но ни один не раскрывал тайну. Даже между собой побывавшие на экзекуции впечатлениями не делились.

Впрочем, так она наказывала не только старших.

15

Подкатила «лагонда» к тротуару. Не машина — чудо на колесах. Вся сверкает и переливается. Заглядение. Вид портит только разбитая морда водителя. Кто-то разукрасил его по первое число. Под каждым глазом по синему фонарю, словно светофоры железнодорожные в переплетении путей у Курского вокзала, губы расквашены, орлиный нос в картошку смят на русский манер. Вышел из «лагонды» мальчишка в штанах. Штаны — явно с чужой задницы. А водитель с мордой побитой рванул с места и за углом исчез. Огляделся прибывший. По самую грудь штаны, ремнем перепоясаны и подвернуты. Поманил гибкого две большие серебряные монеты подает:

— Я тут не работала, не по моей линии бизнес этот, но раз тротуар твой, вот твои песеты.

Не понял гибкий поначалу, не признал Настю в штанах, но быстро сообразил, усмехнулся, рекомендовал штаны снять и работу продолжать.

Возразила Настя: объяснила же тебе, я тут не работаю, не моя это профессия.

Поманил ее гибкий пальчиком:

— Ну-ка за уголок зайдем. Я тебе морду разобью.

— А ведь я отвечу.

— Ты?

— Ага. Сшибемся?

— С бабой драться? (Баба в переводе на испанский — сеньорита.)

— А разве видно, что я баба?

— Ладно. Пошли. Я тебе хрюкало расплющу.

И пошел красавец вперед в уверенности в беспрекословном себе подчинении.

Настя за ним. И сразу следом в переулок — девки сисястые табуном, и грязные парниши мускулистые, и всякая мелочь плюгавая. Слов не слышал никто, а жесты видели. По мимике, по жестам вся улица сообразила: сейчас великолепный Родриго будет морду квасить тощему недокормышу.

Испания любит зрелища. Во времена Гражданской войны все бои останавливались, если в Барселоне коррида. На огромный стадион враги всех мастей разом собирались: фашисты, коммунисты, анархисты, республиканцы. Закон святой: на представление — без пулеметов, только с автоматами, пистолетами и винтовками. Да и их применять благородство рыцарское запрещает. Правило: друг в друга не стрелять, морды не бить, гранаты в соседнюю трибуну не метать. Кончится коррида, убьет тореадор быка, разойдемся по окопам, тогда будем убивать друг друга на здоровье.

Тут, понятно, не коррида. Но ничего. Все равно интересно. Сейчас, сейчас Родриго покажет... Он умеет. Полицию в переулки тут не пускают, да она туда и не просится. Потому законы драки уличной тут не такие, как у нас, варваров, в былые времена на Москве приняты были — до первой крови. Тут бьют до самой смерти. И если у нас теперь такие же традиции установились, то это явно от испанцев к нам занесено.

Место для боя — не убежишь. Справа стенка без окон. Слева стенка. Тоже без окон. Три метра меж стенами. В одну сторону — толпа в переулке. И в другую сторону тоже. Круг для драки — три метра на десять.

Иметь толпу позади себя — не дело. Развернулась Настя спиной к стене. Мало ли что? Так лучше. Великолепный Родриго — спиной к другой стенке. Два метра между ними. Получилось — толпа справа и слева от дерущихся.

Достал Родриго из кармана тяжелый нож, на руке вскинул, под ногтем ковырнул. Толпа тысячей глаз за ножом следит. Мы так устроены: достал бы Родриго топор из-за пазухи — все внимание топору. Но топора с ним на этот раз не случилось, только нож, потому за сверкающим лезвием каждый и следит, как за мячиком на поле футбольном. Хороший нож. Тяжелый и острый. Вонзался тот нож и в сердца чьи-то, и в глотки. И в спины. Это толпа понимает. И знает. Родриго великолепный своими подвигами известен не только на веселом бульваре.

Луна на лезвии вороненом сверкнула, толпа ждет, что будет. Пока нож Родриго в руках вертел, улыбался нехорошо, на Настю посматривал. А потом народу улыбнулся улыбкой рыцаря благородного, мол, я и без ножа обойдусь, и легонько бросил вправо корешку своему. Корешок на лету нож подхватил, в карман сунул. Пока корешок тот нож ловил да в карман совал, все глаза к нему примагничены были. Только Настя одна ножу внимания много не дарила. Видела она нож, из виду не упускала, но учили ее на оружие только краешком глаза смотреть, а все внимание — глазам противника. Пока летел нож, рванул великолепный Родриго, правой ногой от стенки толкнулся: не то полет, не то падение. Масса что у буйвола молодого, скорость что у кобры. Не ругался, не грозил. На публику работал. Свою силу знал. Знал, что эту грязную шлюху одним ударом убьет. Но хотел так убить, чтобы никто не успел даже ахнуть. Чтобы толпа момент убийства не уловила. Чтобы только магический результат все видели: вот стоял тощий оборванец в чужих штанах, а вот уже труп у ног валяется. На то и финт с ножом: вы на летящий нож глазеете, а в это время Родриго, любимец публики, жутким ударом дробит ненавистную морду.

Знал Родриго: никому потом в голову не придет разбираться, что это баба. Об убийстве одним ударом на глазах толпы давно Родриго мечтал. Пока у него это не получалось. Получалось с двух ударов. И вот случай представился. Ничего, что противник хлипкий какой-то. Это забудется. А вот о том, что удар был только один, не забудет город, и во все времена Родриго великолепного за тот удар вспоминать будет.

16

В переплетении путей, в синем свете светофоров спецпоезд товарища Берия медленно в тупик идет. Спецпоезду спрятаться надо меж двух ремонтных поездов. Во мраке, за брошенными складами персональные машины ждут. И охрана.

Плюхнулся Берия в «линкольн» со сверкающим радиатором, бросил водителю:

— Домой.

Заместитель товарища Берия, начальник ГУЛАГа товарищ Завенягин плюхнулся на заднее сиденье «мерседеса».

— Домой.

Ему надо доехать до дома, переодеться, выскользнуть в подземелье московское, пройти два квартала под улицами и домами, выйти из грязного подъезда на Колхозной, оттуда вызвать машину из сталинского гаража и нестись на тайную встречу со Сталиным. Нужно доложить о невероятном событии, о том, что у Трилиссера голова лопнула. Нужно доложить, что на этот счет Берия думает.

Начальник спецгруппы зарубежных ликвидаций, старший майор государственной безопасности Серебрянский плюхнулся на заднее сиденье «форда»:

— Домой!

Ему тоже до дома надо доехать. Тоже переодеться надо. Тоже из дома ночью незамеченным выскользнуть, тоже на тайную встречу выйти и доложить Холованову о странном происшествии, о лопнувшей голове Трилиссера и о том, что об этом думает товарищ Берия.

Разъехались начальники. Спецпоезд меж двух ремонтных поездов встал, огни погасил. Начальник спецпоезда Мэлор Кабалава из окошка выглянул. Да, подштанники висят там, где им висеть положено. Это тайный вызов на агентурную встречу. На встрече с него потребуют полный отчет о том, где был Берия, что происходило во время встречи и что по этому поводу Берия думает.

17

Все секреты успеха в бизнесе можно выразить одной формулой: умение работать чужими деньгами. А все секреты успеха в драке сводятся к умению использовать силу противника против него самого. Чем он сильнее, тем для него хуже.

Остановилось для Насти время, а потом пошло медленно-медленно. Прекрасное лицо Родриго, любимое всеми девками веселого бульвара, озарилось благородной улыбкой, я мол, и без ножа обойдусь... Поплыла правая рука лебедем в сторону, разжались пальцы, отделился нож от ладони и, кувыркаясь, медленно-медленно, словно шарик воздушный, полетел в ловящую руку. Перекосило лицо Родриго... А Насте как раз выпало моргнуть в момент этот. Всего-то одну долю мгновения глаза закрыты, но ощутила, осознала, что тень его по ней скользнула, что над нею Родриго уже летит и кулак его свистящий выплывает из-за плеча, опережая тело...

Положение ног Настя не меняла, она лишь присела чуть, развернулась корпусом и отстранилась слегка, пропуская дробящий кулак мимо лица своего. В миллиметре от носа кулак просвистел, а рукав по лицу больно хлестнул, по глазам, и тут же рядом с ухом ее вмазал тот кулак в стену кирпичную так, что дрогнула стена. Страшный был удар. Опытный был боец Родриго великолепный. Знал психологию боя: бить надо так, чтобы кулак сквозь противника проходил. Бил он с намерением проломать голову и в стену ее впечатать.

Так он и вмазал.

Даром, что мимо.

От удара этого сокрушительного по двум кирпичам трещины пошли, крошки и пылинки из трещин посыпались. Захлебнулся Родриго болью. Если бы удар помягче, если бы веса в нем поменьше, если бы скорость не такая... Но бил он не только кулаком, не только рукой — в удар вложил мощь всего молодого гибкого тела. Это был удар не столько рукой, сколько разворотом корпуса, так, что правое плечо рвануло далеко вперед, а левое развернуло и откинуло назад. В удар была вложена вся взрывная сила мышц груди, плеч, спины, торса, бедер и голени.

Мы так устроены: большую боль организму лучше переносить в бессознательном состоянии. Есть для каждого предел боли, выше которого сознание автоматически отключается, вырубается, чтобы страшный момент пережить, чтобы самое худшее мимо себя пропустить. Так кулаком в стену Родриго врубил, что взлетела боль выше всяких пределов, природой отмеренных. Потому в тот самый момент, когда кости кулака дробили кирпичи, дикий импульс, как отдача в танковой пушке, резанул мозг, озарил голову изнутри слепящим светом, и померкло сознание, потухло. От удара такого обмяк Родриго великолепный, обвис мешком, рухнул в грязь, зубами стену царапая.

У Насти пыль в глазах кирпичная. Но понимает: дело завершить надо. Не видя четко шеи его, больше предполагая, где она должна быть, вознесла правую ногу коленом к самой груди и рубанула ребром ступни резко вниз. Хрястнуло под нею.

Ахнула толпа, отшатнулась в обе стороны переулка.

Развернулась Настя резко: кто следующий?

Желающих не оказалось. Тот, кто может сразить воображение толпы словом или делом, за свою безопасность беспокоиться не должен. Толпа таких любит. И защищает.

Убивала Настя Родриго вовсе не затем, чтобы воображение зрителей поразить. У нее замысел проще: живой ей отсюда все равно не уйти, потому решила хотя бы одного с собой в смерть захватить.

Смотрит Настя в глаза одному, другому: ну, кто еще? Налетай! Изуродую!

Не оказалось таких. На нее со страхом смотрит толпа, с почтением.

Достала Настя из кармана огромных штанов новую хрустящую десятку, смяла в руке, на труп бросила:

— Это ему на похороны от меня.

Подивился народ испанский щедрости небывалой.

Пошла Настя прочь. Перед нею коридор людской в толпе проломался, словно трещина перед ледоколом. Идет. Тихий шепот впереди летит: это не кабальеро, это — сеньорита!

Глава 18

1

Что делать, если денег нет?

Сто песет, это вам не фунт изюму, и все же долго на них не протянешь. И жить где-то надо. Да и вообще с деньгами веселее.

Где же их взять?

Вопрос этот не так прост, как может показаться с первого взгляда. К этому вопросу марксистско-ленинский подход нужен. В марксизме-ленинизме четыре классика: товарищи Маркс, Энгельс, Ленин и Сталин. Как же каждый из них этот, казалось бы, такой легкий вопрос решал?

Маркс любил красивую жизнь. Денег ему требовалось много, и всегда не хватало. Деньги он клянчил у Энгельса.

Энгельс красивую жизнь тоже любил. Денег ему тоже требовалось много, и они у него были. Он просто был капиталистом, зверски эксплуатировал рабочих, пил из них кровь и ею напивался. Потому денег хватало и на себя, и на кореша своего, на Маркса.

Ленину тоже требовалось много денег. В разгар войны мировой, во время всеобщего обнищания, он не только красиво жил в самом дорогом городе мира, но и партию на какие-то деньги содержал, да еще и выпускал газеты и журналы под сорока одним названием и бесплатно раздавал их толпе. Где же он деньги брал, если сам в своей жизни нигде никогда не работал? Деньги на подрыв страны ему немецкая разведка давала. И еще — товарищ Сталин.

А где товарищ Сталин деньги брал?

Товарищ Сталин банки грабил.

Улыбнулась Настя: пути добывания денег есть, и сталинский путь ей больше других нравится. Благо сейф ковырнуть она обучена.

2

Доложил Холованов. Доложил, ничего не скрывал: непредсказуема она, вышла из-под контроля, бежала, без денег бежала, без документов, потерялась, как Каштанка. Где сейчас находится, что делает — неизвестно. На связь не выходит.

Знает Дракон, промедли с докладом — расстрел. Он однажды уже промедлил, еле жив остался. Но если и не промедлить с докладом, то и тогда не ясно, чем это все может завершиться. Во время выбора Мессер был против, сам Дракон сомневался и воздержался, и только Сталин был за то, чтобы Жар-птицу инфантой назначить. Главное, этого сейчас Сталину не напомнить, а то ведь сразу к стене и поставит.

Отвернулся Сталин к окну, швырнул словом:

— Идите.

3

По прекрасному городу слух: появилась в Пальме сеньорита в штанах. Шла по улице, никого не трогала. На нее Родриго с ножом бросился. Какой Родриго? Да тот, помните, который Эдуардоса на Плаза Майор зарезал. Вот и ее он тоже хотел... того. Так вот, бросился на нее, прыгнул. И умер в прыжке.

Далее слух на два варианта распадается, и гуляют оба рядом, один другому не мешает. По первому варианту — она великолепного Родриго взглядом убила. Чем же еще она убить могла? По второму варианту — прикрыл ее ангел-хранитель, а другой ангел, ангел смерти, развернул нож в преступной руке, и пырнул Родриго сам себя в горло. Своим же ножом.

После этого слух снова в один сливается: ехал мимо богатый сеньор на длинной «лагонде» (машина серебряная, крылья черные), остановился, увидел чудо, раскаялся в грехах своих (к телесному греху наши сеньоры зело слабы), заплакал от умиления, достал из кармана десять тысяч песет и подарил их сеньорите. А она тут же те тысячи бедным раздала...

Ходит Настя по городу. Узнают ее. Глазами показывают:

— Это какая же?

— Да вон та, в штанах.

Крестятся бабки, ее завидев. Не по-нашему крестятся, по-испански, кланяются.

4

Ограбление банка надо начинать с выбора цели. И тщательного ее изучения. Неплохо агентурную сеть на объекте раскинуть так, чтобы агенты друг о друге не знали, чтобы их сообщения можно было сравнивать.

Но для того, чтобы цель со знанием дела выбрать и агентурную сеть раскинуть, надо к банкам поближе держаться. А как? Кто возьмет Настю-иностранку без паспорта в банк работать?

По центральным улицам Пальмы идешь, что ни шаг — банк коммерческий. Делать Насте нечего, кроме как по улицам шататься: этот банк не пойдет и этот тоже. Вернее: в этот не возьмут и в этот. Где же тот, в который возьмут?

Вот он! Выбор сделан. «Балерика ТС». Огромное здание, массивные стены, мраморные ступени, гранитные колонны, чугунные львы у входа лежат, словно сфинксы в песках. Окна в три роста. Каждое окно стальной узорной решеткой прикрыто, а прутья в руку толщиной. Название банка гранитными буквами по фасаду вырублено. Все хорошо, только окна грязные. Их явно год не мыли. Вернее, грязные окна — это и хорошо.

Что из всего этого следует? Следует то, что банк старый. Не скороспелый. Когда-то банк процветал. Здание не куплено, а специально для этого банка лет пятьдесят назад построено, название при строительстве по фасаду рубили. А теперь дела плохи, стоит банк угрюмый, как мертвый улей, не снуют пчелки трудолюбивые, не несут медок, а окна грязные обо всем остальном говорят. Ясное дело, в этом банке сейфы курочить только с учебными целями можно, ради тренировки. Но Насте ведь и не нужно именно в нем сейфы ломать. Ей в банковский мир ходы требуются. Втесаться надо. Там, где окошки зеркальным отблеском сверкают, туда не втешешься.

Прикинула Настя, сколько у нее денег осталось, решила: хватит. Завернула за угол, там — магазин-гигант, тот самый, в котором Дракон встречу мгновенную проводил. В таком магазине все есть. Купила ведро, тряпку, порошка мыльного. Лестницу у дворника позаимствовала, набрала воды в ведро, забралась на лестницу, окно моет. А за окном совещание совета директоров.

Для тех, кто на Балеарских островах еще не бывал, сообщаю: скалистые они, острова Балеарские, и глинистые, а солнце испанское в садистских наклонностях уличалось не единожды, выжигает солнце все к чертям, и глиняная пыль от любого ветерка залепляет окна и стены бурым слоем грязи. Потому мыть окна надо регулярно, да и стены не мешает иногда мыть или красить. Намочила Настя тряпку в ведре, тряпка чистая водой теплой мыльной переполнена, аж течет с нее ручьями. Провела тряпкой по грязи и словно великий археолог слой геологический с окна сняла. Вломился светлый луч в темное царство, ударил по столу директорскому, взвизгнули прозаседавшиеся. Ослепил их луч солнца, словно гранаты РГД-33 вспышка. Выскочили все разом на улицу, и охрана с ними:

— Эй, ну-ка слезай! Кто такая?

Ведут Настю в кабинет. Допрос.

— Кто послал тебя?

— А зачем кому-то меня сюда посылать? Скоро крах, вот тогда стервятники слетятся. А сейчас кому вы нужны?

— Тебя на разведку послали, чтобы наш банк грабануть?

— Разве тут есть что грабить, кроме столов канцелярских?

— Что же ты задумала?

— Чудо совершить.

И уж за ее спиной шепчутся:

— Она?

— Она самая.

— Как тебя зовут?

— Настя.

— По-нашему Анастазиа.

— Точно.

— Слушай, Анастазиа, мы люди хорошие, и намерение твое прекрасно, но если ты вымоешь наши окна, то заплатить тебе просто нечем. В кризисе мы.

— Это понятно. Но зачем кризис всему миру показывать? Раз вы в кризисе, значит, все сверкать должно, значит, каждый из руководителей банка должен каждый день свежий цветочек в петличку вставлять и улыбаться самодовольно и радостно. Правила маскировки, сеньоры, соблюдать надо.

Переглянулись директора меж собой: неглупая девочка к нам окна мыть набивается.

— Ладно, Анастазиа, мой окна, мы меж собой сбросимся, тебе песету заплатим.

— Нет, сеньоры, я не уборщица. Я хочу совершить чудо, за чудеса денег не беру.

5

Выходит Дракон из сталинского кабинета. Ему навстречу командир спецгруппы Ширманов. Морда наглая. Арест?

Впрочем, у Ширманова всегда морда наглая. Хорошо с ним работать, пока он в подчинении, а если к нему в лапы попадешь, то неизвестно, какие обиды он припомнить может.

Неясно Дракону, простит ли ему товарищ Сталин побег Жар-птицы, но Ширманова надо бы расстрелять, чтобы в случае ареста попасть на следствие к незнакомому палачу, а не к своему любимому ученику.

6

— Какое чудо ты сотворить желаешь, Анастазиа?
— Ваш банк из болота вытащить.

7

Уперся Дракон взглядом в потолок монастырский. Почему Сталин не дал приказ его арестовать прямо на выходе? Да просто потому, что неизвестность мучительнее всего. Ожидание беды в сто раз хуже, чем сама беда. Товарищ Сталин в мучительстве толк знает, потому не спешит, потому позволяет каждому самому себя мучить. Ходи и себе нервы мотай. Что делать? Как извернуться? Аказис в такой ситуации в окошко прыгнул. А Ежов Сталину письмо написал с предложением ценным... Ежов допустил ошибку: он подал идею, которую может осуществить кто-то другой. Так оно и случилось: идею оружия СА развивают другие и за то получают сталинские благодарности, а подавший идею Ежов никому не нужен. Надо, спасая себя, подавать Сталину такую идею, которую прикажут осуществить тебе лично... Что же придумать?

8

Сбросились директора кто сколько мог, последние медные монетки из карманов выгребли, безработных свистнули, те окна банка вымыли до сверкания, пыль со стен напором воды сбили, ступени мраморные до белизны вычистили, бронзу до сияния ослепительно надраили. Насте директора не позволили больше окна снаружи мыть: иди-ка сюда, внутрь, здесь чудо твори.

А что его творить? Просто все. Снаружи пусть безработные вкалывают, директору просто из рекламных соображений не пристало окна своего банка мыть. А внутри... Почему бы и нет?

Ну-ка, господа директора, снимайте фраки, манишки белые, давайте внутри порядок наводить. Пол сверкать должен, люстры сиять, а бронза — в темноте светиться. И нечего стесняться, ради чуда вкалывать надо и работы черновой не гнушаться. Знали бы вы, господа, кто такая сеньорита Анастазиа на самом деле! И ведь даже она не стесняется веником махать.

А по славному городку Пальме новый слух уже гуляет: приманил сеньориту банк «Балерика ТС». Тысячу песет ей отвалили. Она чудо совершила: купила ведро и тряпку и за десять минут вымыла тридцать огромных окон и весь фасад... Сбегается народ к «Балерике», глазам не верит: утром еще мимо пройти нельзя было, запах мочи застарелой даже собак отпугивал. А теперь!

— И все это она за пять минут?!

— За три.

9

Людей в разведке не хватает. Всегда не хватает. Потому командиру спецгруппы Ширманову приходится лицо гримировать, усы клеить. Провел встречу, отодрал усы, грим снял, Дракону докладывает:

— Начальник бериевского спецпоезда Кабалава не понимает, что случилось на озере Селигер. И Берия не понимает, и Завенягин с Серебрянским. Они считают, что это Мессер работал, взглядом убивал.

— Хорошо, свободен.

Утром Дракон провел тайную встречу со своим новым агентом, с Серебрянским. Серебрянский доложил все точно так же, слово в слово. Это хорошо, когда информация из независимых источников поступает.

10

Далеко за полночь внутри банка директора работу завершили. Вот так-то! У нас, в Советском Союзе, это коммунистическим субботником именовалось. У нас сам товарищ Ленин бревно в Кремле носил. Надувное. И ничего.

Что, непривычно, господа финансовые воротилы? Непривычно. И как-то радостно. Любит человек, работу трудную завершив, сесть (пусть на стул, пусть на пол), высунуть язык, как пес утомленный, и на работу свою любоваться.

Есть на что.

Ближе к полночи жены директоров, встревоженные, в банке собираются. Удивляются. Никогда за мужьями своими такого трудолюбия не замечали. Внутри весь банк блестит-сверкает-переливается. Кто-то пива испанского привез бочонок малый. «Сан-Мигель». Святой Михаил по-нашему. Никому и уходить от своей работы не хочется. Выпили по-братски. Жаль, закусить ничем. Расходиться пора.

— Сеньорита Анастазиа, где вы живете?

— Нигде.

— Как нигде?

— Так, нигде. На морском бережку. На камушках.

Посовещались директора перед отъездом, решили, что воровать в «Балерике» все равно нечего, да и не похожа сеньорита на тех, кто столы канцелярские в «Балерике» ворует.

— Сеньорита Анастазиа, у генерального директора за кабинетом комната отдыха, там диван кожаный. Если в таком здании на ночь не боитесь...

11

Фрау Бертина вызвала Руди Мессера в свой кабинет. Поздним вечером. Когда все спали. Она пропустила Руди вперед и заперла дверь на ключ. Щелкнул замок одиноко, тоскливо.

— Подойди сюда.

Подошел.

— Ты плохой мальчик, Руди. Ты пишешь с ошибками. Подставь ладонь.

Подставил.

Она зажмурилась блаженно. Губ ее коснулась загадочная улыбка Джоконды. Размахнулась фрау, ударила линейкой по ладони и выдохнула: ах-х-х.

12

Драконову голову иногда идеи посещают.

— Товарищ Сталин, испытание оружия СА успешно завершено. Высшие лидеры НКВД находились рядом с учебной целью во время ее уничтожения, но ни один так и не сообразил, что же случилось. Потому оружие СА можно использовать по боевым целям и не бояться, что полиция догадается. Все зависит от того, не раскроет ли кто нашу тайну.

Поднялись сталинские тигриные глаза на Александра Холованова:

— Кто может раскрыть нашу тайну?

— Товарищ Сталин, об оружии СА знает ограниченный круг людей, и один из них не является нашим другом. Я имею в виду Ежова. Это он подал идею...

Прошел Сталин по кабинету. Выбил трубку. Кивнул:

— Я хотел дать Ежову еще пару месяцев погулять. Но он может кому-нибудь свою идею рассказать. Этого допустить нельзя. И нельзя арест Ежова доверять товарищу Берия. Ежов с его тайной не должен попасть в руки НКВД. Товарищ Холованов, берите Ежова.

Сказал Дракон, что один человек в мире может тайну СА раскрыть, и сам себе язык прикусил, вспомнил, что таких людей в мире двое. О системе СА знает Жар-птица. Она не под контролем. Тайна оружия СА может выскользнуть. Потому следующей на очереди должна быть именно она...

13

Дикая боль ладонь обожгла. Руди, видимо, даже потерял на мгновение сознание. Закусил Руди губы. Он не знал, почему нельзя кричать, он просто так решил.

14

Настя уснула, как засыпала всегда: стремительным провалом. И тут же перед нею загремел стальной цепью страшный пес-волкодав, почему-то так похожий на Сашу Дракона. А она, Настя, пушистая белая собака, остервенело кусала его, требуя любви.

И он ей любовь дарил.

Много и щедро.

15

— Кричи, — шепнула она. — Кричи.

И тут же снова боль проколола всего до пяток. И зеленая лампа под потолком померкла. Он не знал: надолго ли.

Он ощутил сначала свою щеку на ковре, потом ухо и левый глаз. Заморгал.

Ее тонкие пальцы пианистки нежно взяли его ладонь и развернули ее:

— Руди, сейчас будет действительно больно. Кричи.

Ему хотелось увидеть линейку, которая сейчас вновь взлетит к потолку. Он ищет взглядом линейку. Но вместо линейки увидел ее глаза.

16

Ринулись широкие народные массы поутру в «Балерику».

Самое главное в банковском деле: доверие клиента и надежда на чудо. Нет, не вкладывает народ испанский денежки в «Балерику», нет у народа денег, по шесть месяцев зарплату народу не платят. Но все равно народ возле банка толкается. И внутрь заглядывает. По сторонам взглядами рыщет: а где же она-то сама?

А она спит на директорском кожаном диване за тяжелой, вчера от пыли выбитой шторой, которая закрывает ее от испанского солнца в чистом окне. Она обнимает во сне подушку и шепчет непонятные слова. Ее никто не тревожит. И она отсыпается за многие дни изнурительных чародейских занятий, за ночи на каменном пляже, за трудные дни беспросветных скитаний по душному городу.

Она проснулась уже к вечеру и долго не могла понять, куда же это ее занесло. Потом села на диване. Потянулась и зевнула сладко-сладко. Вспомнила сначала обрывки снов, потом — вчерашнее. Отметила, что в директорской комнате отдыха не все вычистить успели: корзина так и осталась бумагами ненужными забита.

Потянула урну к себе. В урне — письма. Вчера таких писем целую тонну выбросили: «Дорогой сеньор! Три года назад мы имели честь предоставить вам кредит в размере... И не пора ли, дорогой сеньор, возвращать...» Раньше банк эти письма вагонами рассылал. Теперь перестал, нет денег на расходы почтовые. Потому «Балерика» не рассылает писем своим бессовестным клиентам.

Разгладила Настя мятую бумагу. Прочитала еще раз.

Тут ее и озарило.

Глава 19

1

Она знала: в Париже цвет русской императорской гвардии собирается на Сен-Дени. В «Эльдорадо».

Есть мнение, что название говорит о многом. Этому не верьте. Название говорит не о многом, а обо всем. У хороших ресторанов — скромные названия. У самых лучших — совсем скромные. «Яр», к примеру. Но уж если красиво звучит, слишком красиво — «Эльдорадо», «Золотое дно», «Монте-Карло», «Лос-Анджелес», — то можно не заходить, можно и так догадаться — грязный кабак, притон.

Но где, как не в грязном кабаке, собираться цвету бывшей российской императорской гвардии? Уж конечно, не у «Александра».

2

Подведен итог сочинениям на тему «Как подчинить себе сто миллионов свободных граждан». Докладывает Холованов. Результат: все пятьсот двадцать три сочинителя и сочинительницы с поставленным заданием справились. Сочинение еще раз продемонстрировало возросший уровень... Высказано много хороших идей, некоторые из них будут применены на практике.

— Какая идея признана лучшей?

— Самым оригинальным признано вот это...

Сталин раскрывает тетрадь, кивает. Сталин согласен с выводами комиссии. Все сочинения хорошие и отличные, а это выламывается за рамки общего (весьма высокого) уровня. Сочинение начинается решительным несогласием с заданной темой: почему надо подчинять сто миллионов? Почему не двести, не триста? Не четыреста? И первый вывод: подчинять надо всех! А далее деловое предложение, как это надо делать.

— Это она придумала?

— Она, товарищ Сталин.

3

Она спустилась по стертым каменным ступеням под закопченные своды.

— Здравствуйте.

Ей не ответили.

— Мне князя Ибрагимова.

Бросили они на стол карты, и страшные обросшие морды повернулись к ней все разом.

И расступились.

У стены, за изрезанным ножом столом здоровенный мужик в потрепанной черкеске. На груди кармашки для газырей. Кармашки остались, а серебряные газыри пропиты еще в 1923 году.

— Слушаю вас, сударыня.

— Здравствуйте, князь. У меня дело.

Он только чуть склонил до самых глаз курчавой бородой заросшую голову и ухмыльнулся, кивнув в ее сторону:

— У нее дело.

И все ухмыльнулись.

— Я, князь, — Анастасия Стрелецкая.

Тишина в подвале зашуршала, сгущаясь.

— Графа Андрея Стрелецкого дочь?

— Да.

— И что бы вы хотели, сударыня?

— Я же сказала: у меня дело.

Он хмыкнул, и за ним все в подвале как бы выдохнули, зашевелились, как бы заговорили, слов не произнося. Тут же, однако, и смолкли.

— Дело. Ха. Какое может быть дело у дочери красного графа... Граф Стрелецкий пошел в услужение совдепии... Надеюсь, красные его за это пристрелили.

— Его расстреляли, — глухо и отчетливо ответила Настя.

— Во! — торжествующе заключил бородатый, назидательно поднял вверх указательный палец и повторил: — Во!

В восклицание и широкий жест он вложил все сразу: а разве я его не предупреждал?! А могло ли быть иначе! Нашел кому служить! А разве, господа офицеры, вас ждет что-либо кроме расстрела на родине мирового пролетариата?! Находились тут некоторые военные, о возвращении болтали!

Много лет бородатого князя ревность тайная терзала. Два было пути: за красных или против. Выбор у каждого был. Те, кто за красных пошли, те Россией правят, те в царских палатах угнездились, тем большевики звания дали комкоров да командармов. А те, кто против, те в парижских кофейнях последние штаны в карты просаживают.

По ночам, почесываясь под вшивым одеяльцем, стонал князь: ах, маху дал, надо было к красным идти... Но очнувшись к вечеру после хмельной ночи и тяжкого, горячей жаждой переполненного утра, только злее становился: я вас, гадов, однажды!

Знал князь... Знал и верил... Знал, что перережут потом коммунисты всех своих попутчиков, всех, кто к ним в услужение пошел. И дождался бородатый 1937 года. У него еще с Гражданской войны на сальной бумажке списочек друзей был заготовлен. Тех, кто к красным ушел. Тех, кому атаман сибирский князь Ибрагимов глотки перерезать при первой встрече поклялся. Не выгорело князю. Но и то ладно, что если князю самому не выпало друзьям бывшим глотки резать, так хоть нашелся на них товарищ Сталин, занялся этим делом, увлекся, перестрелял кого следует.

Князь Ибрагимов после каждого московского процесса в своем списочке имена вычеркивал. И все меньше их в списке оставалось, друзей бывших. Наконец в списке один только и остался — граф Андрюшка Стрелецкий, с которым вместе в Лейб-гвардии Кирасирском полку начинали когда-то, с ним на Германской войне в окопах вшей кормили. Потом в Сибири судьба свела. Уже врагами. Под селом Ферлюевым. Загнал красный комдив Стрелецкий отряд вольных стрелков князя Ибрагимова в ущелье снежное, в распадок, зажал, запер выходы и покрикивает, посмеивается: выходи, мол, Махмуд, сдавайся, банду свою выводи, не трону, по старой дружбе своим заместителем сделаю. А Махмуд Ибрагимов вышел на видное место вроде парламентера, чтобы красные его видели, потрепал между ног своих и красному командиру Стрелецкому перед смертью неминуемой проклятия орал, карой грозил небесной: не простит Аллах службу шайтанам, и Христос твой не простит. Вы, бляди красные, кричал, нас здесь перебьете, а потом вас всех коммунисты перережут. Проснулся тогда в князе Ибрагимове пророк, и кричал он красным обидные слова, а они не стреляли. Иди, орал князь, ко мне, Адрюшка, в Китай прорвемся, в Париж уйдем!.. Ночью через перевал рванул атаман Ибрагимов, сквозь снега. Людей потерял. Главное — лошадей. Куда в Сибири без лошади! Все пулеметы на перевале бросил. Весь обоз. Вырвался, как лис из капкана. Вывел семерых из последних четырехсот. Ушел. Золотой запас бросил... Пришел в Китай в стоптанных сапогах. В них же весь мир обошел: Харбин, Шанхай, Сидней, Панаму, Бразилию, Алжир. Теперь вот в Париже дрянное винцо атаман попивает. В картишки режется. Аллах простит. В картишки не везет князю Ибрагимову. И вообще не везет в жизни этой. Одна отрада: сбылось пророчество — тех, кто к красным в услужение пошел, вознесла судьба высоко, да низко бросила...

Вот и Андрюшку Стрелецкого в распыл товарищ Сталин пустил. Правильно. Сообщение о расстреле старого друга-врага явно понравилось князю, и он милостиво указал Насте на скрипящий стул.

— Так что же от меня хочет коммунистическая графинюшка, отец которой ушел к коммунистам и убивал своих соотечественников в угоду социальной справедливости?

— Князь, мы говорим сейчас не о моем отце, а о деле, которое я вам предлагаю. Не знаю, что совершил мой отец, но надеюсь, вы не подозреваете меня в том, что лично я принимала участие в массовых расстрелах...

Заржали господа офицеры кавалерийским эскадроном. Заржали до хрипа и храпа.

— Сударыня, уверяю: вас лично никто в этом не подозревает.

— Тогда к делу. Я больше не живу в Советской России. Мне нужны деньги. Знаю, где достать. Нужна помощь.

— Сударыня, меня интересуют только большие деньги.

— Меня, сударь, тоже.

4

Он увидел ее глаза. Безумные глаза. И чуть испачканное чернилами переносье. Она учительница. Она хорошая учительница. Умная, строгая, требовательная. Она до темноты проверяла тетради. Ее пальцы в чернилах. Она сидела задумавшись, лицо ладонью подперев. Потому чернила на переносье. Или поправляла большие очки, от которых ее глаза еще больше. Еще прекраснее. Еще страшнее. Сейчас нет на ней очков, но чернила остались.

Раскрыл Руди глаза широко. Распахнул. Почему-то чернильное пятнышко между этих глаз его внимание привинтило. Он старается пятнышко рассмотреть. Новый удар отвлек бы его. Потому он ей сказал:

— Не бей меня.

5

В квартире Ежова пусто. Николай Иванович бродит по гулким залам, коридорам и комнатам меж голых каменных теток с оторванными руками. Бутылку в руку взял. Исказило ему лицо: раньше бутылки по персональному заказу завод «Заря» поставлял, с персональными этикетками: «Для товарища Ежова». Так заведено было: «Для товарища Кирова», «Для товарища Зиновьева», «Для товарища Бухарина». С печатями сургучными бутылки вождям подвозили, на каждой — номер, как на оружии, к каждой формуляр присобачен с десятком подписей.

А теперь докатился Николай Иванович Ежов до того, что бутылки в его доме без номеров, без формуляров, без этикеток персональных. Так ведь и отравить могут! Покрутил Ежов бутыль в руках, недоумение лицом выразил и, обозлившись внезапно, швырнул ту бутыль, как гранату РГД-33, через весь почти музейный зал. Грохнулась бутыль о чью-то живописную каменную задницу, осколками стеклянными поражая картины каких-то неведомых Ежову Ренуаров.

6

— Ваше сиятельство, мой план прост: некто, сеньор Хуан Червеза, взял деньги в испанском банке «Балерика ТС». Деньги пустил в оборот и хорошо заработал. Потом — Гражданская война в Испании, кризис, анархия. Долг банку не возвращает и возвращать не намерен. Сеньор Червеза уверен, что банк разорен войной и скоро будет объявлен банкротом. Наша работа: вырвать из него все, что он занял, взять проценты за четыре года, наказать за плохое поведение и взять с него плату за нашу работу с ним.

— Его сначала надо найти.

— Я его нашла. Он тут, в Париже живет. На авеню Фош. Почти у самой арки. Там дом пятиэтажный. Его квартира — три верхних этажа.

— Надо собрать сведения о его повадках, сообщниках, друзьях, родственниках, соседях...

— Я собрала.

— Дальше — захват?

— Захват.

— И... убедительная беседа?

— И убедительная беседа. Я слышала, князь, вы в Сибири атаманом были... Я слышала, вы умеете людей убеждать.

— Мы умеем, — сладко потянулся князь и потер руки.

7

Фрау Бертина подчинилась и опустила линейку.

И тогда он зачем-то стал рассматривать ее кабинет. Фрау Бертина сидит молча. Руди заглянул в соседнюю дверь — там ее квартира.

Ничего интересного не увидел, кроме цепей, плеток и хлыстов. Квартира как квартира. Он снова смотрит на чернильное пятно на ее переносье:

— Мне пора.

Она не возражает, щелкает замком и распахивает перед ним дверь.

8

Называть каменных теток статуями Николай Иванович Ежов так и не научился. Есть же слово хорошее, всем понятное — фигура. Так он их и называет.

Среди фигур — проход. Особым ключиком отомкнул Ежов потайную дверь.

Ступеньки вниз. Нажал на кнопочку, осветился подвал. Тут у Николая Ивановича тайник. О нем никто не знает. В свою частную жизнь Николаша никого не пускает. Отстранен Ежов от руководства НКВД, отстранен от управления лагерями, тюрьмами, расстрельными пунктами, камерами пыток. Но от любимой профессии его не так просто отстранить. У него своя, частная камера пыток. Хорошо тут. Уютно. Инструмент — высший класс. В Германии заказывали. Такого инструмента нет ни в Лефортове, ни в Суханове. Такой инструмент только у Николая Ивановича в личном пользовании, в частной собственности. Потрогал рукой пилочки сверкающие, никелированные: ах немцы! Какая культура пыток! Куда нам до них, сиволапым.

9

— Для захвата нужна машина. Это стоит денег. Денег у нас нет. А у вас, сударыня?

— У меня тоже нет денег. На последние до Парижа добралась. Но знаю, где взять.

— Поделитесь.

— Вы, князь, если не ошибаюсь, были награждены офицерским Георгием и Станиславом с мечами.

Вы, Александр Михайлович, — Владимиром на шею и Анной на оружие. Вы, Сергей Николаевич...

— Заложить ордена?! Как смела ты...

Чудовищное бешенство вдруг взорвало бородатого. Он ухватил зеленую бутыль за горлышко, и казалось, раздавит ее короткими мощными пальцами.

Настя презрительно усмехнулась. Ее тоже взорвало бешенство, но она сдержалась. Она хотела крикнуть ему в лицо: «О, господа гордые гвардейские офицеры, ваши женщины торгуют собой на улицах городов всего мира от Сиднея до Парижа и Рио и на свои жалкие гроши содержат вас — бездельников, а вы тут в офицерскую честь играете!»

Но не сказала этого Настя, только ногтями по столу скребнула, как злая кошка. И отвернулась в омерзении.

10

Руди не спал всю ночь. Ругал себя.

Любопытство — могучая штука. Отчего же он так слаб? Надо было вынести боль. Может быть, надо было кричать? Просила же фрау Бертина кричать. Тогда бы он узнал, что бывает дальше.

11

Сталин сжал руку Ежову. Обнял за плечи:

— Николай, у тебя гениальная голова! Мы с тобой еще поработаем.

Давно Сталин не жал ему руку! Давно Сталин не обнимал его за плечи и не называл его по имени. Давно сталинская улыбка не искрилась такойдружбой.

Ноги Ежова стали легкими-легкими, какая-то сила подхватила его, и он почти вприпрыжку выскочил из сталинского кабинета. Помнит Николай Ежов это чувство: раньше, когда он был наркомом внутренних дел, приходил к Сталину с длинными расстрельными списками, Сталин подписывал, и охватывала Колю Ежова неудержимая радость, и на ее крыльях выскакивал он из сталинского кабинета...

Именно это чувство вынесло его в коридор...

Тут-то его и взяли.

12

Не сказала Настя обидных слов. Но поняли они, что она им сказать хотела.

Отшвырнул князь бутыль. Хлопнула бутыль об пол кирпичный, брызнуло зеленое вино вместе со звонкими осколками такого же зеленого стекла. Испугалась бы Настя резкого жеста, звона и грохота неожиданного. Но злость ей испугаться не позволила. Перекосило ее злостью: ишь, нашлись ревнители чести! Потому на испуг у нее эмоций не осталось. Потому она даже и не вздрогнула, когда все вздрогнули.

Они это по-своему поняли.

Запустил князь руку куда-то глубоко за пазуху, извлек платочек засаленный, тугим узлом завязанный. Зубами узел разворотил. Бросил на стол Георгия, сверкающего белизной, и Станислава с мечами и ореликами. Ленточки замусолены, а золото звенит и светится.

Бросил и вышел, ни на кого не глядя.

13

Руди Мессер решил попасть к ней на ночное наказание еще раз. Интересно же: чем все это кончится? Но она его больше не вызывала. Ладно. Он начал писать с таким количеством ошибок, за которое его каждый день следовало бы драть кнутом. По часу. Или по два.

Но она не вызывала.

Он начал писать поперек строчек. Она ставила ему отличные оценки.

Он перестал писать вообще. А она продолжала отмечать его старание.

Он знал: других она вызывает на всю ночь.

Он начал бить стекла. Не помогло.

Он встретил ее в коридоре и сообщил, что вечером в школе устроит пожар.

Тут ее взорвало.

14

Николая Ежова взяли как-то тихо и буднично.

Прямо за дверью сталинского кабинета нависла над ним тень Холованова:

— Вы арестованы!

Двое подхватили под руки, завернули их назад, как ласты, и вздернули. С синих петлиц государственной безопасности некто с наглой мордой сорвал огромные маршальские звезды...

— Иди, сука!

15

Захват — дело простое. Особенно если клиент по девкам шляется. Если темные кривые переулки его влекут.

Его взяли тут же, на Сен-Дени. Улица широкая, а в стороны — переулки, а от переулков — длинные темные коридоры-переходы тоже вроде переулков, только крытые, кошками загаженные и людьми. Там лестницы скрипучие вверх и вниз, ведра и мусорные баки, там вырванные фонари, там темнота, смрад и сырость, там сальные стены исписаны непристойными решительными призывами...

Человек с такими деньгами мог бы снимать девок на Пигали и даже на Мадлен, там девки и качеством лучше, и чище. Но дороже. А он привык на Сен-Дени... Всю жизнь тут. Разбогатев, привычкам юности не изменил.

16

Вторым делом в берлинских тюрьмах — санитарная обработка. А первым делом бьют.

У нас в те славные времена та же процедура была принята.

А Николая Ивановича Ежова еще не били.

Его ввели в большую, видимо, подвальную комнату под тяжелыми кирпичными сводами. На монастырь похоже.

Посреди комнаты — привинченное к полу деревянное кресло, с ремнями. Его усадили, прижали голову к спинке и пристегнули горло широким ремнем. Тут же пристегнули ноги к ножкам кресла, а руки к широким, отполированным предшественниками подлокотникам. И вышли все, его одного в полумраке оставив

В широком зале почти пусто: кресло с пристегнутым Ежовым посредине, а перед ним, на возвышении, стол, как бы для президиума. Или для трибунала. Только в трибунале три стула и портрет Ленина на стене, а тут один только стул. И товарища Ленина нет.

Сжался внутренне Николай Иванович Ежов, к сопротивлению подготовился.

Но нет никого вокруг, и шагов не слышно.

Тихо. Ни звука.

И увидел Николай Ежов на столе...

17

Сеньора Хуана Червезу привезли завернутым в кусок кровельного железа.

Как сюрприз в упаковке.

Костюм на нем новый, дорогой, но перепачкан пылью и ржавчиной. Туфли лакированные, тоже перепачканы пылью. Вернее — одна только туфля осталась. На левой ноге. А туфлю с правой ноги где-то потеряли, когда волокли. Досадно. Улика. С другой стороны, это драгоценная крупица опыта: в следующий раз, перед тем как человека в кровельное железо заворачивать, надо будет обувь снимать, если она быстросваливающаяся.

А ртом обломок своей трости держит. Как верный пес, который хозяину палку из пруда тащит. Вот и этот — закусил, зубами в дерево врезался. Оба конца трости телефонным кабелем перехвачены, на его загривке тугим узлом связаны. Чтобы не выронил случаем.

Из видимых синяков на нем пока только один, под левым глазом.

Один, но ядреный.

Его бросили на кирпичный пол, громыхнули железным листом, разворачивая.

18

Руди нарывается на ночной вызов с битьем, а вместо этого она орет. Это не понравилось ему. Он посмотрел в ее глаза, вернее, между глаз, в надежде, что переносица над тонким носом с трепетными ноздрями перепачкана чернилами.

Но чернил не было.

И тогда...

19

Выскользнул из какой-то подворотни слух и по Москве пошел гулять. Слух про заговор в НКВД. Собрались заговорщики на озере Байкал. Семеро их было. Сговорились товарища Сталина убить. А товарищ Сталин — не будь дурак, им туда своего друга заслал, Мессера-фокусника. Мессер невидимкой прикинулся, рядом с заговорщиками сидел, водку пил. Они все удивлялись, что бутылка пустеет быстро. Закусывал Мессер, на ус мотал. А как главный заговорщик заикнулся, что товарища Сталина убить неплохо бы, так Мессер на него только посмотрел, у того голова и лопнула.

Тогда он на других посмотрел, и у тех головы полопались. Чем же Мессер их убивал? Эх, серость, так взглядом же!

20

Так выпало, что во всем подвале оказался только один предмет, на котором сидеть можно, — пустой бочонок.

Настю, как единственную тут представительницу прекрасного пола, на тот бочонок и усадили. И получилось — она одна сидит. Остальные стоят. Не считая того, который у ее ног лежит.

А еще выпало так, что во всей компании по-испански Настя одна свободно изъясняется. Понятно, не считая того, который у ее ног.

Это обстоятельство ее как бы на первый план выдвинуло. Она говорит — остальные молчат. Она говорит тихо и отчетливо. И чтобы слышать ее слова, все стихли. Слова ее не все понимают дословно, но смысл их понятен каждому:

— Сеньор, я сразу открываю карты: ты отсюда живым не выйдешь. Тебя вынесут. Света дневного тебе тоже не видать: вынесут тебя ночью в железном рулоне. Сам знаешь, за что: ты должник банка «Балерика». Долгов ты не платишь и платить не намерен. Это нехорошо. За это я тебя накажу. Мое наказание — смерть. Но я готова тебе помочь, если ты поможешь мне. Мне нужно получить деньги, которые ты задолжал, кроме того, я работаю с тобой, и ты обязан мне мою работу оплатить. Украсть тебя, утащить, спрятать — все это денег стоит. Ты мне расходы на твою поимку возместишь. Воруя тебя, я и мои сподвижники рискуем своими головами в самом прямом смысле. Сам знаешь: Франция — страна варварская. Тут публично отсекают головы за те вещи, которыми ты меня вынуждаешь заниматься. Я рискую головой. И эти господа рискуют своими буйными головами. Поэтому ты должен наш риск оплатить сполна. Не знаю, как господа офицеры, но свою голову я ценю дорого. Не строй иллюзий — я знаю о тебе больше, чем ты предполагаешь, я знаю, сколько у тебя денег и где они. Мне надо их получить, но так, чтобы ни банк, ни полиция, ни твои компаньоны мне не помешали их забрать. Думай, как это сделать. Думай. Придумаешь — обещаю легкую смерть. Я слово держать умею. Ну а если со мной что-то случится — тебя ждет ужасная смерть. Не веришь? Хочешь, я тебе свое умение покажу?

Глава 20

1

Манекен с облупленным носом привязан к стулу. В штаны манекену — гранату РГД-33. К колечку — веревочка. Проба первая. Результат: так не пойдет. Как говорят испанцы: no passaran. В переводе на русский: не прохонже. Не пойдет потому, что потянешь веревочку из-за угла, но не колечко с предохранительной чекой выдернешь, а всего манекена со стулом с места сдернешь. Что же предпринять?

— А ну, господа офицеры, обложим ножки стула каменюгами!

Обложили. Попробовали еще разок. Результат: если потянешь веревочку, то выдернешь колечко с предохранительной чекой. А стул с манекеном на месте останется. Именно это и требуется. Выглянул князь Ибрагимов из подвала: никого? Никого. Тогда снова в подвал. Всем за угол! Всем уши зажать! А сеньора Червезу князь ножичком мягонько в бочок: тяни, сеньор, веревочку.

2

Рудик Мессер представил, что прямо между черных глаз есть точечка. Пока она орала, Руди смотрел в пол. Но смолкла она на мгновение, чтобы перевести дыхание и воздуха глотнуть, поднял Руди глаза, широко их раскрыл, внимательно рассматривая несуществующую точку на переносице, и мягко попросил:

— Не ори.

3

Грохнуло за углом. Грохнуло так, что с потолков подвала вековая грязь посыпалась. Думали, и камни посыплются, пронесло. Крепко в шестнадцатом веке во французских имениях своды подвальные соединяли. Рассеялась пыль и грязь, выглянули из-за угла — здорово! Ни стула, ни манекена с облупленным носом — одни кусочки по полу да лохмотья, как московские снежинки, опадают. Кружась.

Тогда второй стул сюда! Опыт — великое дело: сразу ножки стула каменьями обложили. Для устойчивости непоколебимой. Теперь, сеньор Хуан Червеза, твоя очередь. Садись. Вместо манекена. Проволоками тебя притянем. В штаны тебе такую же гранату. РГД-33. Надеешься, что тебе только яйца оторвет? Надейся. А господа гвардейские офицеры надеются, что не только яйца тебе вырвет взрывом. Разнесет так, как манекен разнесло. Крепко сидишь? Это хорошо. Гранату веревками к пузу твоему привязать несподручно. Лучше бинтом. Говорили же: верни долг. По-хорошему говорили. Не понимаешь по-хорошему. Жаль. Нам плохо. Тебе плохо. Из-за каких-то вонючих денег жизнь свою отдаешь, а господа офицеры и их очаровательная предводительница жизнью рискуют, шеи, считай, под гильотину подставляют. С превеликим удовольствием отпустил бы тебя, но нельзя — ты же в полицию побежишь жаловаться. Поэтому тебя непременно надо ликвидировать. Так ликвидировать, чтобы опознать было нечего.

Так... Усики металлические сжать, чтобы чека предохранительная легко вышла вслед за колечком, освобождая рычаг предохранителя... Веревочка привязана. Все за угол..

Понимал ли сеньор Хуан Черведа, что ободранный князь бормочет? Явно понимал. Даже русского языка не зная, все равно понимал. Он от взрыва первой гранаты оглох: все уши руками зажали, а он за веревку тянул, потому что уши зажать нечем было, потому ошалел и плохо слышит. Но все равно понимает. Чего тут понимать? Долг не отдал — ну и получи РГД-33 в штаны. Получи, дорогой. Заслужил. Проверили эти русские варвары на манекене: все работает, теперь твоя очередь... Чтобы и после тебя обрывки штанов под потолком летали, как перышки пуховые...

Последнее желание. Что тебе, сеньор Черведа, напоследок желается? Выкурить сигарету? Целую не дадим, времени в обрез, уходить пора, пока не застукали, а затянуться разок — пожалуйста. Тебе еще и выпить хочется? Тоже не забыто, на — хлебни. Что морду воротишь? Русская водка не по нутру?

Теперь прощай, сеньор.

4

Фрау Бертина больше никогда на него не кричала.

И не вызывала его в свой кабинет на экзекуцию.

Ему вовсе не хотелось, чтобы она била линейкой по ладони. Просто интересно: что потом, после битья?

И снова красивая мысль пришла в его светлую голову.

Дождался ночи, легкого скрипа соседней двери. Повела фрау Бертина длинного хныкающего Фридриха к себе.

А Руди — за ними.

Встретил глаза ее бешеные, точечку между глаз представил, внимательно ее рассмотрел и тихо сообщил:

— А меня тут нет.

И Фридриху тоже: нет меня.

5

Все за угол! Уши зажать! Потянул князь за веревочку. Колечко напряглось и потянулось за веревочкой. А за колечком — чека. Чека — это такая проволочка стальная, вдвое сложенная и в дырочку вставленная. На сгибе той проволочки — колечко, а на другой стороне хвостики стальные в разные стороны разведены. Их князь вместе свел, теперь из-за угла веревочку тянет, веревочка тянет колечко, а колечко — эту самую проволочку-чеку. Проходя отверстие, стальные хвостики ее чуть сжимаются вместе.

Взвыл сеньор.

6

На столе перед собою увидел Николай Иванович Ежов полный комплект пыточных инструментов. В Германии сработанных. Из своей тайной камеры пыток кем-то выкраденный.

Кто посмел забраться в его тайник?! Кто посмел поднять руку на самое святое, на частную собственность?!

И жуткая мысль поразила мозг: ведь его, Коленьку, любимца всего прогрессивного человечества, тоже могут пытать.

Дикая мысль, от такой мысли — дикий крик.

И тут же смех: какая ерунда! Да кто же посмеет его пытать?! Он же Ежов! Он же — Николай Иванович! Да никто не посмеет к нему даже прикоснуться...

Попробовал шевельнуть правой рукой...

Нет, те, кто его ремнями принайтовал, в пытках толк знают. Пытки психологические сильнее физических. Он ощутил себя всего, до самых кончиков ногтей на ногах. Он осознал во всей глубине совершенную свою беспомощность. Пристегнут так, что может только глазами водить. Как кот ученый. Вправо. И влево. Если на лицо сядет муха, он не сможет себя защитить...

Если бы его мучили, если бы пытали, то... Он не знал, хорошо ли это было бы. Но его оставили одного в явно пыточном подвале. Он не знает, сколько времени ждет. Тут нет дневного света, тут нет никаких шумов и шорохов. Скорее бы они уже пришли!

Но они не идут. Сколько он так сидит? Час? Два? Или двадцать минут только?

Он зажмурил глаза и завизжал, призывая палачей не тянуть и не медлить.

7

Не учли самой мелочи. А вообще-то предусмотрели решительно все. В заповедном лесу у Компьена нашли поместье брошенное. Осмотрели. Округу прочесали. Посты выставили. Решили: взрыв гранаты глубоко в подземелье снаружи услышан не будет. А если и будет услышан, то звук будет глухим и уху постороннему непонятным. Осмотрели своды подвала — не завалятся ли? Выразили надежду: выдержат. Запасли проволоки стальной клиента вязать, и крепких тоненьких веревочек, колечки из гранат выдергивать. Манекен достали без труда. В Париже манекенов больше, чем людей натуральных. Манекены парижские постоянно обновляют. Быстрее, чем поколения людей настоящих. Потому на парижских свалках списанных манекенов — горы целые, мужчины-манекены с обнаженными женщинами-манекенами вперемежку лежат. Штабелями. Один слой на другом. Вокруг города Парижа манекены — словно горы рукотворные, вроде терриконы шлака в степи донецкой.

С гранатами тоже нет проблем. Гражданская война в Испании — вот она. Только отгремела. За соседней дверью. А после войны, да еще гражданской, известное дело, избыток оружия гуляет по подворотням всех сопредельных государств: не желаете ли патроны к немецкому пулемету МГ-34 и двигатель от русского истребителя И-16? Куда теперь оружие девать, если война гражданская завершилась? Завершилась война полным разгромом коммунистов. Попытка товарища Сталина воспламенить Европу из Испании провалилась в начале этого славного 1939 года. Вопреки лозунгу коммунистов: no passaran, они, мол, не пройдут, не пропассаранят, они прошли. Каждый, кто хоть немного соображает, понимать должен: в этом же 1939 году товарищ Сталин будет пытаться поджечь Европу с другого конца. Но мало кто в этом мире соображает... Некогда соображать. Бизнес делать надо: так берете патроны? Нет, патроны есть. Гранаты нужны. Этого добра хватает. Любых типов, любых стран, в любых количествах. Остановились на советских РГД-33. С виду — не очень она элегантная, но работает справно, и по опыту известно: отрывает не только яйца.

Так что все предусмотрели, все подготовили. Забыли только сеньору штаны запасные захватить.

Как только натянулась веревочка, колечко за собой потащила и чеку вырвала, взвыл сеньор, взревел. Ногами связанными дергает-сучит, руками связанными выламывается, весь из веревок рвется, как лебедь в облака, вопли из него с визгом и вонь. Но поздно: колечко с чекой вырвано, предохранительный рычаг под действием боевой пружины в сторону отлетел, и ударник под действием той же боевой пружины, которую ничто не сдерживает, тяпнул в капсюль-воспламенитель. Теперь замедление — четыре с половиной секунды до взрыва. Иногда чуть больше замедление — это от точности производства зависит, от дозировки воспламеняющего состава. Для сеньора замедление перед взрывом секунд на тридцать затянулось. За те секунды орал он так, что себе нервы слуховые повредил, глаза кровью налились, потому как сосуды от крика кое-где полопались. Морда цвета бордового, как закат над океаном.

Выходит из-за угла здоровенный русский с бородой по самые глаза:

— Хватит орать. Первая граната чин-чинарем рванула. А во вторую гранату мы капсюль-детонатор не вставили. Не ори, не взорвется. Это тебе контрольное испытание было. На выдержку. Слабые у тебя, сеньор, центры сдерживающие.

8

— Не ори. Чего разорался?

Прямо из-за спины Ежова вышла большая, пышная спокойная женщина с великолепным рядом золотых зубов.

За стол села.

— Ежов?

— Ежов.

— Так и запишем: Е-жо-ов. А я Иванова. Следователь Иванова. Не ваш следователь. Не из НКВД. Я от Саши Холованова. Знаешь Сашу? Какой мужик! — зажмурилась следователь Иванова. Улыбнулась. Что-то вспомнила. — Ладно. Меня к тебе, Коля, давно приставили следствие негласное вести, да долго ты меня не замечал. Теперь на меня внимание обратишь. У тебя, Коля, гениальная голова. Теперь мы с тобой поработаем.

Сильной рукой тронула Иванова пилочки сверкающие, щипчики, холодным блеском горящие. Ноздри ее чувственные легким трепетом тронуло. Как у кобылицы породистой перед рекордным заездом:

— Какой инструмент! Такого нет ни в Лефортове, ни в Суханове. Это же качество! Европа! А мы, Коля, знаешь, какой гадостью работали допотопной?

Немцы, черт бы их драл, какая культура пыток! Куда нам до них, сиволапым!

9

Не каждую ночь фрау Бертина вызывает мальчиков к себе на экзекуцию. Определил Руди Мессер, вычислил: экзекуции — это только 23 процента ночей.

Любопытство, проклятое любопытство. Руди Мессер решил узнать, чем же она занимается в те, другие, свободные ночи. Простая мысль о том, что фрау Бертина может ночью спать, в его голову не пришла: он уже знает о ней достаточно много.

10

Тот, кто других обманывает, кто обманом живет, тот никогда не будет счастлив. Это правило такое. Хитрость и обман обязательно боком выйдут. А еще тот, кто других обманывает, всегда трус. И к нему пыток применять не надо. Его надо пугнуть, и он согласится. Но не подумали господа офицеры, да и Настя не подумала, что сеньор Хуан Червеза может испугаться до такой степени.

Теперь сеньор Червеза сломлен. Он готов подписать любые бумаги и отдать все. Но все не надо. Надо только с него получить долг. Кроме того, надо получить плату за работу с ним и проценты, которые наросли за время неуплаты...

Вот тут — проблема.

В том проблема, что деньги большие, потому никакому банку с теми деньгами расставаться не захочется.

Если выпишет сеньор чек на имя мадемуазель Стрелецкой, то директор банка в полицию звякнет и в присутствии полиции задаст вопросы. Самый простой вопрос: почему богатый человек сеньор Черветза платит какой-то оборванке огромные деньги? За какие такие заслуги? А еще банк может потребовать подтверждения правильности чека. Снова проблема. У сеньора вся морда синяя. Впечатление: его три дня били. А никто его не бил. Это просто от крика сосуды полопались на морде. Ждать, пока заживет? А ведь сеньор теперь вообще какой-то пришибленный. И навсегда таким останется. На него полицейский одним глазком только глянет и сообразит, что дело нечисто...

Может быть, организовать с ним совместную фирму? Сеньор Хуан Черветза вносит капитал и дает письменное разрешение партнерам этими капиталами распоряжаться. Хорошая идея. Но тогда имена партнеров где-то будут зарегистрированы. К чему это? Да и давать разрешение на пользование капиталами он должен лично, в присутствии юристов...

11

Руди выспался днем. Его никто давно не трогает. Знают: любимчик. Он единственный во всей школе, на кого не кричит фрау Бертина. Он может не ходить на уроки и делать все, что нравится. Болтают даже, если ему взбредет поджечь школу, то и тогда она на него орать не будет...

Потому Руди прямо днем спит, никто его не тревожит. Он приучил себя засыпать там, тогда и постольку, где, когда и поскольку это требуется. Он засыпает, не ворочаясь и не зевая. Лег — уснул. И просыпаться приучил себя в точно назначенный при засыпании момент.

Вечером оделся теплее, взял плащ. Почему-то наперед знал: предстоит куда-то идти.

После одиннадцати постучал в ее дверь. Она отворила. Руди посмотрел внимательно в несуществующее пятнышко между глаз и привычно сообщил, что его тут нет.

С этим она согласилась и на него больше внимания не обращала.

Она куда-то собиралась. Долго собиралась. Красила лицо невероятно белым цветом, губы — невероятно красным. Она опрокинула на себя чуть не целый флакон духов. Руди аж чихнул. Благо она была занята собой и не услышала. Фрау Бертина любуется своим отражением и не может налюбоваться. Надо правду сказать: было на что любоваться. Она оделась в странный наряд, который заставил биться сердце мальчика так, что, наверное, слышали за стеной. И тогда она разделась. И оделась в другой наряд. Она любила наряжать себя и рассматривать в зеркале в разных вариантах. Снова разделась. И оделась. В каждом новом наряде она была лучше, чем в прежнем.

Он сидит в уголке, ноги крестиком, руки под щеки, ждет, что будет дальше.

Наконец она встала, набросила на себя черный широкий длинный плащ, который скрыл ее всю, на лицо — капюшон. Так ее никто не узнает. Длинным бронзовым ключом открыла она в спальне потайную дверь, потушила лампу.

И пошла во мрак.

12

Я понимаю, что сейчас накоплен огромный опыт перевода денег со счета должника заинтересованным структурам. Я понимаю, что любой, кто работает в благородном бизнесе выколачивания долгов, подскажет мне сто методов, один другого лучше, но в том-то и дело, что мне подсказывать не надо. Нашей бы Настеньке кто-нибудь подсказал. Это у нее опыта нет, и подсказать некому. А вляпаться можно по самые ушки: только в банк войди, только развернут банковские служащие перед тобою сто бумаг... Когда понятия не имеешь, в каком углу расписываться надо... Эх, капитализм! Черти бы тебя побрали. И нельзя сеньора в банк отпустить. Пока у него морда заживет... Да и расплачется он в банке, что тогда? И господа офицеры Насте решения подсказать не могут. Они в тайге с красными воевали. У них свой опыт.

Спит Настя. Ей под самой крышей господа офицеры каморку освободили. Спит, во сне решение ищет.

13

Фрау Бертина в темноте видит, как сова. Не зря у нее глазищи такие. Руди за ней спешит. В темноте на ведро какое-то налетел, громыхнул. Она лишь встрепенулась, прислушалась на мгновение и пошла вперед так же стремительно и уверенно, свой путь фонарем не освещая. Подземным ходом из спальни — в какие-то пустые комнаты, затем на улицу, в дождь. Покрутила ключом в ржавом замке, открыла железную дверь в каменной стене, и очутились оба в переулке. Завернули за угол и еще за один. Тут и открылась перед ними ночная жизнь столицы великой империи...

14

— Расскажу. Товарищ Иванова, все расскажу. Что тебе надо?

— Золотишко, Коля, прячешь?

— Прячу.

— Камушки?

— И камушки.

— И валюточка по швейцарским счетам?

— Все расскажу.

— И на руководящих товарищей компромат собирал...

— Да.

— Есть материальчик?

— Есть. На кого нужен?

— Ах, Коля, с тобой работать скушно. Ты хоть в чем-то упрись, а то у меня причины нет следственный спецметод № 12 применить. Но будь спокоен: я причину придумаю.

15

Открылась перед ними улица красных фонарей. Народ праздничный, взволнованный, не по-ночному бодрый. Потоки людей в две стороны. Двери настежь. Музыка гремит, пиво венское рекой, хохот раскатами. Вправо и влево — переулки. Там еще веселее.

Фрау Бертина свернула во второй левый переулок и стукнула в неприметную дверь. Отворилась дверь сразу, вроде за нею кто-то стоял. Тяжеленная дверь, но отворилась легко, без скрипа. За дверью — дама сдобная, черные чулки — до самого ног перекрестья, в страусовых перьях дама. Расцеловалась фрау Бертина с дамой в перьях, а Руди даме сообщил доверительно, что нет его тут.

Она и поверила.

16

Насте снится Мессер. Строгий и сухой. Хорошо Мессеру, пошел в банк: дайте три чемодана денег! Жаль, что Настя не чародейка, а всего лишь ученица чародея. Кроме того, она — ученица укротителя чародеев, их повелителя. Но ученица она начинающая.

Открыла глаза. Внизу — шелестит ночной Париж. Смотрит Настя в стену, фиолетовым заоконным светом разукрашенную. Что предпринять? Поворачивается на другой бок и снова засыпает. Ей не снится сегодня большая белая пушистая собака. Ей снятся волки. Волки гонятся за ней по лесу. У главного волка — человеческая голова. Это сам товарищ волк Сталин. И тут же приемная Сталина. И волки больше не гонятся. Она сидит и ждет вызова. Сталинский секретарь товарищ Поскребышев собрал сталинские рисунки... Вот если бы у Насти были сталинские рисунки... Волки и чертики... Она бы продала на аукционе... Сталин в живописи, прямо скажем, — не Пикассо, но денег бы дали за сталинские рисунки... А если бы у нее была картина Пикассо...

Вау! Отскочил сон, как предохранительный рычаг гранаты РГД-33 под действием боевой пружины. Настю аж подбросило на старинной скрипучей кровати: есть решение! Чем, собственно, она хуже Пикассо?

17

За неприметной дверью оказался темный узкий переход, еще дверь, поворот и лестница вверх, и еще одна дверь. За этой дверью — лабиринт красной парчи, золотых кистей, турецких кожаных диванов и мягкого красного мрака. Почему-то именно так Руди в своем воспаленном воображении представлял гарем султана турецкого.

Тут сразу теряешь ориентировку. Тут нет окон, тут нет прямых углов. Тут из одного овального зала переход в другой, а из него — коридоры еще куда-то и еще. Тут все мягко, покато, округло, тут великолепная драпировка и толстые ковры глушат смех и стоны. Фрау Бертина прошла в комнату, которая, видимо, принадлежит ей. Это вовсе не комната, это зеркальный зал в красном свете с поистине императорской кроватью посредине, кроватью под парчовым балдахином, кроватью-дворцом, отраженной в зеркалах неисчислимое количество раз.

Она сбрасывает плащ, еще раз смотрит в зеркало и усмехается себе. Поворачивается к зеркалу правым боком. Левым. Поворачивается спиной, любуясь собою из-за плеча...

18

Лестницей-скрипучкой вниз, вниз, вниз. Из-под самой крыши черепичной — в подвал каменный. Рассвет только чуть изукрасил небо парижское зеленым восходом, потому господа офицеры спать еще не ложились.

— Я знаю, что надо предпринять!

— Доложите, сударыня.

— Сеньору Хуану Черveза мы продадим произведение искусства. Продадим публично. Продадим на аукционе. На виду всего Парижа.

— А неплохо придумано.

— Понимаете? Мы продали — он купил. Никакого криминала. После того мы предъявляем чек в банке: отдайте наши денежки!

— Он должен присутствовать на аукционе?

— В том-то и дело: не должен. Богатые люди скупают шедевры через подставных лиц.

— А цена?

— Мы посадим в зал наших людей, они вздуют цену до той именно суммы, которую нам следует с сеньора содрать.

— Все хорошо. Задержка за самой мелочью: где мы возьмем тот шедевр, который можно продать за миллионы франков?

На это Настя улыбнулась таким счастьем, словно в глазах ее северное сияние полыхнуло:

— За шедевром дело не станет. Шедевр я сотворю.

Глава 21

1

Мерзко в Париже на рассвете. Ночью прошел дождь. Сейчас нет дождя. Холод улицы высушил. Противно. Противно не только потому, что холодно, а потому в основном, что денег нет. Без денег в Париже одно расстройство. На что взгляд ни брось, все злит. И французам тоже не сладко. Без денег. Дворники тротуары метут. Матерятся. По-французски. Громыхают железяки, окна лавок овощных и булочных раскрываются, словно пьяные глаза, не по желанию, но по горькой нужде. Мусорщики деловитые, как муравьишки, по улицам снуют, вчерашнюю грязь великого города к своим тележкам тащат.

Мусорщиков опередить! Спать, господа офицеры, ночью надо было. А сейчас, дорогие мои, — вкалывать! Ну-ка, волками серыми по улицам парижским проскачите да все, что нужно, добудьте. А нужно вот что: рама золоченая, холст, краски и кисти. Да побыстрее, аукцион в девять открывается, надо еще туда добраться, надо с устроителями договориться, чтобы шедевр на продажу выставили уже сегодня. А кроме всего, шедевр еще и написать надо.

2

Из спальни в тихий коридор. В тот же красный мрак, в бордовые с золотом отблески на обнаженных телах бронзовых женщин. Руди тридцать две двери в коридоре насчитал.

Фрау Бертина прошла коридором и распахнула дверь в большой зал.

Ахнул Руди.

3

Есаул Лейб-гвардии казачьего полка Клим Лаврентьев раму приволок. Если по парижским улицам поутру пробежать, то обязательно у мусорных баков найдешь все, что душа желает, все, что требуется. Что хорошо — рама большая. Роскошная. Поломана, правда, немного. Но ведь это ничего? Лучше уж такая, чем никакой? Правильно? Конечно, правильно. Она ведь слегка поломана. Только в двух местах. И углы отбиты. Все четыре. Рама-то — не резьба по благородному дереву, а подделка алебастровая. Много лет ее за настоящую принимали. Пока углы не отбились. Теперь по углам труха белая из-под стертой почерневшей позолоты. Еще и тысячи поколений мух раму золоченую густо-густо точечками изгадили.

Вздохнула Настя. Легонько вздохнула, чтобы есаула Лаврентьева вздохом не обидеть. Каждый знает: рама — самое главное в живописи. Это как обложка для книги: если книга блестит и переливается, если картинка завлекательная на обложке, всяк ее купит. А серенькую с красненьким книжечку, невзрачную... Кому ж такая нужна? Насте уже виделась сияющая рама... Ладно. Пусть так будет.

4

Покосился Сталин на своего нового наркома внутренних дел, Генерального комиссара государственной безопасности Берия Лаврентия Павловича:

— Послушай, Лаврентий, какие слухи по Москве ходят. Люди говорят, что у тебя в НКВД заговор. Говорят, собрались какие-то подлецы на озере Хасан и договорились меня убить. Говорят, у них у всех головы лопнули. Ты, Лаврентий, разберись и мне доложи, у кого в НКВД голова лопнула и почему. Может такое быть, что кто-то оттуда целым убежал. Нужно разыскать всех, у кого голова не лопнула.

5

Зал в том же красном мраке, что и весь этот лабиринт фантастический. Тут та же парча и кисти золотые, и диваны турецкие. И много людей. Мужчин и женщин. Вот женщины и поразили его. Захлебнулся Руди обилием и разнообразием. Какие наряды! Какие разрезы! Какие вырезы! Какая смелость!

Мужчины что? Мужчины как мужчины. Фраки черные, манишки белые. Как в театре. Только в театре в карты не режутся. А тут игра картежная сразу за всеми столами. Тут проигрывают большие деньги и никак тому не огорчаются. Тут курят сигары небывалой длины, аромата невыразимого, тут в брызгах шампанского бурлит веселье, которое не омрачит никакой проигрыш. Тут денег не считают. Тут улыбаются. Тут смеются. Тут хохочут.

6

Где холст? Вот холст. Ротмистр Лейб-гвардии конно-гренадерского полка Синельников Володя на Монмартре у художника спер. Много их там, художников, у Сакре-Кер. Поутру холсты разворачивают, зевают, с похмелья матерятся, прямо как дворники парижские. Но надо должное отдать, они даже и матерятся как-то изысканно и вежливо: не хочется ли вам, месье, пойти к такой-то и такой-то матери. Без особой злобы поутру ругаются. Позевывая. А нельзя, господа художники, допускать зевков затяжных, ибо бравый ротмистр мигом холст умыкнет.

А краски где? А кисти?

Красок удалось добыть много. Только с цветовой гаммой проблема. Два только цвета. Черный и красный. Черной краски — половина банки десятилитровой. Полез французский дядька чумазый на лестницу трубу водосточную красить. Вниз обернулся, а краски уже нет. Была. Только что была... А красную краску достали прямо за углом. Там пожарная команда обитает. Там, за углом, все время пожарные машины подкрашивают, сияние подновляют. Именно там случайный прохожий подхватил ведерко, да и пошел спокойно, не шарахнувшись, ворова-то не оглянувшись. А в ведре и кисть оказалась. Для создания шедевра разве ведра целого не хватит? Хватит. Настина каморочка разом запахла радостным запахом капитального ремонта. Что еще, кроме таланта и вдохновения, для создания шедевра требуется? Еще требуется время.

— Тридцать секунд есть?

— Тридцать есть. А больше нет. Машина ждет, мотор работает, бензин тратит, а у нас на новую заправку денег нет.

— А у меня уже готово. Выносите.

— Осторожно. Краска не высохла, не размажьте.

7

На фрау Бертину внимания не обратили. Она просто расцеловалась с прекрасной дамой. И еще с одной. Подсела к игрокам. Ей поднесли бокал и наполнили его чем-то кристально-игристо-пенистым.

Тут так принято: на появление женщины внимания не обращают. Женщины появляются из красного света и в красном свете исчезают. И снова появляются.

Нужно сказать, что и на появление мужчин тут внимания обращать не принято. Никто не кричит в восторге, когда входит главный государственный обвинитель. Вовсе нет. И при появлении начальника венской криминальной полиции никто не орет приветствий. Люди приходят, легкой улыбкой, коротким жестом приветствуют своих... тут не произносят имен, не называют должностей...

Тут просто играют, тут отдыхают от праведных трудов, тут наслаждаются радостью жизни.

Руди Мессер был первым, на кого обратили внимание.

Прекрасная дама с царственным античным профилем и огромными, как у фрау Бертины, зрачками взвизгнула, увидев мальчика в дождевом плаще.

Тут принят черный фрак. И кто сюда пустил мальчика? Ему еще рано тут появляться. И есть ли в его карманах деньги?

Приглушенный шум зала затихает как бы перекатом. От Руди, как от камушка, в болото брошенного, легкая волна шепота, и сразу же за нею — волна молчания. Докатилась волна до стенок, отразилась от них и затихла. Онемел зал. На всех столах игра прервалась. Смех утих. И головы одна за другой, то там, то тут разворачиваются, как башни орудийные в направлении врага.

Тут все свои. Тут каждый знает всех остальных. Тут посторонний появиться не может. Кто не с нами, тот против нас! Чужой — значит, враг!

Руди Мессер прижался к мягкой бархатной стене. Понял, что совершил ошибку. Влетел не туда.

Тут слишком много тайн. Потому ему отсюда выйти не позволяют. Потому на него наведены сотни глаз, как орудия главного калибра. Видит Руди перед собой мужчин в черном. Все одинаковы, как пингвины. Но каким-то чужим знанием Руди узнает в этих людях адвокатов и прокуроров, фальшивомонетчиков и убийц, советников правительства и обозревателей столичных газет, вымогателей и взяточников, великих венских издателей и народных избранников, шулеров и взломщиков, банкиров и грабителей банков, столпов биржи и профсоюзов, аферистов, растлителей малолетних и проповедников всеобщего равенства.

И женские глаза — все на него. В женских глазах больше ярости. В них горит та всесокрушающая злость, которая переполняет благородную даму в момент, когда ее застали в чужой постели, когда с нее внезапно и решительно сорвали одеяло. Не поздоровится разоблачителю! Руди в женские глаза смотрит, в глаза фрейлин императорского дома, танцовщиц и певиц венской оперы и балета, актрис императорских театров, наставниц юношества, поборниц женского равноправия, пламенных революционерок и обыкновенных великосветских шлюх.

8

Это совсем не так просто — шедевр на аукцион выставить. Длинный дядька с молотком рот себе ладонью зажал, и сквозь ладонь смех прорвался неприличным туалетным звуком: прр-у-у-у.

— Иди ты, красавица, с таким шедевром знаешь куда?

— Да это же русский суперавангард.

А в ответ ей — те же неприличные звуки зажимаемого ладонями смеха. Только во множественном числе. В подсобном помещении, где шедевры перед выносом в зал держат, сбегаются к русскому чуду служители и охрана. Каждый смехом давится. Каждый друзей скликает.

— Месье длинный, а почему бы смеха ради не выставить? Пусть парижская толпа тоже повеселится. Вам же реклама. Почему бы под занавес публику шуткой не повеселить? И журналистов.

— Нет, мадемуазель, иди-ка ты со своими шутками. У нас серьезное место. У нас самые богатые люди мира полотна Рафаэля покупают.

И тогда решилась Настя.

В каждом деле, в каждом начинании резерв быть должен. На войне — резерв снарядов. На корабле кругосветном — резерв воды питьевой. У банкира — резерв денег где-то припрятан должен быть. Мало ли что?

Заложила Настя все ордена. А княжеского Георгия припасла.

Резерв. Сгодился.

— Ладно, — говорит длинному. — Если не продашь мою картину по хорошей цене, заберешь себе.

И крестик золотой подает. Знал длинный распорядитель цену офицерскому Георгию. Прикинул на руке. Тяжел. Хорошее золотишко. Главное, чтобы белая эмаль на лучах креста не повреждена была. А она блестит, сверкает, вроде сегодня утром сей крест из мастерской Фаберже вышел. Посрединке в кружочке красном должен быть Георгий, змия разящий. Только нет Георгия. Вместо него — черный орелик двоеголовый. На золотом поле. Это Георгий не для христиан, а для иноверцев, так сказать, Георгий без Георгия. Георгий с ореликом. Знает длинный цену офицерскому Георгию. Знает цену Георгию для иноверцев. Редкая штука. В десять раз дороже обыкновенного. Подбросил на ладони. Поймал. И исчез Георгий в его ладони, как в ладони фокусника. Усмехнулся длинный:

— Ладно, потешим публику. Выставим твою мазню.

9

— Нужны компроматы на Берия. На Завенягина. На Серебрянского. На Холованова.

Машет Ежов Николай Иванович головой: на всех есть.

— У меня и на Мессера есть.

Озадачилась золотозубая Катерина: а вот этого ей не приказывали требовать.

10

Набит зал. Элегантные мужчины. Женщины в шляпах. Шелка. Меха. Забавные лисьи мордочки с янтарными глазами на роскошных плечах сиятельных дам.

— Карета миниатюрная, золото, сапфиры, рубины и бриллианты. Фаберже. 1909 год. Подарок наследнику престола царевичу Алексею...

— Сто тысяч!

— Сто десять!

— Сто двадцать!

Пьянит аромат дорогих духов. Сквозь пышную толпу ужами ползучими скользят дельцы-проходимцы. Перемигиваются.

— Табакерка золотая. Общий вес бриллиантов — три и шесть карата. Фаберже. 1906. Принадлежала великому князю...

— Семьдесят тысяч!

— Восемьдесят!

Стюард бесшумно плывет по проходу. Перчатки белые, шелковые. В серебряном ведерочке бутыль драгоценная. Счастливому покупателю — от дирекции с наилучшими пожеланиями.

— Шишкин. «Дубовая роща».

На балконе — зеваки. На балконе — бывшие. Бывшие аристократы русские. Бывшие помещики. Бывшие предводители дворянства. Месяц назад продал один Шишкина за тысячу франков. Сегодня кто-то перепродает того же Шишкина за сто восемьдесят тысяч.

— Орден Андрея Первозванного. Последняя четверть восемнадцатого века. Работа неизвестного мастера. Предположительно, Осипов. Общий вес бриллиантов...

У дверей — молчаливая охрана. У хранилища сокровищ — тоже.

— Репин! Маковский! Серов!

— Сорок пять тысяч, раз... Сорок пять тысяч, два...

Стучит молоток. Служитель в белых перчатках с поклоном представляет картину элегантному господину: Айвазовский. Элегантный рассматривает два мгновения в монокль. Кивает. Служитель с поклоном отходит. Еще кивок. Пожилая дама желает в последний раз оценить картину.

— Пожалуйста, мадам.

Взлетают цены, стучит молоток.

— Русский суперавангард. Картина Анастасии Стрелецкой «Вторая мировая война»...

11

И еще слух по Москве: Мессер невидимый между нами бродит. Если кто вздумает товарища Сталина убить, у того голова лопнет.

12

Синим шелком занавешенную картину выносят из хранилища и устанавливают на возвышении. Разговоры гаснут. Тишина. Два служителя, как бы не сговариваясь, по какому-то им одним известному знаку разом сдернули шелк. И зал замер.

Такого Париж не видел.

По серому холсту — две красные полосы. Одна над другой. А поперек, перечеркивая их, две черные.

Ошалел зал, обезумел. Такого не было.

И вдруг взорвало почтеннейшую публику. Вдруг затопали, засвистели. Вдруг заржали, заголосили, завизжали. Ах, до чего же французский народ умен и находчив! Под самый занавес хозяева аукциона решили шуткой гостей повеселить. Шутка удалась. Почтеннейшая публика сползает с кресел. Смех заразителен. Смеховая индукция иногда поражает сразу всех. Это и случилось. Люди валятся под мягкие плюшевые кресла, слезы смеха душат, смех — до икоты, до нервного вздрагивания. Смех может быть убийственным. Смех может довести до смерти. Это опасно! Можно захлебнуться смехом, как водой Ниагарского водопада. И в этой ситуации служители в белых перчатках должны бы разносить воду со льдом, которая одна только и может успокоить смеющихся. Но не могут служители спасать почтеннейшую публику от смеха — они сами по полу катаются. И возопил элегантный:

— За такую картину я не дам франка, а десять су — самая ей цена!

— Помилуйте, — вырываясь из давящего смеха, возразил длинный с молотком, — десять су надо отдать за раму да тридцать за холст, если за картину вы платите десять су, то получается целых полфранка.

И снова волна смеха навалилась, народ поприжала, всех голоса лишив.

— Итак, цена предложена. Медам, медемуазель, месье! Полфранка, раз... полфранка, два.

— Даю франк! Повешу эту картину в своем сортире!

В ответ — смех до икоты.

— Два франка! Буду спрашивать своих гостей, что в этой картине не так. Я просто повешу ее вверх ногами, и пусть кто-нибудь догадается!

— Три франка!

— Четыре.

— Пять франков!

Смех стихает. Насмеялись. Одна и та же шутка, повторенная десять раз, не смешит.

— Семь!

— Восемь.

Когда из заднего ряда хохмы ради прокричали десять франков, было уже совсем не смешно. Это звучало уже неприлично.

Потому больше не смеялись.

Но цена названа, и длинный с молотком должен довести представление до конца — таковы правила аукциона:

— Итак, медам, медемуазель, месье, предложена цена в десять франков. Цена неслыханная на нашем аукционе. Но что ж. Десять франков, раз...

И тут в правом дальнем углу поднялась рука.

13

В бордовой тьме большой человек у входа поднялся, за великолепным занавесом нащупал пожарный щит, деловито снял с двух крючков красный топор. Большим пальцем левой руки попробовал лезвие. Остроты топора не одобрил. Ясное дело, топор пожарный никогда в деле не был. Для порядка тут вывешен. Пора в дело пустить. Посмотрел большой человек на мальчика Руди, вскинул-взвесил топор на больших ладонях, улыбнулся. Его лицо рассечено старым шрамом через лоб, левую бровь, щеку, ноздрю и губы. У него толстые губы и там, где их рассекли, вывернуты наружу. Он улыбается непонятной улыбкой, которая воротит изуродованные губы, в страшную гримасу.

Внимание дам — большому человеку.

Так бывает: идешь болотом, а змея поглощает лягушку. Жутко. Но интересно.

Потому постараемся понять восторг в широких кошачьих зрачках: сейчас всеобщий женский любимец вышибала Гейнц на роскошном ковре зарубит мальчика. Это так ужасно. И так необычно. Жутко. Но интересно. Вышибала Гейнц его зарубит прямо тут, среди бронзовых статуй, среди картин, вызывающих острые желания, среди серебра и хрусталя. И тут же у столиков мальчика разрубят на части и завернут в ковер...

14

Не понял длинный с молотком:

— Вы что-то желаете сказать?

— Я ничего не желаю сказать. Я просто желаю купить эту картину.

— Вы желаете заплатить больше десяти франков за эту мазню?

— Я желаю заплатить больше десяти франков за этот шедевр.

— Хорошо. Пожалуйста. Одиннадцать франков!

Тут же поднялась рука в другом углу.

— Двенадцать.

Но и первая рука не опускалась.

— Тринадцать. Четырнадцать. Пятнадцать.

Оба господина рук не опускали. И тогда длинный с молотком объявил:

— Двадцать франков!

Столь высокая цена не смутила обоих.

— Двадцать пять, тридцать пять, сорок.

В зале зашептались.

15

Идет вышибала Гейнц меж столов, и глаза женские восторженные с его мускулистой спины, с огромных рук, с красного, игрушечного в этих руках топора — на мальчика в дождевом плаще, неизвестно как тут оказавшегося.

Сжался Руди Мессер в комочек. Первый раз крылья смерти над собою ощутил. Не было в нем страха. В такие моменты не страшно. Когда все потеряно, бояться нечего.

16

— Пятьдесят! Шестьдесят франков!

Кто-то в тишине закашлялся нервно.

— Восемьдесят пять! Девяносто!

Когда длинный объявил сто, зал замер. Но торг продолжается:

— Сто десять франков! Сто двадцать! Сто тридцать!

Стенографисты в таких случаях зафиксировали бы движение в зале.

— Двести! Двести двадцать! Двести сорок!

Есть такая ситуация: все вокруг прямо из ничего делают счастье и деньги, а тебе, дураку, непонятно, как это делается. И тогда к сердцу волнение подступает. Взволновало зал. Господин в правом углу — явно русский. По морде видно. И в левом углу — тоже русский. Цена уже проскочила пятьсот франков, а они друг другу не уступают.

— Семьсот пятьдесят! Восемьсот!

Но ведь русские понимают в искусстве. Не так ли?

— Тысяча франков! Тысяча сто!

17

Убегать тут некуда. И далеко не убежишь.

Руди понимает это. И убегать не собирается.

Мыслей о спасении в его голове нет. У него вообще никаких мыслей нет. Он видит, слышит и чувствует. Он чувствует всем телом, лицом, грудью нарастание возбуждения в зале.

18

У господина справа обтрепанные манжеты. У господина слева грязный, засаленный галстук. Все ясно: какие-то богатые люди выставляют подставных, чтобы своим присутствием не привлекать излишнего внимания к шедевру, который купить хочется, чтобы цену не вздувать.

Три тысячи! Три тысячи триста!

19

В римском Колизее десятки тысяч женщин одновременно входили в состояние глубокого полового возбуждения в моменты диких убийств на арене. Гладиаторы резали друг другу глотки, убивали слонов, жирафов, тигров и львов, но и сами попадали в когти и в зубы обезумевших от ужаса зверей. Туда, на арену, выгоняли детей и взрослых, пленных и преступников, и весь Рим орал одним диким воплем. Звери рвали людей в клочья, звери рвали друг друга. Люди убивали зверей и людей. И в моменты убийств женщины Рима предавались самым простым и самым сильным наслаждениям половой любви. Сюда, к Колизею, на время игр собирались мужчины-проституты со всей империи. И хорошо зарабатывали. Состоятельные римлянки с собой на представление по десятку самых дюжих рабов приводили... Великий город, столица мира, во время боев гладиаторов сходил с ума и превращался в единое мировое блудилище без различия рангов.

Не будем осуждать римлян за зверство. Просто у них в те времена не было кинематографа. Из-за отсталости технической они были вынуждены наслаждаться зверством в натуре, а не на широком экране.

С тех далеких лет натура наша никак не изменилась. Просто мы научились свое зверство скрывать. Иногда. Тут в красной тьме возможность видеть убийство не на экране возбудила женщин. И Руди Мессер это возбуждение ощущает, он видит вздымающиеся груди, чувственный оскал и трепет ноздрей, он слышит стук женских сердец в едином ритме.

20

Борьба продолжается:

— Пять! Пять пятьсот!

Эксперт с лупой выскочил на возвышение, просмотрел мазки и кому-то утвердительно кивает в зал: сомнений нет, это действительно ее кисть. Вне сомнений — это работа той самой Стрелецкой.

— Десять тысяч! Одиннадцать! Двенадцать!

Шепот в зале.

— Вы раньше слышали об этой, как ее... Стрелецкой?

— Ну как же! А разве вы ничего о ней не знаете?

— Двадцать тысяч франков!

Руки в двух концах не опускаются, и тогда длинный с молотком краткости ради пропускает цифры целыми рядами:

— Пятьдесят! Шестьдесят! Семьдесят!

21

Большой мускулистый человек оскалился и повернулся к своим почитательницам. Они ответили единым выдохом со стоном. И тогда большой человек вознес топор.

22

Дошел до большой и очень круглой цифры, дал себе передых и снова, захлебываясь:

— Сто тысяч! Сто десять! Сто двадцать!

Растет напряжение. Как не расти? Каждый в зале соображает: может, подключиться к борьбе, пока не поздно, да шедевр и перехватить. То тут, то там руки поднимаются, демонстрируя желание заплатить больше. Но борьба попрежнему идет в основном между двумя оборванными русскими упрямцами. А они, может быть, просто так нарядились. Сейчас кто-то из них ухватит удачу за крылья, кто-то сейчас шедевр приобретет. Сейчас борьба прекратится. Один уступить должен, выше-то цену поднимать некуда. Это все-таки не Гойя. И не Пикассо.

23

Руди Мессер почему-то подумал о том, что сейчас убьют не кого-то, а...

24

— Пятьсот тысяч!

При этих словах, ломая тишину каблуками, вошел в зал полицейский наряд. Шедевры аукциона охраняются устроителями, однако власти славного города Парижа, как-то прознав о происходящем, дополнительные меры безопасности приняли.

А цены растут.

— Девятьсот девяносто тысяч.

Двое полицейских с каменными мордами встали по обеим сторонам продаваемого сокровища. Остальные — в углу у запасного выхода, в готовности отбить попытку злоумышленников, кем бы они ни были, похитить шедевр.

Длинный с молотком поперхнулся. Неуверенно произнес:

— Миллион франков. — Нерешительно осмотрел углы потрясенного зала и повторил, как бы прося прощения: — Миллион.

Глава 22

1

Оглянулся длинный еще раз и пошел набирать цену все выше и выше.

А по славному граду Парижу уже летит-трепыхает сенсация. И уже наряды конной полиции отбивают журналистские своры от мраморного входа.

— Миллион сто тысяч. Миллион двести.

До первого миллиона долго взбирались. До второго быстро — счет через сто тысяч пошел: миллион семьсот, миллион восемьсот, миллион девятьсот, два.

— Два двести. Два четыреста.

Десять процентов от цены — владельцам аукциона. С трех миллионов — триста тысяч.

— Три миллиона пятьсот! Четыре!

Вопль из зала: «Воды! Скорее воды! Даме плохо!»

2

Мысль такая простая.. и такая смешная: надо себя спасать.

Топор взлетел над ним, замер, а потом сначала потихонечку, а потом все быстрее, рассекая со свистом воздух, полетел на его голову.

Главное в такой момент — спокойствие сохранить.

3

Даму потащили на носилках весьма скоро. Колени вверх. Мордочка чернобурой лисы — вниз. Есть причина такой скорости: санитарам не терпится вышвырнуть даму из зала, скорее вернуться и досмотреть финал.

— Одиннадцать миллионов франков. Двенадцать. Тринадцать.

Тишина в зале такая, что если бы длинный шептал, то все равно во всех углах было бы слышно. Но он кричит. Он кричит как ишак, возбужденный возможностью акта любви. Он кричит, и его слова отскакивают от стен рикошетом:

— Семнадцать! Восемнадцать!

Шустрый делец ногти грызет, словно семечки: видел же, как эту картину подвезли, надо было прямо у входа миллион франков предложить, да и увезти картину еще до аукциона.

— Двадцать один! Двадцать два! Двадцать три!

Самые пронырливые из журналистов давно в зале. Через все кордоны пробились. Настю снимают и шедевр двадцатого века — картину «Вторая мировая война».

— Двадцать четыре миллиона франков!

Вот тут-то в левом дальнем углу рука господина в сальном галстуке опустилась. На двадцать четыре согласны оба. Но господин в левом углу выше этого не пойдет. А господин в правом углу? Его рука победно поднята.

— Двадцать пять миллионов франков!

В правом углу рука поднята. В левом нет.

— Двадцать пять миллионов франков, раз...

Все головы — на господина в левом углу. Он спокоен. Он невозмутим. Он слегка улыбается, выражая непонимание тому вниманию, которого он удостоен. Его руки скрещены на груди.

— Двадцать пять миллионов франков, два!

Господин разводит руками, показывая публике, что выше головы не прыгнешь. Цена немножко кусается...

— Двадцать пять миллионов франков... три!

4

Руди Мессер знал, что в самый последний момент все взгляды, все без исключения будут обращены к нему.

Он дождался этого момента. Он потянул ноздрями воздух в себя, как бы стараясь вдохнуть его весь. В это же время он своим взглядом как бы втягивал их взгляды в себя. Он не знал, почему надо так делать, он просто делал.

Сотни глаз превратились в одну пару титанических черных глаз...

Спокойно и уверенно он представил черную точку меж этих глаз, в мгновение рассмотрел ее внимательно и сказал...

5

Бабахнул молоток в сверкающую тарелочку: б-б-о-м-м-м!

Ах, что же тут началось. Тишину разорвало в клочья, в мелкие, глазу незаметные клочки, разорвало, словно манекен гранатой РГД-33. Взревели разом дамы и господа, как верблюды, требующие любви. Люстры хрустальные зазвенели от крика, визга и писка, от аплодисментов и топота.

Журналисты на Настю приступом:

— Мадемуазель Стрелецкая!..

— Мадемуазель Стрелецкая, как всемирно признанный гений и лидер русского суперавангарда, что могли бы вы сказать по поводу...

Полицейские наряды (их к концу торгов в зале было уже пять) проявили профессионализм. Интенсивным мордобоем приступ отбили. Личная безопасность выдающегося мастера-новатора мадемуазель Стрелецкой гарантирована и обеспечена: отбивая напор, полицейские сумели вывести ее в соседнюю комнату. Туда же эвакуирована картина — одно из величайших достижений культуры двадцатого века. Туда без увечий и телесных повреждений был вынесен на руках неизвестный господин, купивший картину. После этого, перегруппировав силы, пять полицейских нарядов внезапным напористым рывком вышибли публику из зала, а уж на улице конная полиция размашистой рысью, палками резиновыми, рассекая воздух и чьи-то скальпы, довершила разгром, разогнав нахлынувшие толпы.

6

И сказал: «А меня тут нет».

Подумал немного и добавил: «И никогда не было».

7

В соседнем пустом зале ошалевшая дирекция аукциона дает прием в честь выдающегося мастера мадемуазель Стрелецкой и неизвестного господина, купившего шедевр. Вернее, в честь представителя того господина. Звон бокалов. Тихий рокот пришибленных людей. Суетятся срочно вызванные из соседнего ресторана официанты. Все — бестолковым экспромтом.

Директор поднимает бокал шампанского и, не находя слов для такого случая, попросту выпивает. Вместе с ним пьет длинный с молотком. За свою жизнь он такой сделки не имел. Дирекция получит десятину, а он лично — процент от этой десятины. Десятина — два с половиной миллиона. Из них длинному персонально — двадцать пять тысяч франков. За день работы. За то, что цифры выкрикивал. Так это же не все: он сегодня не только шедевр Стрелецкой продал, сегодня были и Шишкин, и Фаберже, и Айвазовский. То, понятно, мелочи. Но и они на дорогах Европы не валяются. Прикинул длинный, сколько ему сегодня достанется, сам себе не верит.

В зале, кроме великой художницы и ободранного господина, — только свои. И все равно народу набивается. У победы всегда много родственников. Шампанское — ящиками, ящиками, ящиками.

Между выпиванием и поздравлениями — формальности. Господин с обтрепанными рукавами отдает директору чек на двадцать пять миллионов франков. Подпись: Черveза.

Легкое замешательство: а разве сеньор Черveза знал заранее, что именно такой будет цена?

На неожиданный вопрос после короткого размышления найден ответ: нет, конечно, сеньор Черveза не мог знать, какая будет цена. Двадцать пять миллионов франков — это максимум, выше этого сеньор Черveза не стал бы подниматься. А если бы цена оказалась ниже, он бы просто прислал другой чек.

Вот как? Убедительно.

Чек принимают представители «Лионского кредита», связываются с «Барклаем». «Барклай» подтверждает наличие такой суммы на личном счету сеньора Червезы. Между двумя банками — обмен бумагами. Сумма перечисляется со счета сеньора Червезы на счет владельцев аукциона. Теперь из этой суммы дирекция оставит себе десятину. Из этой же суммы будет заплачен налог государству. Остальное — создательнице шедевра. Счетовод вычисляет проценты и выписывает чек на 17 225 741 франк и 55 сантимов.

8

В бордовой тьме как бы выключили фильм. Немая сцена. Все смотрят в одну точку, все молчат. Внезапно все ожило, зашевелилось, задвигалось, заговорило. Подавляя нахлынувшую страсть, женщины закурили, глубоко затягиваясь, отворачиваясь от партнеров своих и прикрывая блеск глаз ресницами.

Вышибала Гейнц с красным топором, размахнувшись полным замахом, тяпнул в пол и рассек драгоценный ковер.

Фрау Бертина, единственная во всем зале, не могла понять, что же происходит. Все говорят про какого-то мальчика. Но тут нет никакого мальчика! Когда вышибала Гейнц снял топор с пожарного щита, ей стало жутко. Ужас усиливался всеобщим молчанием. Никто Гейнцу не мешал, никто не возражал, никто не кричал. Вышибала прошел через весь зал в полной тишине, вознес топор и ударил им в пол.

Фрау Бертина поняла, что в общем молчании она может спасти себя и остальных только криком. Надо разбудить оцепеневших.

И она дико завизжала, как кошка под трамвайным колесом.

9

Настя принимает чек, улыбается, а длинному на ушко:

— Верни офицерского Георгия.

— Почему?

— Я тебе его дала как залог: если мою картину не продадут по хорошей цене, заберешь себе. Но ее продали по хорошей цене. По очень хорошей цене. Верни.

— Не знаю никакого Георгия. Не брал...

Пока он говорит, Настя Жар-птица спокойно смотрит себе под ноги. Но вот он на мгновение замолк, и тогда она поднимает свои синие глаза. Не моргая смотрит внимательно в его переносицу, как бы стараясь рассмотреть какое-то несуществующее пятнышко. А его от этого взгляда повело вправо. Ясно, надо просто отвести взгляд... Не получилось. Его длинные ноги превратились в ходули на расшатанных шарнирах. Подламываются. Он это сознает, но помочь себе не может. Тем краешком сознания, который еще не замутило, он почему-то представляет деревянный молоток аукциона в ее правой руке. Он старается сообразить, куда она его тем молотком тяпнет: в лоб? в зубы? а может?.. Он прикрывает одной рукой зубы, другой — мужское естество. Перед собою он не видит ничего, кроме синих глаз, а в них — безбрежный, бездонный океан зла и ненависти.

Потом он валится через стол, слышит, но не понимает крик директора:

«Опять эта свинья длинная перепилась! Завтра выгоню!»

10

Завизжала фрау Бертина раздавленной кошкой.

И дамы завизжали. Господа заорали, с мест вскочили, за револьверы хватаются.

К слову сказать, пистолеты автоматические тогда только в моду входили, потому — револьверы. Это, во-первых. А во-вторых, в такое место без оружия ходить неприлично.

Разом все револьверы выхватили. Шутка ли? Сидят люди, в картишки режутся, никого не трогают, а вышибала Гейнц за твоей спиной топориком помахивает. Есть от чего завизжать! Спасибо фрау Бертине, внимание обратила, а так бы...

11

Снова утро. Противное парижское утро. Серые дома. Серое небо. Серый дождь. И ветер тоже серый. Гонит ветер острые капельки волнами и сечет ими лицо, как стальными опилками.

Настя идет получать деньги.

Одна.

Если бы у нее были способности Мессера, то никаких проблем. Но она — всего лишь ученица чародея. Неопытная ученица. Начинающая.

Ей в Париже легче, чем было Мессеру в Москве. И в то же время труднее. У Мессера была в руках ученическая тетрадка вместо паспорта, чека и всех других документов. Ему одной тетрадки хватило. А у Насти — настоящий чек. Он оформлен правильно, заверен соответствующими печатями и подписями. Она написала картину, сеньор Червеза через аукцион картину купил... И все же... «Барклай» может потребовать личного подтверждения сеньора Червезы: это вы картину купили?

Мессер в Москве ничем не рисковал — не дали бы ему денег, на том история и завершилась бы. А тут... Тут так просто не вывернешься. Захват человека, угрозы, пытки, вымогательство... За это во Франции все так же секут головы, как и во времена Робеспьера. И все так же отрубленные головы продолжают смотреть и слушать. Воображение у Насти резвое. Представила сверкающее лезвие гильотины. Интересно, будет ли она визжать, когда ее поволокут на помост. Многие визжат. Хорошо у нас в цивилизованной России: ба-бах в затылок! И valись в яму. А тут во французском варварстве... Наверное, она будет просить палача: «Месье палач, пожалуйста, не тяните за веревочку! Не тяните! Дайте пожить еще минуточку! Всего одну минуточку!»

Но пока ее голова еще не грызет корзину. И никто пока не тащит ее на помост к этой варварской машине смерти. А может, не идти в банк? Если ее хотят арестовать, то лучшего места, чем банк, не придумать. Или идти? У нее нет денег на такси. У нее нет денег на автобус. Она идет сквозь серый город и серый дождь. Она идет, а в каждом киоске — ее портреты. В каждой витрине — фотография ее картины. И мальчишки с кипами газет бегут по улицам, выкрикивая на все лады заголовки первых страниц:

— «Позор Франции!». Покупайте «Позор Франции!».

— «Как мы до такого докатились?». «Как докатились?».

— «Вопрос, на который нет ответа!».

— «За этот позор ответит вся нация!». Покупайте! Покупайте!

— «Тройной позор!». Спешите видеть: «Тройной позор!».

12

Стоит вышибала Гейнц, топор в руках вертит, ничего не понимает. Вот сейчас только у входа сидел. Кто ему топор в руки вложил? Почему на этом конце зала оказался? Зачем ковер рубил?

Поднимает глаза на господ гостей, в глазах — извинение за беспокойство.

А голосом извинений произнести не успел... Главный смотритель венских тюрем поднял «Вебли-Фосбери» сорок пятого калибра и, не целясь, на спуск нажал:

— Опять эта свинья нанюхалась какой-то гадости!

13

— А ведь странно, князь, она всех нас знала до того, как мы успели ей представиться. Она знала каждого по имени и отчеству, она знала, кто в каком полку служил и кто какими орденами награжден... Интересно, откуда такие знания?

— Удивительно другое: она проявила такие познания, но никто из нас этому даже не удивился. Может быть, она нас как-то заворожила?

— Во всей этой истории много неясного и подозрительного. Мы почему-то все ей повиновались. Беспрекословно повиновались. Она давала указания, с нами не советовалась. Мы с ее указаниями соглашались, мы ей почему-то подчинялись, ее приказы выполняли.

— Все это так, но давайте, господа офицеры, признаем и другое: план — безупречен. Она все предусмотрела до малейших деталей. Все, что она приказывала совершить, преисполнено смыслом и неотразимой логикой.

— И все же на конечном этапе все провалится. Рассудите сами, милостивые государи, какой банк добровольно отдаст четыре чемодана денег какой-то девчонке, одетой непонятно во что, девчонке, которая...

— Она предъявит чек, и ее тут же арестуют. Ее заставят говорить. Она выдаст всех нас, работа полиции упрощается тем, что все наши имена и приметы она помнит... Потом, господа, всем нам отчекрыжат головы этой мерзкой варварской машиной. У французов это очень здорово получается.

— Из Парижа надо уходить. Из Франции.

— Кто намерен уходить? Вы, Андрей Владимирович? Вы, Юрий Сергеевич? И вы, граф? А я, господа, остаюсь. Я верю в ее удачу. Вы обратили внимание на технику допроса, которой она владеет? То-то. Это настоящая вдохновенная поэтесса допросов с пристрастием. Мы все прошли Гражданскую войну. Мы видели много крови, много зверства. Нас ничем не удивишь. Но меня лично она удивила техникой. Она же мастер допросов, мастер недосягаемого совершенства. Она явно этим делом занималась раньше, и никто ей пока голову не отрезал...

— Если она этим занималась раньше, то почему у нее нет денег? И где это она такому невиданному мастерству допросов обучалась?

— За похищение человека во Франции головы режут аккуратно, не знаю, господа, увернемся ли мы от гильотины, но своих орденов мы уж точно не увидим.

14

Сказал Руди Мессер, что нет его тут, и чуть в сторону отступил.

Зашевелились все, заговорили. Рядом с Руди красный пожарный топор рассек ковер китайский, глубоко в пол врезался. Фрау Бертина завизжала, за нею все дамы. Вскочили господа, револьверы выхватили...

Грохнул выстрел. У вышибалы Гейнца прямо меж глаз на переносье появилась черная точка круглой формы с ровными краями. Вроде на сверлильном станке дырочку аккуратно просверлили.

Рухнул вышибала.

Завизжали дамы еще громче. Тут, понятно, не Колизей, но все же смерть была самая настоящая.

Это возбуждает.

15

Она вошла внезапно, толчком отворив дверь.

Вошла и, казалось, с ней вошла в подвал опасность. Молча посмотрела каждому в глаза, улыбнулась краешком губ:

— Вот ваши кресты, господа офицеры. И помогите внести чемоданы.

16

Навалилась на Рудика усталость. Сел в уголке, голову повесил. Изнеможение полное. Такое, что если рот открыть, язык вывалится. Не знал тогда Рудик секретов чародейских. Он начинал только. Силы магической в нем еще было мало, не знал, как ее копить следует, как расходовать, как восстанавливать.

Начинающих чародеев предупреждаю: работа с большой аудиторией требует запредельного напряжения воли и абсолютной концентрации.

Работа с большой аудиторией опустошает.

17

Спит Макар, а мозг его работает. Ему снится машина истребления врагов. Машина будущего. Машина истребления врагов в массовом порядке. С каждым годом, это любому ясно, врагов будет все больше. Истреблять их надо усиленно. Стрельба? Чепуха. Столько крови, столько воплей. Опять же — расход боеприпасов. Есть лучший способ. С 1921 года большевики используют газовые камеры. Душегубки. Непрактично. Люди в душегубках орут и стучат. Что-то другое надо. Нужно истреблять врагов быстро, дешево, без криков, чисто, без крови. Макар давно об этом думает, и вот во сне идея воплотилась в чудный замысел. Приговоренных врагов заводят в лифт. В большой лифт, в котором помещаются сразу хоть сто голов. Клетка лифта — решетчатая. А кнопочка — красная. Макар запирает врагов в клетке, а сам жмет кнопку. Клетка летит, почти обрывается, в подвальный этаж. А там — бассейн. Клетка опускается под воду. Быстро опускается. Влетает! Отшвырнув тонны воды. Врагов надо держать под водой всего пять минут. И поднять лифт наверх. Ни крови, ни воплей. Они разом все под водой захлебнутся... Можно еще устроить опрокидывающийся пол у клетки лифта. Тогда трупы можно будет вываливать прямо в вагон. Нажал другую кнопочку — и р-раз, все посыпались.

Каждая штука такая должна иметь свое название. Шифр. И снится Макару это название: Пролетарская Гильотина. ПГ.

А что же такое СА?

18

Интересно Рудику: фрау Бертина каждый день после обеда в школе появляется, страх наводит на учителей, поваров и горничных, на сторожей и прочий персонал и, уж конечно, на мальчиков.

Появляется фрау Бертина свеженькая, выспавшаяся, в простом черном закрытом платье без всяких украшений, вокруг шеи — стоячий воротничок, до хруста накрахмаленный, до сверкания беленький. Как монахиня. Сестра Берта. Педантизм и оправданная строгость. Папаши-министры ей кончики пальцев целуют.

Знает Руди, по ночам те же министры целуют не только кончики пальцев... И не только у нее.

Удивительная Рудику жизнь выпала. В школе он и раньше не учился. То, что ему интересно, он и так знает, а то, что неинтересно, его все равно учить не заставишь и в его голову не вобьешь. Интерес его — тайны политики, тайны человеческие, невидимая сторона...

В каждом тайном предприятии есть слово, которое собой всю тайну покрывает и хранит. Узнал Руди: роскошный бордель, тайный притон разврата, именовался у знающих людей «Демократией».

19

— Анастасия Андреевна...

Она сдержала улыбку: так ее давно никто не называл. А тут вдруг именем-отчеством ее величает свирепый сибирский атаман князь Ибрагимов и своим обращением как бы отдает приказ: отныне нашу спутницу называем только так.

— Анастасия Андреевна, а стоит ли возвращать деньги банку «Балерика»? Вы написали картину, сеньор Черveза ее купил, при чем тут «Балерика»?

— Над этим надо подумать. Отложите пока два чемодана в сторону.

— Быть посему. А остальные два чемодана, Анастасия Андреевна, мы решили делить так: знания — ваши, наводка на цель — ваша, план — ваш, руководство — ваше, вам — чемодан; нас — одиннадцать, и нам чемодан.

— Не согласна. Нас — двенадцать. Все рисковали головами. Всем поровну.

Глава 23

1

У зеркальных дверей «Александра» надменный золоченый швейцар, презрительно-вежливо раскинув руки, преградил путь грязной ватаге: тю-тю-тю, таким сюда вход заказан.

Здоровенный мужик, до самых глаз бородой курчавой заросший, всей ватаге оборванцев явный глава, чуть выступил вперед и, глядя куда-то поверх и мимо швейцара, запустил богатырскую пятерню в бездонный карман, извлек большую новую бумагу в перламутровых узорах и затейливых рисунках, с хрустом смял ее пальцами левой руки, сунул смятый шарик в нагрудный кармашек швейцаровой ливреи, похлопал для верности по выпяченной швейцаровой груди и, пропуская вперед хрупкую девушку-подростка, шагнул хозяином-медведем в распахиваемую перед ним дверь, не обращая внимания на поклоны и выражения благодарности.

2

В эту «Демократию» Руди Мессер каждую ночь ходит. Ошибку первого посещения не повторяет.

Сразу предупреждает всех, что он отсутствует. И предупреждает всех, кто появится позже: Рудика тут нет.

Открылась перед ним пучина бездонная. Это как в море: шаг, еще шаг по мелководью, а дальше — провал. В политике, как в пучине морской, только страшнее и глубже. Сколько тайн перед ним открылось! И уже в первые дни зарекся: в политику никогда не лезть. И во власть — тоже. Уж слишком провалы жуткие перед ним открылись. Во власть безумцы идут. Непонимающие. Или самые понимающие.

Ужасно интересно знать, что там творится, за кулисами, но упаси Господи в те водовороты самому попасть.

3

Перевернулся Макар на другой бок. Громыхнул храп по кинобудке.

Растаяла сама собой решетчатая клеть лифта, которая влетает в бассейн с водой. Вместо этого — снова девушка с голубыми глазами, которую убивает Холованов. Потом во сне — дела повседневные: система оружия со странным названием СА. Все можно совершенствовать. Нам нет преград ни в море, ни на суше. Прогресс бесконечен. Особенно — во сне. Во сне наше сознание вырывается из клетки повседневных условностей и гуляет на свободе. Гениальные изобретения рождаются именно во сне. Можно ли совершенствовать СА? Можно! Все дело в пуле. Она — с керамическим сердечником. При столкновении бронебойной пули или снаряда с броней происходит мгновенный и ужасающий разогрев в точке соприкосновения, оплавляется броня, но и снаряд по мере проникновения в броню расплавляется сам, превращаясь в раскаленное мягкое месиво. Чтобы этого не случилось, снаряд делают тугоплавким. Не помогает. Тогда — керамический сердечник! Броня разогревается в момент удара, становится мягкой, как масло, а твердый керамический сердечник идет через броню, как нож.

Вот тут-то открытие и ждало своего открывателя. Макар во сне даже застонал. Пробивать броню: нужны тугоплавкие металлы и керамика. Но мы же не броню пробивать должны, а собачьи головы врагов. Но головы-то у них не бронированные! Вражья голова все равно расколется, если ее ляпнуть чем-нибудь весом в 64 грамма со скоростью километр в секунду. Когда речь о голове, бронепробиваемость не является главным требованием. Она вообще не нужна. Главное, чтобы другие враги потом пулю не нашли и не догадались, что же это такое случилось. Сейчас приходится стрелять, имея фоном большой водоем, чтобы бронебойная пуля, раздробив голову, пролетела дальше и утонула. А ведь можно сделать так, что оружие СА можно будет применять не только по целям на фоне водоема. Для этого пуля должна быть не твердая, не тугоплавкая, а, наоборот, жидкая! Эврика! Это так просто. Пусть будет тонкая металлическая оболочка, а внутри — металлический сердечник, но из такого металла, который легко плавится. От выстрела, от трения о стенки канала ствола, от сопротивления воздуха в полете разогреется внешняя оболочка, а внутренняя превратится в жидкость.

Такая пуля ляпнет врага в голову, разобьет ее в черепки, в осколки и брызги, но и сама при этом разлетится в мельчайшие капельки! Вот уж тогда стреляй в любой обстановке, и никто никогда не определит, почему вражеская голова вдруг лопнула.

4

Каждую ночь в «Демократии» творятся большие дела, вершится политика, тут в красной мгле принимаются решения, тут продаются заводы, тут устанавливают курс валют, открывают шлюзы инфляции или давят ее. Тут решают судьбы людей и государств. Тут говорят о войне. О небольшой победоносной войне: надо списать какие-то миллионы, и неплохо для этого совсем немного повоевать. Тут делят бюджет. Тут за карточными столами вершится судьба империи и Европы.

Еще Руди Мессера отношения между людьми влекут. Кто эти женщины в нарядах волнующих? Откуда они приходят вечерами, как ночи в «Демократии» проводят, куда с рассветом исчезают?

Руди входит в любую комнату, видит все и слышит все. А с рассветом садится в карету с дамой и едет туда, куда ее везет сонный кучер.

Так Руди Мессер попал в женский монастырь и в императорский дворец, в притон убийц и в центральный комитет партии социалистов-революционеров.

В императорском дворце однажды Руди Мессер, миновав всю охрану, нарвался на собаку. То был ротвейлер. Сука. Но то особая история. В следующий раз расскажу...

За месяц Руди Мессер видел столько убийств, сколько мы не видим их за месяц в кино.

Поразило его вопиющее несоответствие между настоящими причинами и подробностями убийств и описаниями в прессе. Земля и небо. Видимая сторона. И невидимая.

Ему тогда уже было ясно: Австро-Венгерская империя ввяжется в небольшую победоносную войну. Война империи не нужна. Война нужна людям в тайном притоне. Небольшая война превратится в большую и погубит Австро-Венгерскую империю. И Российскую тоже. И Германскую.

5

И уж навстречу им с эстрады наперекор развеселому канкану, наперекор всему оркестру и воле дирижера первая скрипка, срывая веселый перепляс, вдруг заплакала надрывным голосом пьяного русского офицера. И, вторя ей, сначала нехотя, вразнобой, а потом все дружнее затянул оркестр «Очи черные». И дирижер, сообразив, что русские идут, уже не смотрел оторопело на первого своего скрипача, но, подстроившись под оркестр, плавным жестом перехватил руководство, довел первый куплет до рыдающего конца и, вознеся руки к небу, обрушил их вниз, словно громовержец. Знал оркестр, что «Очи черные» — это только сигнал, это только присказка, это только перестройка и переход к главной мелодии, которую надо начать всем разом и в полную мощь. И, подчиняясь мощному взмаху, грянул оркестр «Боже, царя храни!».

И подняло зал.

6

Бродит мальчик Руди по прекрасному городу. Вавилон. Столпотворение людей, столица Австрии и Венгрии, город немцев, чехов, словаков, поляков, босняков, хорватов, евреев, русских, сербов и еще многих. В этом городе Руди научился русским привычкам и венгерским, тут сдружился с евреями и немцами. Тут он заговорил на десятке языков. Главное в языках, чтобы тебя понимали и чтобы ты понимал. Это легко. Главное — в глаза смотреть. С произношением проблем быть не может. Нужно с иностранцем говорить на его языке так, словно передразниваешь его, понятное дело, ему этого своего метода не раскрывая. Рассказывая анекдот, мы прикидываемся и китайцем, и французом, и грузином, и русским, и украинцем, и поляком, и евреем, и кем угодно. И вполне получается. Так надо и поступать: в серьезном разговоре собеседника передразнивать на его собственном языке, ему не признаваясь, что передразниваешь. Очень скоро он вас за своего считать будет.

Руди Мессер артистом был, не подражал, а передразнивал, правда, передразнивал без злобы, и везде был своим.

Он любил этот великий город. Он тут родился и жил всю свою пока еще короткую жизнь. И все в этом городе его поражало. Он каждый день замечал то, чего другие не видели. Посреди города — здание-монстр. Парламент. Фасады на четыре стороны. Каждый фасад — колоннада, фронтон, скульптурная группа на вершине: какой-то дядька каменный дорогу в светлое завтра указывает.

Ходят люди мимо, восхищаются. А Руди Мессер смотрел, смотрел и поразился открытию своему: мы видим частности, а не все в целом. Частность, которую каждый видит: великий и мудрый человек путь к счастью указывает. А в целом... Этого никто не видит: четыре мудреца указывают путь в разные стороны.

Когда Руди вошел внутрь парламента, он был потрясен. Там пятьсот мудрецов указывали путь великой империи в пятьсот разных направлений. Эта империя не могла не лопнуть. В самое ближайшее время.

И еще: тут, под сводами парламента, он узнавал тех, кто проводит ночи в плюшевом раю...

7

Не потому подняло зал, что все в том зале единодушно и трогательно царя любили, не потому, что все желали, чтобы кто-то хранил царя, расстрелянного двадцать лет тому назад, а потому поднялся зал, что понятие у людей выработано: русские пришли, сейчас зеркала крушить зачнут. И морды. Так чтобы бутылкой по голове не схлопотать, лучше встать, пока варвары гимн слушают, пока они слезу утирают.

8

Тут в Вене у парламента мальчик Руди однажды встретил тощего художника. Поразили глаза. Нельзя было эти глаза назвать светло-голубыми, скорее они были белыми, голодным светом горящими. И шея художника поражала — слишком уж тонкая.

Мальчик Руди подошел к художнику и дал ему ценный совет:

— Береги шею. Поломаешь ее, если на восток пойдешь.

Не понял художник: если я все время буду ходить на запад, а на восток никогда, то скоро свалюсь в Атлантический океан.

Руди и сам не знал, зачем такой совет дал господину. Подумал и согласился: если человек все время будет идти только на запад, а на восток не ходить, то...

Руди еще тогда глупость свою понял. Но отделаться от идеи так и не смог.

— В общем, так — я тебя предупредил, а там как знаешь.

И тогда тощий художник демонстративно, прямо тут же, на венской площади, отмерил десять шагов на восток, разгоняя белых голубей.

Шея его почему-то не поломалась.

Тогда Руди в первый раз был посрамлен.

9

Итак: пуля должна быть твердой, это удобно для хранения и транспортировки, но после выстрела, покинув канал ствола, в полете, она должна разогреться и стать жидкой. Не вся — внутренность жидкая, а тоненькая оболочка твердая.

Для наполнения пули пойдут два металла — галлий и индий. Нужно подобрать такой состав сплава, который даст температуру плавления между сорока и пятьюдесятью градусами по Цельсию. Это и будет желанная смесь: заряжаем твердую пулю, а летит к цели — жидкая. В оболочке.

Для тоненькой оболочки лучше всего подходит золото: металл тяжелый, мягкий, но прочный. Золотую оболочку можно превратить почти в пленочку. Тогда в полете, разрезая воздух, пуля изменит свою форму, как падающая капля.

Надо Макару все это доложить Холованову. Жаль, что изобретение секретное. За него не получишь Нобеля.

А вот Сталинскую премию получить можно...

10

А дирижер в надежде на похвалу к русской ватаге развернулся: так ли громко играем, так ли яростно? Громче и нельзя — окна повылетают...

Но сконфузило дирижера. И оркестр — тоже. И мелодия как-то смялась и угасла, попримолкли музыканты. Девчонка русская махнула рукой, мол, прекратите комедию. Почему-то дирижер ей сразу и подчинился. Не удосужился на бородатого посмотреть: надо ли подчиняться?

Оглянулся неловко дирижер, что-то сказал своим, и грянула музыка победная, но никого конкретно не прославляющая.

11

— Товарищ Сталин, все эксперименты проведены. Наши люди стреляли по учебной цели в присутствии самых больших экспертов по убийствам. По докладам агентуры, ни один эксперт не сообразил, что же случилось. Все пошли по ложному следу, все думают, что это Мессер-невидимка работал.

— Это хорошо. Такую репутацию Мессера надо укреплять.

— Мы распространяем соответствующие слухи.

— А систему оружия СА пора применять в настоящем деле. Кого бы вы, товарищ Холованов, посоветовали в качестве боевой цели?

12

Расселись.

Распорядитель — с дюжиной галстуков: у нас, господа, так принято.

Что ж, вяжут господа офицеры галстуки шелковые, атласные на истлевшие воротники гимнастерок, на рубахи, прошедшие Кубань и Каховку, Севастополь и Константинополь, Софию, Варну и Пловдив, Белград, Берлин и Париж. Красиво новенький галстук на когда-то белой боевой гимнастерке смотрится. По крайней мере необычно.

— А что-то вы, Анастасия Андреевна, не очень гимн любите. Вам «Весь мир насилья мы разрушим» больше по душе?

— Ваше сиятельство, не мне вам объяснять, что династия Романовых покончила самоубийством. Династия не сумела удержать власть. Не захотела. Тот, кто сам отказался от короны, отказался и от своей головы. Корону всегда только с головой теряли. Не так ли? Так какого Бог царя хранить должен, который от короны и трона отрекся? Мне противно слышать загробный голос самоликвидировавшейся монархии. А вам, князь?

13

— Так против кого, товарищ Холованов, мы используем наше оружие СА в первую очередь? Кого ликвидируем первым?

— Не знаю.

— Не знаете?

— Не знаю. — Дракон упрям.

14

— Вы, Анастасия Андреевна, принципиальный противник монархии?

— Отнюдь нет. Я противник слабой монархии.

15

С тех давних времен любит Рудольф Мессер пол женский. Он любит женщин спортивного типа и женщин пышных, совсем неспортивных, он любит миниатюрных и любит габаритных, любит тоненьких и любит тех, что олицетворяют тип дородной русской купчихи-проказницы. У него кружится голова, когда видит молоденькую монастырскую послушницу.

Женщина в форме, в любой форме: в военной, полицейской, железнодорожной — доводит его до безумия. Его сводят с ума школьницы и гимназистки, студентки и их мудрые наставницы. Он любит блондинок, брюнеток, шатенок, а рыжих обожает. Любит немок, француженок, русских, японок, полек, болгарок, норвежек, американок...

Стоп. Это я не с того конца зашел.

Проще назвать исключения.

Есть одно сочетание, которое ему фрау Бертину напоминает: женщина небольшая, тонкая до изящества, умная до коварства, огромные, как на иконе, глаза и смиренное ангельское личико...

Таких он тоже любит. Вернее, таких он любит больше всего. Но им он больше всего не верит. Он знает эту дьявольскую породу. И встретив тоненькую девушку с большими, как у стрекозы, глазами, он всегда вспоминает тихое лесное озеро.

В котором водятся черти.

16

— Тогда я знаю, товарищ Холованов. Первой мы ликвидируем Жар-птицу.

Глава 24

1

И разразилась пьянка. Пьянка без границ и просвета. Обрушилось на французский ресторан безумие русского кабака.

Русские угощали. Угощали всех. Угощали гостей и музыкантов, угощали директора ресторана и распорядителя. Послали такси за владельцем. Понятно, он приехал не на такси. На собственной машине. А таксист на цыпочках вошел в невиданный зал доложить, что задание выполнил. Русские угощали владельца, его жену и дочь, угощали таксиста, вызвали с улицы водителя персонального и телохранителей владельца. Им на службе пить нельзя. Но угощали и их. Они сопротивлялись, а потом под русским напором сдались и угощение принимали.

Правду надо сказать: поначалу — малыми дозами.

2

— Князь, а ведь так получилось, что угощает она.

— И что?

— Закон старый: кто народ кормит, тот и господин. Как бы она тебя, князь, с командирского места не двинула.

— А я и сам уступлю. Она — дьявол в юбке. Я давно к дьяволу заместителем хотел устроиться.

3

Позвала Настя главного распорядителя, пошепталась с ним, и скоро появился дяденька суетливый у Насти за спиной. На князя Ибрагимова Настя кивнула, суетливый князя глазом обмерил, скрылся. Потом князя пальчиком поманил в зал соседний, и весьма скоро появляется князь в костюме, в каких редко кто в Париже ходит. Рубахи белизна глаз мутит на фоне черноты костюмной и блеска штиблетов лакированных.

И выскочили ордой дикой из-за занавески портняжки парижские с ножницами и иголками. Мигом ободранных господ обмерили, и каждому примерка прямо в зале соседнем. Туда они костюмов понатащили штабель целый. Все сшито уже, только подвернуть, только подогнать-подтянуть. А обуви — выбор как в Охотном ряду в славные времена нэпа. А уж рубах, галстуков, запонок, носков и прочего — развал целый: выбирай, господа офицеры, Жар-птица жалует всех вас одеянием парадным.

А в оркестре откуда-то балалайки появились, и цыгане уж пляшут, в бубен стучат.

Только переодеть людей... Не люблю наряжаться, но признать должен: наряд — дело серьезное. Нарядили господ офицеров, и вроде в других людей превратили, благородство утраченное на лица возвращается...

Окинул князь ораву, смолк оркестр, цыгане утихли.

— А ведь Анастасия Андреевна нас могла и не понять. Нас она одела, обула, накормила, напоила, слух усладила балалайками, а взор — цыганками пляшущими. А что же мы?.. Слышал я, что славное имя Фаберже живет, а дело его побеждает... Анастасия Андреевна, мы тут с господами офицерами посоветовались, да и решили вас наградить...

4

— Это почетное задание, товарищ Холованов.

Смотрит Дракон под ноги:

— Это задание, товарищ Сталин, выполнять не буду.

5

Усмехнулся князь Ибрагимов, достал из кармана ленту гибкую: по белому золоту орнаментом затейливым синие цветы из сапфиров и белые листочки, бриллиантами усыпанные. Сапфиры огромные, ясные, а бриллианты мелкие-мелкие, как лунная пыль. Оттого свет дробят бриллианты сразу миллионом поверхностей, оттого лента в руке княжеской, как упавшая с неба звезда, горит, переливается, вроде не отражает свет, а сама излучает его водопадом. Змейкой в его руке та лента извернулась, сверкнула, как испанский нож при луне. Можно ту ленту — на шею, и будет ожерелье неземной красоты. А можно вокруг головы повязать, как древние славянки ремешком волосы перевязывали. Если вокруг головы — диадема получится. Прикинул князь, оба варианта оценил и вокруг шеи обернуть даже не пробовал, застегнул замочек потайной, сделал из ленты колечко и осторожно Насте на голову возложил, как веночек из полевых цветов. Отступил на шаг оценить со стороны, и дыхание перехватило: хотел князь чем-то вроде ремешка драгоценного ее лоб украсить, а получилась корона сверкающая. А корона почему-то Настю Жар-птицу в принцессу превратила. Не императорская корона получилась, нет, а тонкий обруч, именно та корона, что принцессе на торжественный случай положена. Нет, знает князь Ибрагимов, что не принцесса она дома Романовых, знает, что графа Стрелецкого она дочка, и родословную ее знает до времен царя Алексея Михайловича, только... В ней ведь и раньше принцесса чувствовалась, только никто этого не осознал. Так бывает: не спит ночами художник, себя терзает, сто вариантов перебрал, не получается ни черта. И вот один мазок только, и осветилась картина изнутри, ожила, вздохнула боярыня Морозова, очами сверкнула, вознесла персты над головою, тронулись сани, поехали, заскрипели...

Только штрих один... Вот он, этот штрих, — над глазами-сапфирами ленты сапфировой сверкание... И — все, и непонятно, как это раньше в ней принцессу не разгадали?

Но не то князя сразило. Сообразил: корону-диадему можно снять, а принцесса останется.

6

— Не будешь выполнять?

— Не буду.

Сталин ломал характеры. Сталин подчинял себе всех. Никто ему не сопротивлялся. И вот бунт. Самый верный исполнитель...

7

Именно эта мысль не одного князя Ибрагимова сразила, но и всех господ офицеров: во главе стола сидит кто-то неземной. Нет, не принцесса она формально-официальная, царских кровей, а настоящая она принцесса, из сказки, посланная кем-то на грешную землю повелевать.

Мы так устроены, нас контрасты поражают: девочка-оборванка во главе роскошного стола в компании мужчин, изысканно одетых, огромные глаза и тоненькой лентой корона на голове.

Ротмистр Лейб-гвардии Гусарского полка Шевцов Игорь глаза потер и тихонько, чтобы не услышали в другом конце, по-русски удивление выразил:

— Во, зараза!

А ротмистр Синельников осмотрел всех пьяным глазом, узрел несоответствие: она всех одела, всех обула, а сама нищенкой сидит. Встал ротмистр, стул опрокинув, чуть шатнулся, икнул, лапами пурпурный бархатный занавес с золотым шитьем ухватил, да и дернул на себя, обрывая кольца бронзовые.

Подхватил занавес, поклонился и Настю мантией укутал.

Вот тут-то и вступила пьянка в свою решающую стадию.

8

— Послушай, дорогой, если ты не будешь задания выполнять, другой не будет. А кто тогда будет? Жар-птицу все равно убьют. Раз я приказал. Ты это понимаешь, товарищ Холованов?

— Понимаю, товарищ Сталин. Знаю, что убьют. Но я ее убивать не буду.

9

Перед тем как пьянку начинать, надо озаботиться выносом тел. Место надо заранее выбрать, куда тела сваливать, и отработать систему эвакуации.

Все отработано. Все предусмотрено. В пригороде парижском, у Булонского леса, еще до пьянки присмотрела Настя особняк пустой за каменной стеной. Мебели там никакой, но это и хорошо. База в Париже ей в любом случае нужна, а мебель она потом по своему вкусу выберет. Хороший особнячок: пара этажей, чердак, подвал каменный под всем домом, сад запущенный. Ремонтировать надо, мебелью обставлять. Потому Настя распорядилась сейчас пока только матрасы подвезти, водки на опохмелку и бочку огурцов соленых из польского магазина.

Под самое утро на трех такси доставила Настя орущих господ офицеров в свой новый особняк, с таксистами по матрасам их раскидала. Почти двадцать лет господам офицерам — голодуха и унижения. А тут — дорвались...

Под вечер отходить начали, и ближе к ночи медленно-неохотно разгорается опохмелка, незаметно-потихоньку перерастая в новую пьянку.

— А что прикажет наша повелительница?

Это сказано вроде в шутку, вроде всерьез.

— Повелеваю сформировать офицерский полк.

Ответили офицеры на это ревом.

— Командовать полком — князю Ибрагимову.

— Рад стараться! Благодарю за доверие!

— Структура полка: командир, штаб, разведка и контрразведка, четыре боевых батальона, тыловые службы. Князь Ибрагимов!

— Слушаю.

— Ваше сиятельство, сами назначите себе заместителя, начальника штаба, начальников разведки и контрразведки, командира разведывательной роты, командиров батальонов и начальника тыла. Вас одиннадцать. На все должности пока людей хватит. И пусть командиры батальонов завтра с утра начинают вербовку людей и формируют свои подразделения. Белых офицеров в Париже орды целые. Если не хватит, свистнем-гикнем по Европе. Поначалу в разведывательной роте установим сто человек, а в батальонах — по триста. Начальникам разведки и контрразведки немедленно приступить к вербовке агентуры. Сбросимся все и организуем полковую казну. Начальнику тыла ее принять на хранение и головой за нее отвечать. В ближайшие дни казну полковую мы наполним. Есть у меня варианты.

— А как назовем полк?

Задумалась Настя:

— Наша первая победа в Компьене. Потому повелеваю именовать полк Лейб-гвардии Компьенским.

10

— Садись, дорогой, вот тебе вода. Может, водки хочешь? Коньяку? Единым глотком Дракон стакан опрокинул.

— Еще тебе?

— Еще, товарищ Сталин. Напьюсь, и делай со мной что хочешь.

— Почему ты, Дракон, ее убивать не хочешь?

— Потому что я ее люблю.

11

Взревели господа офицеры. Только князь Ибрагимов радости не проявил:

— Господа, с этим не шутят. Лейб-гвардейские полки создаются не просто так, они служат государю. А государя у нас нет.

И смолкли все: правильно.

— Или государыне, — дополнила Настя.

Согласился князь:

— Или государыне. — Плечами жмет, мол, что от этого дополнения меняется, государыни у нас тоже нет.

Поднялась Настя Жар-птица над сидящими:

— Проблема исчерпана. Государыней буду я.

Глава 25

1

Первый класс. Купе как маленькая квартира. Два широких окна. Настя тут одна. В соседнем купе — охрана. И с другой стороны — купе. Там тоже охрана. В открытое окно — горячий ветер с юга.

Ей смешно. И чтобы не смеяться, она читает парижские газеты. Она читает статьи про себя. Удивительные вещи пишут в газетах : «Как могла великая Франция не увидеть такого гиганта живописи? Незаметная мадемуазель жила среди нас, но мы не обратили внимания на этот вулканический талант. И это позор Франции. Она уехала из нашей страны. Мы не знаем куда. Мы не знаем, вернется ли. У нас не хватило ума и мужества удержать ее. И это двойной позор. Великое произведение Стрелецкой куплено неизвестно кем и находится неизвестно где. Возможно, шедевр уже за пределами нашей страны. Министерство культуры, правительство в целом не сделали решительно ничего, чтобы удержать величайшее произведение в нашей стране. И это тройной позор Франции».

«Второй мировой войны быть не может. Миру хватило одной мировой войны. Кому нужна еще одна война? Но вот появился художник небывалого таланта и темперамента — мадемуазель Стрелецкая — и своей магической кистью изобразила то, чего не может быть: Вторую мировую войну!»

«Главная загадка ее таланта — выбор красок. Красное и черное! Самый драматический аккорд цвета из всех возможных. И все же: почему только черный и только красный? Но это не все. У красного цвета, как и у любого другого, могут быть тысячи оттенков — от нежного цвета весенней зари до цвета зимнего заката, т.е. почти бордового. Из тысячи оттенков она выбрала именно те, которые соответствуют ее великому замыслу. Выбор красного и черного цветов понятен и предельно логичен. Любой на ее месте выбрал бы именно эти цвета. Но как ей удалось выбрать именно эти оттенки? Вот главный вопрос современности!»

«И все же главное в живописи — рама! Это смешно, но только на первый взгляд. Вдумаемся: фальшивое золото, загаженное миллионами мух, алебастровая труха на отбитых углах в сочетании со смелыми, вдохновенными мазками мастера! Какая символика: прогнивший старый фальшивый мир и героический ему вызов, шокирующий всех, кто не понимает величия гения!»

«Мы можем только догадываться, сколько лет эта чародейка кисти носила в себе гениальный замысел, обдумывая варианты и нюансы. Но не удивимся, если узнаем, что к этому подвигу созидания она готовилась всю свою яркую жизнь».

2

Огромный лесовоз «Амурлес» швартуется у стенки. В бесконечном ряду таких же лесовозов. Вымпелы вьются, цепи гремят. Много работы экипажу. Не сразу капитан Юрин людей на берег отпустит: сделаем дело, тогда гулять будем.

А один человек по трапу спустился. Его почему-то никто не заметил: ни вахтенный, ни пограничник. Не скажу, что это невидимка, вовсе нет. Просто люди мимо идут, внимания не обращают.

Скрипят краны в порту. Визжат лебедки. Грузчики матом кроют, как художники парижские. Свистит паровоз маневровый, паром дышит, в облаке дыма тянет десяток вагонов кругляка. Когда-то тут была равнина на морском берегу. Теперь — горы до облаков. Горы леса. Комсомольский лес Родине! Все — на экспорт!

У самой воды, железным рядом — краны-журавли: грузят, грузят. И огромные пустые лесовозы понемногу оседают в воду — глубже, глубже, глубже. Нагрузят лесовоз, и пошел он в басурманские земли.

В ущельях между этажами связок, между циклопическими пирамидами бревен, в пьянящем запахе сосновой тайги легко затеряться.

Тот, с корабля, и затерялся. Его может увидеть только один человек, которому он открыт, который его ждет.

— Здравствуй, чародей!

— Здравствуй, Дракон!

— Как помотался по морям?

— Плохо. Меня томит. Чувствую, что с Жар-птицей что-то случилось. Что?

— Чародей, ты оказался прав. А товарищ Сталин спор проиграл. Он считал ее достойной претенденткой, я сомневался, а ты категорически возражал. Ты спор выиграл. Она вышла из-под контроля. Товарищ Сталин теперь должен в присутствии всех членов Политбюро залезть под стол и назвать себя козлом.

— Где она?

— Была на Балеарских островах. Сейчас, агентура докладывает, в Париже. Связалась с самой мразью: в Испании — с финансовой олигархией, в Париже — с белогвардейцами.

3

Получить гражданство чужой страны не так легко. Но Насте повезло, нашлись добрые люди, дали ей гражданство, паспорт новенький выписали и все другие бумаги. Нужно много лет в очереди стоять, а ей так выпало, что очередь быстро подошла. За один день. В Париж она вообще без всякого паспорта ехала. В Москве ее научили ездить через границы без паспорта и без виз. А теперь она решила путешествовать не в трюме корабельном, не на крыше товарняка, а в комфорте, с достоинством. Для этого нужны документы. Вот они — в коричневой сумочке крокодиловой кожи.

И охрана с нею со всеми соответствующими документами.

Сам командир Лейб-гвардии Компьенского полка князь Ибрагимов ее сопровождает:

— Девятую роту из третьего батальона неплохо бы в Женеву двинуть. Там, в горах швейцарских, на альпийских лугах, клиентов наших стада целые.

— Согласна.

— Четвертая рота хорошо поработала в Лионе. Потрясла должников. Казну пополнила.

— Это хорошо. Но у меня, князь, вопрос чисто теоретический. Мы быстро наживаем все новые и новые миллионы. Однако... Однако пара хороших туфель — доллар, пять — великолепный костюм, триста долларов — «линкольн», тысяча — приличный двухэтажный дом, с подвалами, комнатами на чердаке, с бассейном и гаражом на три машины, с куском земли. Так зачем же людям миллионы? У вас есть ответ на этот вопрос?

— У нас есть.

— Скажите, князь, а сколько бы денег вам лично хотелось иметь?

— Все.

— Как все? — не поняла Настя.

— Все деньги мира.

— Зачем?

— У каждого в жизни выбор: или всех грызи, или... — Посмотрел князь в окно раскрытое на проносящиеся просторы французские, бороду почесал. — ... Дальше непристойно. Но есть литературный вариант: всех грызи или ляг в грязи. Каждый из нас — на ледяной горе. Если не карабкаться вверх, скользнешь вниз. Миллиард надо иметь для того, чтобы тебя не сгрыз тот, у кого сто миллионов. А десять миллиардов надо иметь для того, чтобы тебя не съел тот, у кого их только пять.

4

Просыпается великая страна. У британского посольства миллионная толпа с красными знаменами с раннего утра песню орет:

Чемберлен
Старый хрен.
Нам грозит
Паразит!

Ту же песню и на другой лад орут:

Нам грозит
Чемберлен.
Паразит.
Старый хрен!

Тем хороша песня, что, как строчки ни крути, все равно смешно будет.

Еще песню кричат с призывом уральскому кузнецу: оружие куй, а мы Чемберлену покажем наш ответ!

Британское посольство — вот оно, за стеночкой кремлевской, за речкой. Утро красит нежным цветом стены древнего Кремля. И оттуда из-за речки через стенку кремлевскую как шторм в Белом море: хрен! хрен! хрен! куй! куй! куй! хрен! хрен! хрен!

5

— Ну-ка налей мне, Саша. Есть у тебя?

Чародей первый раз назвал Дракона Сашей. Саша-Дракон на него с благодарностью посмотрел. Есть у Дракона много врагов, очень много. Враги его ненавидят. Есть у Дракона много подчиненных, подчиненные уважают и боятся. Есть у Дракона суровый начальник, ему Дракон служит верой и правдой. Есть у Дракона много-много девочек в парашютных кружках, в сталинской охране, в спецгруппах, всех их он любит, всем любовь дарит с царской щедростью. И они его любят. А друга у Дракона нет. Не с кем Дракону поделиться. Не потому друга нет, что мужик он неправильный. Мужик-то он что надо. Таких поискать. Но работа у Дракона собачья. Слишком в секреты сталинские втиснут. Не моги слова сказать. Какая, к чертям, дружба, если он о жизни своей, о работе не имеет права даже и заикнуться. Официально — летчик полярный. Да ведь не будешь же все время только о медведях и льдинах рассказывать. И вот появился в Драконовой жизни человек, с которым говорить можно. Обо всем.

— У меня, чародей, всегда есть.

Достал Дракон из широкого кармана бутылку и два стакана. Присели на бревно. Газетку расстелили. Налил Дракон, сырок плавленый по-братски разделили. Подняли гранчаки...

А тут из-за штабеля юркий бдительный погранец вынырнул: шапка зеленая, штык блестит.

6

Сознательный у нас народ: британский Чемберлен — далеко, границ у нас общих нет, и воевать нет причины, потому весь гнев народа против старого хрена Чемберлена. А Гитлер — близко. Рядышком. Потому народ наш против Гитлера ничего не имеет, песен про него матерных не поет, у немецкого посольства зубы не скалит. Понятливое население: если

Гитлер воевать вздумает против Чемберлена, так пусть воюет и за свой тыл не беспокоится — мы тоже враги Чемберлену, он, говорят, нам даже угрожать когда-то намеревался чем-то. А к тебе, Гитлер, у нас претензий нет, и ругать тебя вроде не за что, и демонстрации у его посольства нам проводить незачем...

Орет толпа, а товарищ Сталин в своей кремлевской квартире уснуть не может. Не потому не может, что толпа орет, а потому, что сердце болит. За державу болит, за судьбу Мировой революции.

Страна просыпается. Страна встает со славою на встречу дня. Страна выспалась. И весь мир тоже. Один Сталин не спал, думу думал. Пришло время отдыхом силы восстанавливать, но уснуть не получается. Как тут уснешь? Бунт в ближайшем окружении. Он ее любит! И что? Значит, приказы можно не выполнять? Так, что ли? Он ее любит! А кто тогда людей будет убивать? Он ее любит. А если каждый кого-нибудь любить будет, то кто же тогда Мировую революцию совершит?

7

Ее возвращения в банке «Балерика ТС» никто не ждал — появилась тут однажды, шума наделала, внимание к банку привлекла, потом пропала, что-то на прощание говорила, что-то обещала. Мало ли нам обещают?

Она прошла прямо в зал заседаний правления банка. Своим появлением прервала речь председателя. Понимая, что прервала, тем не менее не просила слова, не извинялась. Она улыбнулась им всем. Переглянулись заседающие, молча спрашивая друг друга, стоит ли улыбаться в ответ. И тогда она широким жестом иллюзиониста махнула в сторону двери: але, оп! Дверь растворилась, и два служителя банка внесли (скорее втянули, вволокли, втащили) два чемодана, поставили посреди зала и, поклонившись, вышли, затворив за собой дверь.

8

Вынырнул юркий, бдительный погранец из-за штабеля: шея тоненькая, как штык у трехлинейной винтовки Мосина образца 1891/30 годов, и голос тоненький:

— Ах, ты пьянствовать! Да знаешь ли, что в порту запрещено?

Погранец обратился к огромному дядьке в кожаном пальто, со стаканом в руке. Его собеседника доблестный страж рубежей почему-то не заметил. И тогда тот, второй, незамеченный, прошедший столько морей, обернулся устало:

— Отвали.

Погранец ответил четко, как устав предписывает:

— Есть!

И отвалился, как ломоть, отрезанный от краюхи хлеба.

9

— Товарищ Ширманов!

— Я!

Ширманов всегда был рядом со Сталиным, но никогда лично от Сталина приказов не получал.

— Товарищ Ширманов, вы знаете Жар-птицу?

— Знаю, товарищ Сталин.

— Вам почетное задание, товарищ Ширманов. Подбирайте группу ликвидации. Поедете в Испанию. Задача: ликвидировать Жар-птицу. Исполнитель... — Сталин задумался на мгновение. — Исполнитель — Макар.

10

— Что с тобой теперь будет, Дракон?

— Он меня давно расстрелять хотел. Вот настал, видно, черед.

Налил себе Дракон еще. И чародею.

— Бутылка всегда со мной, а закусить больше нечем. Ты как?

— Привычен.

— Пьем. Знаешь, чародей, мне все равно головы не сносить, но прими мой совет. Сталин проиграл спор и теперь должен себя публично козлом назвать. Пожалей голову свою, чародей, этого не допусти.

11

Все взоры с Насти на чемоданы, с чемоданов — на председателя. Председатель, слов не произнося, подошел, чемодан толкнул. Повалился чемодан на бок, звуком оповестив, что веса в нем с избытком, вроде книгами набит. Председатель и другой толкнул. И другой издал звук, вроде с крыши ляпнулся.

Председатель на Настю: и что?

Открывай — Настя улыбается.

Чемоданы с замочками, но замочки на ключи не заперты — просто нажать блестящие хлястики на пружинках, и они отскочат, щелкнув. Кроме того, чемоданы ремнями перепоясаны, чтобы не раскрылись случаем. Расстегнул председатель ремни, никто ему не помогает, все на местах сидят, завороженные. Интересно, что дальше будет.

Отбросил председатель крышку и взвизгнул...

12

Капитан лесовоза «Амурлес» Юрин Александр Иванович, песенку насвистывая, спустился по трапу. Прямо за штабелем сосновых досок пахучих его окликнули. Оглянулся. И получил приказ следовать за большим дядькой в кожаном пальто. Завернули за штабель, и еще за один. В ущелье между двумя горами бревен — автобус радостного цвета: по низу синее, выше — голубое. Окна — только для водителя.

— Заходите. Здравствуйте. Моя фамилия — Холованов.

— Здравствуйте, Александр Иванович.

— Вы меня знаете?

— В газетах читал. Внимание обратил. Опять же — тезки.

— Вы знаете что-нибудь обо мне интересное?

— Знаю. Вы, товарищ Холованов, были моим пассажиром.

13

Если вам поставили задачу возглавить группу ликвидации, то начинать надо со сбора и анализа информации о вашем клиенте.

Информации о Жар-птице много. Но такова жизнь: сколько бы разведка ни добыла информации, ее всегда не хватает.

Известно: Жар-птица является оголтелым врагом новой социалистической культуры, лидером самого отвратительного из всех направлений буржуазного разлагающегося искусства, символом мракобесия, служения реакционной империалистической буржуазии. Характерными чертами ее «творчества» являются антинародность, нигилизм, отрицание всего ценного и передового, созданного предшествующими поколениями. Она написала картину, глубоко враждебную рабочему классу, Мировой революции, Советскому Союзу, партии большевиков и лично товарищу Сталину. Этим она полностью разоблачила себя перед лицом мировой общественности и всего прогрессивного человечества. Капиталистический мир восторженно приветствовал свою новую продажную служанку и оплатил ее «творчество» неслыханной ценой: 25 миллионов франков за «картину» в четыре мазка — более шести миллионов франков за каждый мазок. Выплатив такую цену за обезьянье «искусство», буржуазия Франции и стоящая за ее спиной буржуазия Америки выразили свою звериную ненависть к первому в мире государству рабочих и крестьян и самому прогрессивному в мире советскому искусству.

О Жар-птице, кроме того, известно: появляется на виду у всех и столь же внезапно исчезает. Откуда появляется, куда исчезает, непонятно. Поступили сведения: ее плотно охраняют.

Известно также: по всей Европе внезапно активизировались белогвардейцы. Причина активизации непонятна. По докладам агентуры, ранее раздробленные и распыленные организации белых офицеров внезапно, по чьей-то команде, приобрели стройную, чисто военную структуру. В распоряжении белых появились значительные финансовые средства. Понятно, что активизация битых офицеров белых армий может быть направлена только на подрыв международного авторитета Советского Союза, на нанесение ему ущерба, на подготовку свержения власти рабочих и крестьян. Очевидно, за всем этим стоят западные разведки и финансовые средства мировой буржуазии. Есть основания предполагать, что Жар-птица является связующим звеном между международным финансовым капиталом и русскими белогвардейцами.

14

Набит чемодан тяжелыми разноцветными пачками: доллары, франки, марки, песеты. Отбросил председатель крышку со второго чемодана. И снова взвизгнул.

В принципе тяжести такие можно и не таскать. Банковский чек на любую сумму — это всего лишь бумажка в кармане: легко и удобно. И безопасно.

Деньги в чемоданах отбить могут, отнять, а чек именной — только тому деньги дадут, на чье имя выписан.

Все это Настя понимает. Именно так через границу суммы провозила, бумажкой именной, не в чемоданах же через границу миллионы на себе таскать. Но в Париже господ офицеров сразить надо было видом пачек аккуратных и тут — тоже. Потому чек на деньги обменяла в соседнем банке. Сразу и не нашлось столько, два дня сумму собирали.

Вот они, полюбуйтесь, господа финансисты.

Ей подставили стул. Села Настя. Это уже не та оборванка, что недавно окна мыла. Это женщина деловая, в строгом костюме, чем-то на банкира лондонского похожая и на гангстера из Чикаго.

— Это ваша половина. Должников у вас целая телефонная книга. Если хотите еще получить, мои условия: пятьдесят на пятьдесят. Фифти-фифти. Вы получите половину своих долгов. Остальное — мое. Если не согласны, сами с должниками разбирайтесь, письма пишите, а я себе работу найду. Не у вас одних проблемы с должниками.

15

— Можно узнать, откуда у вас такие сведения?

— Товарищ Холованов, я просто сообразил, что вы были моим пассажиром.

— Продолжайте.

— На фотографиях в газетах рядом с летчиком Холовановым всегда какой-то человек.

— Его зовут Ширманов.

— Этого я знать не мог, но лицо запомнил. Так вот, перед отходом из Архангельска у нас было две пограничные проверки: одна нормальная, а вторая... Ее возглавлял этот самый Ширманов в форме пограничника. Это ваш человек. Я знал, что «Амурлес» специально построен так, чтобы можно было тайно людей перебрасывать. Я предположил, что ваш человек для вас место проверяет.

— Правильное предположение. Капитан Юрин, мне нравится ваша сообразительность. И нравится откровенность. Если бы вы начали хвостом вертеть, то я бы вас расстрелял. Но вы мне не врали, капитан. В общем, так, вы мне подходите. Предлагаю работать на меня. Возможно, что Ширманов скоро пойдет на повышение, а его место освободится...

16

Переглянулись финансисты. И генеральный директор банка «Балерика ТС» молча кивнул.

Глава 26

1

— Я проиграл. Ты, Мессер, оказался прав. Как ты и предупреждал, Жар-птица сразу вышла из-под контроля. Сорвалась, как Каштанка с цепи. Подъезжай сегодня вечером на мою ближнюю дачу, там все будут. Выпьем, закусим. Я не гордый. В людях никогда не ошибался. А тут... Раз проиграл, полезу под стол, себя козлом назову...

— Сегодня, Сталин, не могу. Спасибо за приглашение. Боли головные... В следующий раз, а?

— Пусть в следующий. Как я в ней ошибся, до сих пор не пойму. Но и ты, Мессер, иногда ошибаешься. Давно тебя спросить хочу... Что ты там в берлинском цирке болтнул?

Ждал давно Рудольф Мессер этого вопроса от Сталина. Сам хотел ему рассказать, да все как-то момент не подходил.

— А разве тебе не доложили, что я там болтнул?

— Доложили сто разных ответов. И все очень умные. А мне кажется, что ты сморозил чепуху. По тебе вижу. Ты сам своего ответа стесняешься.

— Да, — сознался Мессер, — сморозил такое, до сих пор уши горят. Хорошо, что люди все перевирают, а то и по улицам ходить стыдно.

— Так что же ты такое сказал?

— Сказал, что Гитлер на восток пойдет...

— Какая ерунда. Сначала Гитлер пойдет против Франции и Британии. Пока с ними не развяжется, против нас не пойдет. На два фронта Германия воевать не может. Это самоубийство. Зачем Гитлеру самоубийство?

— Я все это понимаю. Но ляпнешь иногда...

— Ты, чародей, просто устал. Тебе надо отвлечься. Хочешь на курорт? У меня в Ялте домик небольшой... Там сейчас никого.

— Нет, я просто хочу энергии накопить на публичных выступлениях. Можно мне по твоей стране проехать?

— Езжай.

2

В прекрасном городе тихая, но стойкая сенсация: увядающая «Балерика» расцвела. Вверх поперла. Паровозом. У конкурентов интерес: в чем секрет успеха? Самые пронырливые пронюхали: генеральный директор «Балерики» давно искал сотрудника с феноменальными математическими способностями и нашел — сеньорита Анастазиа так деньги считает, что банку только прибыль.

А другие говорят, что просто генеральный директор нашел сотрудника, который убедительно с должниками говорить умеет, к каждому должнику — индивидуальный подход, такие аргументы для каждого находит, что должники сразу все долги возвращают, да еще и с процентами.

Еще и такое говорят: колдунья она. Глазищи-то во какие! Приносит каждое утро на совещание директоров по два пустых чемодана, глянет на них — але, оп! И чемоданы деньгами наполняются.

Не думала Настя не гадала. Но обрушился на нее водопад заказов. С «Балерикой» особые отношения, но почему бы и другим банкам не помочь? Потому первый батальон Лейб-гвардии Компьенского полка в Париже работает. Второй — в Мадриде. Третий и четвертый батальоны — по всему побережью: от Гибралтара до Монте-Карло. Почему-то должники на средиземноморских курортах прятаться любят. А разведывательная рота по всему миру гастролирует. Должники в Вашингтоне прячутся, и в Мельбурне, и в Гаване.

А где разместить штаб полка?

3

Ворошилов, Куйбышев, Киров, Сталинград... Поднимает чародей волнение советской (самой благодарной в мире) публики, ее восторг. Начинает с тех вопросов, на которые сами задающие ответ дадут. Понемногу переходит к тем вопросам, на которые они ответа не знают. Потом поднимается к тем вопросам, ответы на которые повергнут публику в экстаз и безумие.

Не ради денег чародей в цирке работает. Вовсе нет. Он давно отрекся от денег. Ему хорошего пива вечером шесть кружек... да шницель ядреный, да перину пуховую, да девок дородных штук пять под перину... Больше ему и не надо.

4

У начальника полиции Балеарских островов сеньора Дуфадоса — посетитель.

Посетитель известный, на острове уважаемый.

— Здравствуйте, сеньор начальник.

— Здравствуйте, Птица огня.

— У меня к вам дело.

— Слушаю вас, Птица огня.

— Сеньор Дуфадос, над миром поднимается новая мировая война. Мы не знаем, где разразится она и в какую сторону повернет.

— Мы этого не знаем, — сокрушенно подтвердил большой полицейский начальник.

— Я бы на время войны, а она мне представляется неизбежной, хотела оставаться на Балеарских островах, жить тут у теплого моря, никого не трогать... Но я иностранка, к тому же — бедная сирота.

— Чем тут поможешь?

— Мне помощи не надо. Я бы только просила вас не придираться ко мне попусту. В дела полицейского департамента Балеарских островов я пока не полезу, вам мешать не буду. Было бы хорошо, чтобы и вы...

Так с начальником полиции никто еще не разговаривал. Такой тон он сам для себя определил как вежливую наглость... За этим что-то скрывается... Много о сеньорите Анастазиа начальник полиции знает. Убийца она. Правда, судить ее не получится, никто свидетельствовать не пойдет. Болтают дураки, что это ангел ее защитил. А начальника не проведешь. Ему-то точно доложили, что она взглядом убила. Потому против нее никто свидетельствовать не будет. Знает народ: взглядом придушит. С другой стороны, молва на ее стороне, верит народ — тут была самозащита в чистом виде. Не надо было великолепному Родриго на нее рыпаться. Известно совершенно точно: она ему две тысячи песет давала, чтобы отвязался, так ему того мало показалось. Вот и схлопотал.

Настя же встала, вежливо поклонилась и...

5

Не денег ради чародей цирки мира обошел. Цирк — тренировка. Как пианист хороший от зари до зари и после нее по клавишам пальцами бьет до мозолей кровавых, так и чародей с большой аудиторией постоянно работать должен.

Иначе — потеря квалификации. А где работать — все равно. Запомним правило: вопросы всегда и везде одинаковые. В Мюнхене, в Бристоле, в Пловдиве или у нас в Черкассах.

Ясно каждому, в советской стране чародеев нет и быть не может. Есть иллюзионисты. Произнести слово это не каждому дано, потому:

— Скажите, товарищ Мессер, как зовут мою жену?

— Друг Вася, разве ты сам забыл, как ее зовут? Вот же она рядом с тобой сидит. Ее Марусей зовут.

Маруся, не жмут ли тебе синие туфли, которые ты вчера купила в «Запсибсельпроме»?

6

За этим действительно что-то скрывается.

Настя встала, вежливо поклонилась, достала из сумочки нечто тяжелое — небольшой пакет. Размером с коробку сигар. Обертка — грубая почтовая бумага и веревочка крестиком. Положила на стол.

В малом объеме — большой вес. Свинец или...

Пакет тяжело ударился о стол, издав чудный звон. Не свинец.

Во рту начальственном пересохло. Пятьсот? Или целый килограмм?

Еще вопрос: а проба какая? Одно дело 375-я — 37,5 процента чистого металла, остальное примеси, другое дело 585-я. Зажмурил глаза начальник полиции: а может, 750-я? За долгую службу большой полицейский начальник привык получать подарки. И правило крепко усвоил — подарок рукой не трогать, в руки не брать, пока посетитель не уйдет. В случае чего: знать ничего не знаю, мало ли что на моем столе забывают!

А потрогать подарок начальнику хочется. Так хочется, что Настя это чувствует, потому своим присутствием начальника больше не стесняет, снова слегка поклонилась, улыбнулась и пошла. Большой полицейский начальник ее опередил, дверь перед нею распахнул, ручку поцеловал...

Нет, это я не так рассказываю: сначала ручку поцеловал, а потом уж дверь распахнул. Тем, кто в приемной, знать не положено, что начальник полиции чьи-то ручки в служебное время целует. И, уже распахивая дверь, спохватился: а чем могу быть полезен?

7

От пустяковых вопросов чародей публику ведет к вопросам все более и более сложным. Но надо осторожность проявлять. Вот тот рабочий-стахановец явно хочет спросить, куда девался товарищ Ежов Николай Иванович, почему о любимце народа, верном друге и соратнике товарища Сталина в последнее время ничего не слышно. Чародей в глазах рабочего-ударника вопрос читает, знает, что рабочий передовой и по стукаческой линии тоже планы перевыполняет, потому его судьба всесоюзного стукаческого начальника интересует. Чародейское дело нехитрое. Знает Рудольф Мессер, что любимец народный, Ежов Николай Иванович, сейчас, в данный момент, на следствии корчится. С ним Катя Иванова работает. Какая женщина! Зажмурился чародей. Улыбнулся. Что-то вспомнил.

А вопрос о Ежове надо не допустить. Желающего задать этот вопрос надо не замечать. Или пожелать, чтобы он своим вопросом подавился.

Закашлялся передовой рабочий, захлебнулся. Зашикали в задних рядах: выйди, гад, не мешай представлению.

В шею передового вышибли. Представление продолжается.

— А скажите, товарищ Мессер, сколько денег в моем правом кармане?

8

Затворил дверь начальник. Потом растворил снова, рыкнул, чтобы никого к нему не пускали: дело государственное! Сел за стол, взгляд на сверток метнул, головы не поворачивая, — эдак искоса. Вздохнул глубоко, поднял сверток, сообразил: не пятьсот, не килограмм. А чистых два.

9

Перед ним плывет огромный, свистящий, рычащий, ревущий цирк... Чародей величаво опускает руку, и вместе с нею опускается тишина, окутывая собою все и покоряя всех... Последний вопрос программы. Тысячи рук. Чародей подвел публику к рубежу безумия. Кажется, между ним и публикой проскакивают, провисая, чудовищной силы разряды, как между землей и небом, озаряя все вокруг и сокрушая все, что попадет на пути... Итак, последний номер программы, последний вопрос в последнем номере... Вопрос уже задан, и ответ повергнет цирк в неистовый, бурлящий и клокочущий восторг...

10

Взвесил на руке — тяжеленный. Таким и убить можно при случае. И хорошо, что не деньгами. Деньги в любой момент обесцениться могут. Да денег у него и своих в избытке.

Еще раз на руке подарок подбросил. На стол перед собою положил, наклонил голову прямо к самому столу, как Берия над тарелкой, как маленький мальчик, который муху в баночку поймал. Хотел аккуратно ножничками канцелярскими веревочку срезать. Передумал. Двумя короткими толстыми пальцами взял веревочку за длинный хвостик, потянул, бантик и распался, развязался. Тогда начальник бумагу развернул. Сверкнуло в кабинете. Красивый слиток. Орелик на слитке, «SBS» и циферки — «999».

11

Публику надо подвести к рубежу безумия и тогда позволить задать самый важный вопрос.

— Скажите, товарищ иллюзионист, будет ли война?

Рудольф Мессер не спешит с ответом. Рудольф Мессер обводит публику странным взглядом, стараясь заглянуть в глаза каждому, и отвечает уверенно и тихо:

— Будет!

И взрыв бешеной радости подбрасывает тысячи энтузиастов с мест, и наряды доблестной советской милиции отбивают почитателей, и Рудольф Мессер раскланивается в потопе цветов.

12

А где разместить штаб Лейб-гвардии Компьенского полка?

В случае войны все, что в центре Европы, неизбежно в водоворот попадает. Объявляй себя нейтральным, не объявляй — не поможет. Швейцария?

В скалах тоннель вырубить? Можно бы. Но нет уверенности, что Швейцарию война не затронет. Есть доводы за то, что она нейтральной останется, но есть доводы и против. А вот на перифериях Европы... Та же Испания. Те же острова Балеарские... И климат тут курортный. Тут люди жили давно. Понимали, где жить. Острова Карфагену принадлежали. Портом римлянам, византийцам, арабам, испанцам. Тысячи лет на этих берегах свирепствовали захватчики и пираты. Потому приморские города выживали только в том случае, если защищали себя. Прекрасная Пальма была окружена вырубленным в скалах широким и глубоким рвом, за которым поднимались несокрушимые крепостные стены с могучими бастионами. Город-крепость. А еще на всех подступах, на всех дорогах, к городу ведущих, — форты и замки. Некоторые из них сейчас брошены...

Командный пункт начальнику штаба выбирать. Подполковник Игорь Шевцов выбрал.

Если по набережной из Пальмы выскочить на запад, то прямо за городскими окраинами в море врезался скалистый мыс. Словно наконечник копья. Метров на триста в море его вынесло. У берега он узкий, потом все шире и шире, а потом снова уже, уже, уже. Миллионы лет грохочет прибой о нагромождения скал. В пене и грохоте, в солнечном свете нависает мыс стенами отвесными над яростным морем, как символ непокорности. Природа-мать тот мыс с умыслом сотворила, чтобы на нем люди крепость возвели. В принципе и строить много не надо — скалы прямо в море обрываются, а ведет на мыс перешеек метров сто шириной. Его-то только и надо защищать. С любой другой стороны штурм не получится: молотят волны о скалы, а скалы каменюгами подводными прикрыты: ни кораблю не подойти, ни лодочке.

Справедливости ради сказать должен: тут по побережью через каждые три километра такой мыс над морем найти можно. Природа щедрой рукой фортификаторам дары рассыпала — каждый мыс острыми и частыми, как зубы дракона, островками и скалами прикрыт, только перешеек прикрыть, и никто на тот мыс не заберется. Вот на таком перешейке машины и остановились. Откосы крутые у моря, ближе к вершине — пологие, а сама вершина плоская, вся лесом заросла. Там возводится резиденция сеньориты Анастазиа. В три стороны виды на море и скалы прибрежные, на город и порт, с четвертой стороны — горы в легкой дымке.

Затихли машины в тени, хлопнули дверки, развернулась охрана стеночкой. Начальник штаба полка подполковник Игорь Шевцов докладывает о работе проделанной, ведет хозяйку в дом. Вот он, в зарослях. Удивительное это сочетание: пальмы, сосны и кактусы... Отсюда, со стороны суши, из буйной растительности можно видеть только плоские крыши и глухие белые стены. Исполинской ширины окна и террасы развернуты на море, и отсюда их не видно.

Дорожка в густых колючих кустах. Внезапно прямо под ногами — обрыв. Это семьсот лет назад поперек скалистого перешейка вырублен ров — метров восемь глубина, метров пятнадцать ширина. Стенки с легким наклоном, почти отвесные, серые, в щелях кустики и деревца чахлые. Так что и со стороны перешейка к дому не подъедешь. Через ров — временный мост на металлических опорах.

— Будем строить постоянный?

— Нет, Анастасия Андреевна. Сейчас нам нужен мост для строительства резиденции. Закончим строительство, мост разберем. Для машин прорубим в скале спуск в ров, а из рва — в тоннель.

— А как ров укреплять думаете?

— Тут в порту во время Гражданской войны немцы подвезли сто десять тонн спирали из колючей проволоки. Я по случаю приобрел. А то валяется добро без дела. Думаем дно рва спиралями этими застлать, оставив один только проход.

— Может, мин под спирали положить?

— Положим. Мины заказаны, с взрывателями нажимного, натяжного и разгрузочного действия. Тут этого добра в достатке.

13

Знает капитан Юрин: в коридоре «А» пассажиры тайные. Высадка снова на островах Балеарских. Какие-то люди куда-то едут...

14

Залы, комнаты, широченного размаха террасы над морем Настю мало интересуют, показывайте главное.

— Со стороны моря ваша резиденция — сплошное стекло, как аквариум. Дворец кажется хрупким. Но это только впечатление. Основа здания — непробиваемый железобетонный куб, вокруг которого развернуты все эти стекляшки и террасы. Войдем.

Все тут еще краской переляпано, и окна еще не мыты, запах извести и бетона сохнущего едва не сильнее запаха моря и хвои сосновой. И стекло битое под ногой хрустит, и концы проводов электрических из стен торчат. А двери броневые уже закрыли входы во внутренние покои.

Лифт бесшумный скользнул вниз, в недра. Тут тоже все еще далеко от завершения. И все же будущий командный пункт уже живет, уже стрекочут телетайпы, уже дежурная смена принимает и обрабатывает доклады о поисках и находках.

И уже командир Лейб-гвардии Компьенского полка наставляет командиров батальонов. Наставляет кратко, напористо, жестко, выражений не выбирая:

— Природа не знает сострадания. Только подавление! Закон старый: или всех грызи, или... Давить всех! Давить!

15

Группа ликвидации высадилась с «Амурлеса» без приключений. Группа — семь человек: Ширманов — командир, Макар — снайпер-исполнитель, Эдик — радист-шифровальщик и четверо диверсантов-рейдовиков.

Ночь. Лодки надувные. Встреча во тьме с обеспечивающей агентурой. Рывок в скалы, в древние пещеры контрабандистов.

— Что слышно о ней?

— Слышно много, да только увидеть ее не так просто. Она нигде не появляется. А если появляется, то внезапно, без предупреждения. И охраны у нее почти как у товарища Сталина...

16

— На первом этаже вашей резиденции будут располагаться охрана, штаб и взвод связи. А работать все будем ниже, в скальном массиве.

— Где мой кабинет?

— Вот тут. Справа от вас — главный рабочий зал, напротив — четыре кабинета: командира полка, мой, начальника разведки и начальника контрразведки.

Вошла Настя в свой кабинет подскальный. Начальник штаба понял, что сейчас он должен оставить свою повелительницу одну. Он чуть поклонился за ее спиной и тихо вышел.

Белый ковер во всему полу. Потолки тут невысокие, оттого кабинет кажется шире. Стены по ее приказу отделаны толстыми пробковыми плитами. И по ее воле кто-то подготовил кабинет к работе: по стенам смеющиеся лица должников «Балерики», «Са Ностры», «Лионского Кредита», «ВБР», «Андалузии», «Ллойда», «Барклая». Под каждым портретом краткая справка: имя, фамилия, год рождения, место работы, должность, место жительства, размер долга. Это кратенько. А полностью о каждом — в папочках. Интересные люди среди должников: генералы, заместители министров, послы, даже тайный советник президента США сюда на стеночку попал, некий Джон

Хассель — элегантный, молодой, красивый и сильный. Улыбнулась Настя всем им: до скорой встречи, дорогие товарищи.

Села за широкий стол драгоценного дерева. Батарея телефонов справа, батарея слева. Как все это похоже на сталинский подземный город Москва-600. Только тут размах не тот, однако Настин кабинет и резиденция наверху куда как шире, чем там, в Жигулях. Там она почти никто. Одна из многих.

Тут — государыня.

17

Хороший бинокль у Ширманова. Цейс. Долгими часами Ширманов скалистый мыс рассматривает.

— Укрепилась, зараза. Как в Гибралтаре. Ты ее никогда не видел?

— Нет, дворец высоко на скале, и первые этажи прикрыты лесом, а на крышах и верхних террасах появляются только охранники.

— Думаешь, увидеть ее нельзя?

— Тут — нельзя. Дворец построен так, чтобы его обитателей со стороны увидеть не получилось, а стрельнуть по ним — тем более. Это не все. Дворец на скале — это вершина айсберга. Все что важно — в скале. Скалу они рубят день и ночь.

— И никто на это не обращает внимания?

— Она действует, как товарищ Сталин, все свои действия — напоказ, потому никого ее действия не беспокоят. Ведется большое строительство, и камень ненужный ленточным транспортером сбрасывают в море. Все законно, все правильно. Но видел бы кто, сколько тысяч кубов того камня они уже в море сбросили! С одной стороны — убежище в скалах, с другой — вокруг мыса они забивают каменюгами подходы кораблям и лодкам.

— Слушай, а есть ли под Пальмой катакомбы?

— Ого! Еще какие! В Одессе камень-ракушечник рубили меньше двух веков и нарубили полторы тысячи километров галерей под городом и еще две-три тысячи километров в пригородах. Соображаешь: четыре тысячи километров? А тут камень рубили тысячелетиями.

— Уж не рубит ли она выход в катакомбы?

— Она явно в скалах себе командный пункт вырубила с запасами и убежищами, а если соединит свои подземелья с катакомбами, то ее нам вообще не достать. Представляешь? Она сможет появляться в любой момент в любой части города, за городом или в порту. Мы ее тут ждем, а она уже на шикарном лайнере в Нью-Йорк шпарит!

— Она, зараза, еще и переодеваться любит. Нарядится оборванцем, вынырнет в каком-нибудь переулке, поди узнай ее на городской улице...

18

Зашуршал шинами белый «роллс-ройс», изогнулся водитель в поклоне, дверь броневую распахивая. И понес ее автомобилище в пристанище людей состоятельных — в «Сон Виду».

Дорога в «Сон Виду» ничего хорошего не сулит. Все в гору и в гору. А по сторонам — рощи редких скрученных деревьев. Тут, под палящими лучами, выгорает все. Выгорает трава. Выгорают черепичные крыши. Банка валяется у дороги, блестит, как серебристый радиатор лимузина. А две недели назад банка не была такой. Она была огненно-красной, с белой надписью «Кока-кола». Пни ту банку, и окажется, что только сверху она сверкающая, а бока у нее розовые, а то, что снизу, так и осталось огненно-красным, и остались белые с размахом завитушки — «Кока-кола»». Поваляется та банка еще под солнцем, и тот красный бок тоже выгорит, в серебряное сверкание превратится.

Сосны на Балеарских островах реденькие, к земле палящей жарой придавлены и пылью присыпаны. Это глина выгоревшая пылит. И от пыли той все деревни и церкви, и тысячи мельниц изломанных — все рыжее. И листья на деревьях все той же пылью перемазаны.

Несется машина выше да выше. Вот и море вдали сверкнуло. И гавань, яхтами забитая, как бочка сельдями охотскими. И французский красавец линкор на горизонте, по силуэту «Страсбург» или «Дюнкерк».

Тут, на высоте, растительность богаче и воздух чистоты пьянящей. Пронесло «ройс» ущельем — и остановочка. Полиции кордон: строго тут на подходах к «Сон Виде».

В Британии надо за уголок завернуть, чтоб жизнь красивую увидеть. А в Испании для этого надо пройти через ущелье и полицейский кордон. Там, за ущельем, и климат иной. Там рощи мандариновые в свежести горного ветра. Козырнула полиция, и понесло машину по спирали круто вверх на скалу к старому замку. С него-то «Сон Вида» и началась. Потом к замку корпуса пристроили, сады вокруг насадили, цветами уголочки переполнили. В мире много отелей, как звезд на небе. А среди них есть тысяча самых лучших. А в тысяче лучших — сотня великолепных. А в любой сотне есть лучшая десятка. Так вот, «Сон Вида» уверенно в первой пятерке мира держится. «Сон Вида» — для людей действительно богатых. «Сон Вида» — тихий уголок для особ коронованных и для людей с большими деньгами. Кто еще позволит себе в «Сон Виде» деньги тратить? Только шейхи нефтяные. Ну, еще лидеры профсоюзного движения, слуги рабочего класса. Они буржуазную жизнь ненавидят, и потому их сюда тянет, как проститутку в монастырь, как сыщика в блатную компанию...

Привратники в «Сон Виде» величавы. Дверь машины открывают жестом, который лет тридцать отрабатывать надо. Поклонились привратники путешественнице, козырнули телохранителям ее: добро пожаловать.

А внутри — тишина. И гобелены по стенам, и мраморные колоннады, во мрак прохлады ведущие, и панели русского дуба, и оружие на тех дубовых стенах. Так и спер бы какой пистолетик забытого века и у себя в доме над камином приладил бы. И фотографии генералиссимуса Франко. Не вверх ногами, как у нас на учебной точке принято, а ногами вниз. И подпись его благодарственная. Мол, бывал тут, претензий не имею.

Персонал в «Сон Виде» — это особая порода людей. Швейцар в «Сон Виде» смотрит на мир, как мудрый кот, понимая все и прощая нам мелкие шалости. Глянул дядька в пышных усах на сеньориту Анастазиа, узнал. Ее все узнают...

Мимо бронзовых пушек — в пальмовую рощу на склоне.

Любит Настя «Сон Виду». Хорошее место. Если денег еще немного накопить, то можно бы и купить «Сон Виду». Тут собираются все. Тут проигрывают состояния. Тут продают и покупают заводы и железные дороги.

Тут устанавливают курс валюты и уровень инфляции... В скале под «Сон Видой» вырубить бы бункер и снимать информацию со ста двадцати четырех микрофонов. Над миром встает Мировая война. Большая война. Это время делать большие деньги. И большую политику. А чтобы решения принимать, нужно знать обстановку... Тут бы конференцию устроить капиталистическую, как съезд коммунистической партии, голосование организовать по сталинскому методу...

19

Работа снайпера на войне — одно дело. На войне снайпер засел в укрытие и ждет, кто появится. Появилась цель красивая — офицерик из-за бруствера высунулся, танкист из люка — бац его... И жди следующего.

А у снайпера-исполнителя совсем другая работа: не абы кого стрелять, а того, кто заказан. Вот тут много проблем возникает. Тот, кто заказан, — в машине броневой с черными стеклами. Во-первых, обыкновенной пулей ту машину не пробьешь. Во-вторых, если пробьешь машину пулей бронебойной, то что толку? Дырка в машине. Пуля над ухом просвистит. Пуганешь клиента, он осторожнее будет. Да и черт же его знает: мотается машина с черными стеклами по прекрасному городу, а клиента в машине может и не оказаться. Клиент, переодевшись в дерюжку, из своего дворца в мусорной машине может выехать...

Держать снайпера-исполнителя несколько дней у объекта в надежде на случайное появление клиента нельзя. Тут всякие последствия быть могут. И все негативные.

Нужно знать совершенно точно время и место... Иначе...

20

Не спит Мессер. Не спит.

Он сказал людям то, что они хотели слышать. Будет ли война? Понятно, будет! И даже очень скоро. Советский народ ждет эту войну с нетерпением и радостью. И сам товарищ Сталин объявил, что вот она уже начинается, да и началась уже и бушует!

Зачем народу так хочется войны? Зачем народ советский ее ждет с такой радостью?

Кажется Мессеру, что война для народа советского будет совсем не такой, как ее себе представляют нетерпеливые.

Но может быть, он ошибается?

Ведь ошибся же он там, в Вене, на площади перед парламентом, когда голодного художника предупредил, чтобы он на восток не ходил. Теперь художник написал «Майн Кампф», не голодает больше, канцлером германским заделался. И снова Мессер публично ему дурацкое предупреждение выдал — на восток не ходить. Почему, собственно, не ходить на восток? Мессеру и самому непонятно, что он этим сказать хотел. Что, ни одного шагу на восток из Имперской канцелярии? Или ни одного километра на восток из Берлина?

Не спит Мессер. Может быть, он и про Жар-птицу глупостей наговорил? Он был против нее. Он доказывал, что из нее королева не получится.

Так ведь черт же ее знает.

Не допустил Мессер, чтобы Сталин публично под стол полез и себя козлом назвал... Из Москвы чародей уехал, чтобы не дать Сталину возможности под стол лезть, себя перед соратниками позорить. Но не страх тому причиной.

Что-то томит. Что-то где-то не стыкуется.

Может, Сталин прав?

Может быть, спор еще не окончен?

Глава 27

1

Лужи он больше не обходит.

Незачем. Ветер давно унес шляпу, а дождь вымочил его до последней пуговицы, до последнего гвоздика в башмаках. Вымочил сквозь плащ и пиджак. Вымочил так, что носовой платок в кармане и тот выжимать надо. Хлещет дождь, а он идет сквозь ветер и воду.

Обходи лужи не обходи — без разницы. Он идет из темноты в темноту. Он идет, нахохлившись, голову — в воротник. Отяжелел воротник. Пропитался. С воротника за пазуху — струйки тоненькие. Если шею к воротнику прижать, то не так холодно получается. Вот он шею и прижимает к воротнику.

Капли-снежинки по черным стеклам домов так и ляпают. А попав под ноги — шелестят капли, похрустывают. И только пропитав ботинок и отогревшись слегка, в обыкновенную воду те капли превращаются и чавкают в ботинках, как в разношенных насосах. Тяжелые, набрякшие штанины облепили ноги. Вода со штанов ручейками — какой в ботинок, какой мимо. А из мрака на него — страшные глаза: «Советские иллюзионисты — лучшие в мире! Спешите видеть: Рудольф Мессер снова в Москве!» И с другой стены, из темноты, смотрят на вымокшего те же глаза. И с третьей. В этой стране чародейство не признают. Официально. Потому Рудольфа Мессера тут называют просто иллюзионистом-фокусником. Со всех стен Москвы глаза фокусника темноту сверлят. Афиши в три этажа. Дождь по тем афишам плещет. Рвет ветер водяные потоки с крыш, дробит их и в глаза фокуснику бросает, но глаза магнитные в тусклом свете фонаря смотрят сквозь воду, пронизывая ее.

2

— Макар, спишь?

— Ой, сплю, отвали.

— Макар, я сейчас только сообразил, зачем товарищ Сталин всем этим королям и кайзерам бал-маскарад устроил.

— Зачем?

— Все просто. Товарищ Сталин самые главные свои планы объявляет на весь мир, и тогда никто ему не верит. Вот и тут он собрал их всех вместе, у каждого память феноменальная, каждый всех остальных запомнил. Так вот, если один убежит и расскажет сталинский план, то ему не поверят и в желтый дом посадят. Уж слишком много знает. Это необычно. А проверять такую фантастическую версию ни у кого ума не хватит.

— Так, значит, нас сюда зря прислали? Если она начнет болтать, ей все равно не поверят.

— Нет, прислали нас не зря. Если товарищ Сталин кого-то приказал ликвидировать, значит, есть на то основания.

3

Элегантный, молодой, красивый и сильный поклонился и представился:

— Джон Хассель. Советник-посланник государственного департамента США.

Подала Настя руку для поцелуя, тоже представилась:

— Анастасия.

Последнее время ей почему-то нравится представляться именно так: без фамилии, без званий и титулов — просто Анастасия. Так представляется и Джону Хасселю. Он из Лондона. Вернее, из Вашингтона. В Лондоне на конференции был. А оттуда прилетел в Пальму. Он остановился в лучшем отеле Балеарских островов, Испании и всего Средиземноморья — в «Сон Виде». Он тут бывал раньше. Он тут был еще до 18 июля 1936 года, до того дня, когда радио Мадрида и Барселоны передало условный сигнал: «Над всей Испанией чистое небо». Гражданская война в Испании назревала давно, по этому сигналу война разразилась. Гражданская война — это время делать деньги. Джон Хассель деньги сделал. Но война кончилась. Не так красиво кончилась, как хотелось. Надеялся Хассель, что банк «Балерика» в ходе войны разорится. Но банк не разорился. Банк устоял, выжил и, поступили сведения, силу набирает. Это и не нравится советнику-посланнику Государственного департамента США. Он прилетел на три дня и сделал много. Главное: обойти стороной старых руководителей банка, которые его знают, выявить новых, завести отношения. Выяснил Хассель: руководящий состав в основном на прежних местах. Новых людей в руководстве нет. Впрочем, там какая-то сеньоритка у них объявилась, официальной должности у нее, видимо, нет, но она близка к руководству и, возможно, кое-что знает. А как зовут ее? Анастазиа? А где встретить ее?

Главное, иметь надежные источники информации, со знающими людьми дружбу водить. Подсказали: все общество островов Балеарских по вечерам у «Сон Виды». И она там иногда бывает. И вот Хассель в «Сон Виде». Ему на нее кивнули: вон та, в сапфирах. И вот уже она в его руках, он кружит ее в танце, он провожает к столику. По откосам вниз — дорожки. Вдоль дорожек, среди водопадов и буйных зарослей пальм и пальмочек, орхидей и роз, под цветными фонарями — столики.

Он — дипломат, он вежлив, хитер и напорист.

— Вы сегодня одна?

— Я всегда одна.

4

Спит Макар. Что ему? Его дело телячье, эту штуковину СА в порядке содержать, пить и жрать, спать, понятное дело — соблюдать спокойствие, не волноваться, а в назначенный момент точно стрельнуть.

А Ширманову и всей группе остальной рабочий день по 18 часов.

Жар-птицу надо выследить. Поди попробуй! Вообще неясно, тут она или в Париже. Или в Гавану унеслась? И появляться она из своих укреплений перестала. Единственное исключение — «Сон Вида». Но как узнать заранее, что она там будет?

5

— Вы позволите?

И он уже рядом с нею, и он уже рассказывает ей о жизни в Вашингтоне. Он смешит ее, и она смеется.

Нужно осторожно выяснить, отчего же «Балерика» не рухнула. И подозревает Джон Хассель худшее: руководители банка политику сменили, не шлют больше писем с требованиями деньги вернуть, но железной рукой взяли своих должников за белы груди, за глотки и вообще за всякие другие штуки, за которые ухватиться можно. Потому требуется разнюхать секрет живучести банка. Нужно не ждать, когда где-нибудь в Вашингтоне среди шумного бала к нему подойдут веселые ребята... Надо действовать. Не знает пока Хассель, как именно действовать, но в любом случае надо в руководстве банка завязать связи, нужен источник информации...

Ему везет. Молоденькая девушка в руководстве, что можно придумать лучшего? В руководстве олухи: как к банковским делам такую подпускать можно? Понятно, она знать не может, кто долги выколачивает, но что-то она знать должна... Вот она-то Хасселю и нужна. Красавцу девушек вербовать нетрудно, сами следом бегут...

Она так молода, так открыта...

Джон Хассель рассказывает о себе и своей жизни...

Он мог бы этого не делать. И мог бы не представляться: своих клиентов сеньорита Анастазиа знает.

6

Если проникновение на заданный объект невозможно, то надо искать смежные объекты. Пробраться на скалу невозможно — пристрелят, а труп акулам скормят. Но там, на неприступной, охраняемой скале, ведутся грандиозные строительные работы. Кто их выполняет? Кто архитектор? Где он живет? Кто инженер главный? Где встретить его? Кто поставляет цемент, стекло, металл? Кто поставляет строительную технику и обслуживает ее? И кормить людей надо. Кто поставляет мясо? Кто — рыбу? Кто — фрукты? Кто — овощи? Кто — цветы к столу хозяйки? Если требуется хирургическая операция охраннику, в какой госпиталь его повезут? Кто и где ремонтирует лимузины? Сколько их, лимузинов? Кто их водит? Кто поставляет бензин и в каких количествах? Есть ли яхта? Где она? Кто яхту охраняет? Откуда во дворец поставляют мебель? Есть ли у обитательницы дворца друзья? Есть ли им доступ во дворец на скале? Кто эти друзья? Чем занимаются? Где живут? Если им нет доступа на скалу, где она их встречает? Кто поставляет воду, газ, электричество?

Сколько телефонных линий соединяют скалу с остальным миром?

Можно задать еще миллион вопросов и получить миллион ответов.

Ширманов вопросы задает. На ноги поднята вся агентура. Собрано много-много всего, но с мертвой точки дело столкнуть не удается. Для покушения, для того чтобы сделать успешным единственный выстрел с огромного расстояния, нужно знать точное время и место, где она появится. Нужно знать ее план.

А как?

7

Своих клиентов сеньорита Анастазиа знает. Хассель в ее подземном кабинете на стеночке давно висит, кнопочками присобачен. Она знает, как Хассель делал деньги: мелкий чиновник государственного департамента имел доступ к малому кусочку информации: в Испании скоро война начнется. Вот и все. Принесся в Пальму, сверкнул принадлежностью к Госдепу и под огромные проценты взял заем в «Балерике». Деньги вложил в карьеру. Настя знает, как высоко он вознесся. Пять человек в мире знают: он тайный советник президента Рузвельта. Пять человек — это включая президента США и самого Хасселя. В этом списке Настя Жар-птица пятая. Хассель считает, что эту тайну знают только он, президент и еще двое. Хассель не учел пустячок: тот, четвертый, тоже должник «Балерики», за неимением денег расплачивается секретами. Настя знает, что и Хасселю тоже долгов не вернуть: спустил денежки тайный советник президента. В рискованное дело денежки вложил, риск не оправдался. Это агентура из Вашингтона доложила. В Вашингтоне тайного советника уже ждет группа ротмистра Синельникова, поговорить надо... А тайный советник тем временем сам сюда прибыл.

О том, что Хассель в Пальме, Насте сообщили в тот самый момент, когда он показал свой паспорт дипломатический, проходя контроль.

О том, что интересуется руководством банка «Балерика», Насте доложили в тот самый момент, когда такой интерес был проявлен. Хассель интересуется не ветеранами в руководстве банка, а новыми людьми. И это было доложено.

Если он сам ищет встречи... пожалуйста...

— Вы знаете, мисс Анастазиа, мне нужна ваша помощь.

— Все что в моих силах.

— У меня есть некоторое количество денег, которые мне просто неудобно вкладывать в Соединенных Штатах, не подскажете ли вы...

— Подскажу. Есть великолепный банк. Называется «Балерика»...

— «Балерика»?

— О да!

— Я слышал, «Балерика» разорилась.

— Вас неправильно информировали. «Балерика» процветает.

— Да что вы говорите! Этого не может быть. Этому нельзя поверить.

— Но это действительно так.

— Как же это могло случиться?

— Вы хотите узнать секрет успеха?

— Было бы интересно.

— Вы знаете, Джон, я в ближайшее время вам эту тайну открою

8

Подбросило Ширманова над кроватью.

Мы видим кусочки разрозненные. А надо видеть в целом... Три кусочка информации в один слились.

Во-первых, она любит переодевания.

Во-вторых, под контроль взято множество смежных объектов, но надо найти и взять под контроль еще один объект — ателье, одно из лучших на острове или просто самое лучшее, в котором заказывает свои наряды богатая, весьма богатая женщина.

В-третьих, ее план неизвестен, но известен план ее любимого отеля. В «Сон Виде» — балы, конференции, карнавалы.

Карнавал! Вот он! Карнавал! 13 апреля! Начало в семь вечера!

9

Группа ротмистра Синельникова информирована, когда мистер Хассель возвращается в Вашингтон, где и под каким предлогом его встретить.

Интересно ротмистру, как поведет себя тайный советник президента США, если ему в штаны вложить гранату РГД-33?

10

Только Ширмановы ребята уснули — подъем, глиняные головы!

— Срочно раздобыть сведения о пяти самых лучших ателье города!

— Есть!

— Разнюхать все о карнавальных костюмах, заказанных недавно: кто заказал, что и кому.

— Есть!

— И последнее... Шифровку в Москву. Запросить в кремлевском ателье, какой костюм для нее шили на маскарад, и все размеры...

11

В Москве глухая ночь. В Москве тяжелый дождь.

Последние дни ему не давала покоя Жар-птица. Она приходила во сне и говорила Мессеру что-то хорошее. Ночами ученица чародея выходила на связь. Докладывала. И он улыбался ей во сне, хвалил. Просыпался и ничего не помнил. А ведь докладывала она что-то очень важное.

12

Карнавал для женщины — это не просто переодевание. Карнавал — это возможность побывать в мечте. Потому у женщин с устойчивым вкусом столь же устойчивая тяга на маскарад наряжаться в костюмы разные по цвету и форме, но одинаковые по замыслу. Эти сведения — из элементарной психологии.

Доложили Ширманову, сколько женских маскарадных костюмов заказано в лучших ателье славного города Пальма, доложили, кем заказаны костюмы.

Неясность только с одним роскошным нарядом. Это костюм шамаханской царицы. Кем заказан, неизвестно. Суда по размеру, наряжена в него будет небольшая, тонкая, стройная женщина. Размеры — вот они на бумажке.

Ширманов взял листок, отошел к окну, сверил с ответной шифровкой из Москвы...

И просиял.

13

На скалистом утесе — старинный замок. С него-то «Сон Вида» и начиналась — пристроили к замку корпуса роскошные, сады развернули-разостлали. А вокруг — долина миллиардеров. Подковой вокруг — дикие горы. Сюда кого ни попадя не пускают. На то охрана выставлена в ущелье у моста, у единственного прохода в долину. А помимо того, тут полицейские посты на каждой сотне метров. Тут патрули с собаками рыщут: это пусть всякие там миллионеры трепещут от страха, а люди действительно богатые, люди с миллиардами, должны жить спокойно. Заслужили. Они за безопасность платят. Потому их охраняют. Бдительно. Потому чужаков тут стреляют без предупреждения. На убой! Потому своры ротвейлеров тут спускают вдогонку любому непрошеному. На разрыв!

В зеленой долине — белые дворцы. Там — голубые бассейны. Там — лимонные сады и пальмовые рощи. Сквозь заросли цветов бегут с гор гремящие чистые реки. У самого моря блестят-переливаются соляные болота в камышовых чащах. Оттуда снизу — песий лай и крики погони. Кого-то охрана застукала и не угомонится, пока нарушителю голову не прострелит. Псы не утихнут, пока нарушителя не раздерут в клочья.

Далеко вокруг горы с замком и отелем, вокруг миллиардерской долины — мрачные гребни полуголого хребта. Хребет изогнуло почти полным кольцом. Там, где круг далеких гор разорван, сверкает море. У моря — город. Его отсюда видно, как с самолета. И широкий залив: на сверкающем зеркале ленивым морским зверем лежит британский линкор со свитой.

А вдали от суеты, на вершине скалы на тенистой террасе «Сон Виды» — великолепный маскарад. Все в сборе. Не хватает только одного очень важного гостя. Понятно, все наряжены в костюмы — не узнать. Но ее узнают. По почерку. Уж если появится... Вот она! Ее видно издалека. С террасы «Сон Виды» Далеко в ущелье у моста из-за полицейского кордона появляются нарядные всадники. Два обнаженных до пояса мускулистых фиолетовых арапа сдерживают на серебряных цепях готового взвиться на дыбы вороного жеребца. Должен отметить, что породистый арап — черный с синим отливом. А тут не то что черных нашли, но синих с фиолетовыми разводами. В расшитом золотом седле — повелительница-персиянка: из-под шелковой, перевитой жемчужными нитями чалмы, сквозь прозрачную вуаль — капризный прищур. За нею — кавалькада сияющей свиты...

14

Макар развернул оптику. Помимо прицела и мощных биноклей, в группе — немецкий зенитный оптический дальномер.

— В ущелье ее не достанем. Пусть едет себе через долину и поднимается на скалу к отелю, мы возьмем ее прямо у входа на террасу.

— Понял.

— Дальность?

— Четыре, сто десять.

Группа ликвидации — меж двух огромных камней, на скальном карнизе.

Вокруг долины — скалы. Кто догадается, что с такого расстояния достать можно?

— Цель: женщина в чалме на вороном коне.

— Цель вижу. Вас понял.

— Теперь смотри сюда.

Положил Ширманов перед Макаром фотографию большую.

Аж сердце Макару сжало. Это та, что во снах Макара тревожит.

— Ее же убили однажды!

— Нет, Макар. Ее однажды проверяли. Ей контрольный расстрел устроили. А вот теперь ее действительно убить надо. Готов?

— Готов, — не дрогнув лицом, Макар отвечает.

— Гордись, Макар: товарищ Сталин тебя персонально на такое дело поставил. Не знаешь, почему на тебя сталинский выбор пал?

— Не знаю. — Голос срывается.

— Я тебе расскажу. Этой девочке контрольный расстрел устроили. Как у нас принято, контрольный расстрел на пленку сняли. Дядя Вася снимал. Потом ты товарищу Сталину пленку крутил. Товарищ Сталин обратил внимание на неравнодушие твое. После того, Макар, ты во сне ее звал. И не раз. Записи криков твоих в папочки подшиты. И, оставаясь один, ты фильм про нее сам для себя крутил. Двести сорок один раз. Тогда решено было тебе ее издалека показать, на спецучастке. Ты ее узнал. Трепыхнулся. Но не поверил, что это она. Думал, что просто похожая. Так дело, Макар, было?

— Так. — Макар хрипит.

— А теперь выбор тебе: сам ее убьешь одним выстрелом или мне почетную работу уступишь?

15

Ревет буря над Москвой, гнет голые деревья, хлещет ветвями по стенам и окнам. Холодно в Москве. Противно. А у Сталина в кремлевской квартире тепло и тихо. Спит Москва. Сталин не спит. По углам кабинета мрак. Но теплый мрак. Добрый. Приветливый. На столе рабочем — лампа зеленая, и на маленьком столике журнальном — тоже лампа зеленая: два островка зеленого света в приветливом мраке. И ужин на двоих. По-холостяцки. Бутылка вина с этикеткой домашней, самодельной. Название — одно слово химическим карандашом, грузинским узором. Шашлыки огненные.

Разговор — лесным ручейком по камешкам.

— Вам еще налить, товарищ Холованов?

— Нет. Спасибо, товарищ Сталин. Хватит на сегодня.

— Тогда к делу. Вы мне обещали рассказать что-то интересное про Жар-птицу, что-то такое, чего я пока еще не знаю.

Выдохнул Холованов шумно. Шум сдержать пытался. Не вышло.

— Сегодня приговор будет приведен в исполнение. Она будет убита, — посмотрел на часы — через семь минут.

16

Ширманов слегка улыбнулся и тронул Макара за плечо:

— Заряжай!

Всхлипнул Макар. А Ширманов весел:

— Правило старое: плавно жми, не дыши, ровно мушку держи. Затаи дыхание и плавненько...

17

Встал Сталин, подошел к окну и долго смотрел на капли с кристалликами.

— На всех участников исполнения приговора представьте наградной материал.

— Есть!

— Когда вернутся, встретить как героев. Ужин закатить. Награждение торжественное... Потом Макара арестовать... и ликвидировать.

— По какой статье?

— Не знаю. Придумайте что-нибудь. Был бы человек, а статья найдется. Прилепите любую.

— Можно и Ширманова?

Смолк Сталин. Посмотрел Дракону в глаза внимательно:

— А Ширманова за что?

— В свое время я приказал ему найти Мессера. Ширманов приказ не выполнил...

Посмотрел Сталин еще раз в глаза Дракону:

— Ладно. Можно и Ширманова. Только сначала наградить.

18

Ширманову совсем хорошо:

— Утри сопли, Макар! Готов? Готов, спрашиваю? Огонь!

19

Они долго молчали.

— Это хорошо, товарищ Холованов, что вы не согласились убивать Жар-птицу. Знал, что между вами что-то было, я вам, товарищ Холованов, контроль устроил. Она — враг. Но если бы вы ее убили, то я бы вас сначала наградил...

Снова замолчал Сталин. И молчал долго.

— Жар-птицу жалко, товарищ Холованов. Мессер был прав. Ее нельзя было посылать на такую работу. Ее надо было тут оставлять. Под контролем. Она бы много пользы принесла. Не послушал я Мессера... Где, кстати, он? Соскучился без него.

— Тут я, товарищ Сталин. Извините, без приглашения, без стука. Только сейчас вошел...

Тут Сталин с Холовановым его и увидели.

— Ай, какой мокрый, понимаешь. Обсушись.

Наливает Сталин «Хванчкары»: выпей, согрейся, дорогой. Так без тебя, понимаешь, мне плохо.

Холованов с полотенцем бежит, с халатом сталинским, с одеялом: к огню садись.

Еще Сталин льет:

— Мы тут про тебя говорим. Ты был прав. Ее нельзя было посылать на такое дело.

— Товарищ Сталин! Затем из Сибири прилетел, чтобы...

— Мы ее убили.

— Я не знал, но чувствовал беду. Зря убили.

— Она вышла из-под контроля.

— Вы срубили деревце, которое могло бы принести золотые яблоки.

— Какие еще яблоки?

— Понимаете ли, что она совершила?

— Она ничего не совершила!

— Она блестяще провела выход.

— Уход.

— Откуда вы это взяли? Она провела легализацию. Провела ее образцово. Можно будет потом приводить ее как пример: у испанской, французской, швейцарской полиции нет вопросов... а если возникнут, ей есть что ответить.

— Она не выходит на связь...

— Мы сами так ее учили: 93 процента провалов агентурной разведки — на связи. Потому в самом начале — глубокое залегание и никаких ненужных контактов. Связь — только в крайнем случае, если ей нужна будет помощь или если у нее появится информация для передачи. Помощь ей не нужна. Никакая. Она сама обеспечила себя документами и деньгами, свои операции самого широкого размаха она готова финансировать без нашей помощи и очень щедро. Успехов в добывании у нее пока нет...

— И не предвидится...

Мессер аж задохнулся...

— Так нет же, товарищ Сталин! Она провела подготовительную работу так, как никто до нее не проводил: она получила доступ к спискам должников ведущих банков Испании и Франции. Всем не хватает денег. У нее доступ к спискам тысяч должников на всех континентах, в том числе должников в самом Вашингтоне. Человек, которому позарез нужны деньги, почти ваш. Нужно только эти деньги предложить, умело предложить. А уж она-то умеет. Она может опутать шпионской паутиной столицы Европы, а может быть, и Вашингтон. Ей осталось только из списка должников выбирать, как из сети, самых жирных лещей. Среди должников множество мелкоты. В то же время в долги попадают и большие люди. Свой финансовый крах они скрывают и ради денег готовы на все. Не знаю, кто в этих списках, но может оказаться кто угодно, хоть советник самого Рузвельта...

Мессер запнулся, понимая, что хватил слишком высоко.

— Ну не советник президента США, так замминистра, шифровальщик Пентагона, секретарь директора Федерального бюро, начальник полиции столицы, черт побери. Ей остается только выбирать, кого вербовать.

— Так, значит, она не убежала?

— Нет, конечно. Мы не так ее поняли. Она маскируется.

— Уж слишком необычно...

— Она — моя ученица. Это я приказал ей искать необычный путь. Самый необычный. Такой, по которому никто раньше не ходил. Такой, на котором никто в ней не заподозрит сталинскую разведчицу.

— Она написала абстрактную картину!

— А вы хотели, чтобы она не отклонялась от канонов социалистического реализма?

— Ее понесло в объятия белогвардейцев!

— А вы хотели, чтобы она вступила в испанскую коммунистическую партию?

— Она снюхалась с банкирами и вошла в их круг!

— А вы хотели, чтобы она начинала с организации колхозов?

— Мессер, мне больше нечего возразить.

— Знаешь, Сталин, ведь в чем-то она даже тебя превзошла.

— Меня?!

— Ты грабил банки, а она решила, что банки не надо грабить. Их надо охранять, брать под покровительство, прикрывая теплым крылом. Я был против нее. Это я проиграл. Созывай Политбюро, я под стол полезу, себя козлом назову.

— Не надо, Рудольф. Мы все проиграли. Мы недооценили нашу Жар-птицу. Выходит, она работала на нас так, как никто не работал. Она точно выполняла инструкции и ни одну не нарушила. Мы этого не поняли. Не будем об этом. Тут ничего не изменишь. Именно в этот момент ее убивают.

20

Брызнула голова восточной повелительницы, царицы шамаханской.

Рванулся конь, взбесился. Безголовое тело повалилось из седла. Взвыли-взревели вокруг. Паника-истерика, на непонимание помноженная, подавила сразу всех на террасе «Сон Виды»...

Где-то далеко-далеко в чистом небе громыхнуло. Так в Испании бывает. Иногда. И закричали-завизжали вокруг: «Убита Птица огня! Птица огня убита!»

Не поняли люди: что случилось? И полиция не поняла. Это, ясно, не взрыв. Но это и не пуля. Пуля дырку пробивает, а не разбивает головы в отвратительные серые брызги. Да и неоткуда пуле прилететь. Снизу из долины миллиардеров не могла она сюда залететь — не та траектория. И с гор соседних тоже — далеко. Потому о пуле даже и версии не возникло. Более вероятно: голову раздробила небесная сила...

С таким выводом не поспоришь. Все тут понятно. Кому непонятно, пусть ищет другую версию.

21

Далеко внизу, в долине псы лаем захлебываются. Кто-то уходит от погони. А тут на карнизе меж камней тихо.

Ударил откат Макара в плечо. Звук выстрела исказил глушитель, в облака бросил. От звука этого змея в камнях встрепенулась и ящерки в тень побежали.

Спешить группе некуда. Можно работой своей любоваться. Любит человек, дело трудное завершив, созерцать трудов своих результаты. Нелегко выследить было Жар-птицу. Выследили. Нелегко одним выстрелом голову разломить. Разломили. И готовы выполнить любое задание партии и правительства!

Через прицел, через бинокли, через оптический дальномер группа результат работы обозревает. Паника там у «Сон Виды». Никто ничего не понимает...

Стукнул Ширманов Макара по плечу:

— Молодец! Знай, если бы отказался стрелять, я бы тебя тут же и пришил бы вот из этого «Люгера». А так тебе орден. Не знаю насчет «Ленина», а «Красное Знамя» — точно заслужил. И я — тоже.

Погладил Макар ружье со странным названием СА. Сильная штука. Изрыгнул затвор гильзу. От гильзы легонький дымок и горький запах, который хочется вдыхать. И из распахнутого казенника — горький запах сгоревшего пороха и масла ружейного...

Тут Макара и озарило. Открылся ему смысл таинственного сокращения СА: Сталинский Аргумент.

Эпилог

Над всей Испанией чистое небо.

Тут, в Испании, не бывает тяжелых затяжных дождей. Тем более дождей со снегом, с хрустящими каплями-кристаллами. Редко-редко — хмурая мерзость. Как исключение. А как правило, бывают тут теплые средиземноморские ливни: потоки чистой небесной воды из прозрачного неба вдруг обрушиваются на землю и скалы, на моря и порты, на мосты и дороги, на мельницы и харчевни, на дымящие паровозы и бегущих путников. Вода внезапно переполняет сухие русла речушек и рек ревущими мутными потоками, несущими к морю могучие валуны-каменюги, и вывернутые с корнями деревья, и выгребную грязь городов, и телегу зазевавшегося торговца, круша и перемешивая ее с обломками гранитных утесов. Вода с небес обрывается вдруг и вся сразу. И громыхают тропические раскаты, и молнии секут звенящее небо, и сквозь грозу сияет солнце безудержной радостью, изукрашивая небо небывалыми радугами. И расцветает все, и капли долго еще сверкают и трепещут на широких листьях.

Но снова нездешний заморский африканский жар обнимает Испанию, сушит земли, болота и русла рек, загоняет прекрасную страну в тяжелый липкий полуденный сон с кошмарными видениями.

Под солнцем Испании, под ее небом, лучами прошитом, по горячим отвесным уступам сквозь колючие заросли золотой ящеркой неслышно скользит гибкий чумазый мальчишка-оборванец... Вперед и вверх. К вершине. К старинному замку. К прекрасному отелю «Сон Вида». Чумазым тут не место. Сюда оборванцев не пускают. На то охрана выставлена в ущелье у моста, у единственного прохода в долину миллиардеров. А помимо того, тут полицейские посты, тут патрули с собаками рыщут. Чужаков тут стреляют без предупреждения. Стреляли и в нашего оборванца и свору псов на него спустили. Но оборванец проходил и не через такие кордоны. Привычен. Ушел от собак. След запутал. Теперь — вверх. Выше и еще выше. Внизу — зеленая долина с игрушечными белыми дворцами. Внизу — голубые бассейны. Внизу — лимонные сады и пальмовые рощи. Сквозь заросли цветов бегут с гор гремящие чистые реки. У самого моря блестят-переливаются соляные болота в камышовых зарослях. Оттуда снизу — песий лай и крики погони. Охранники не угомонятся, пока нарушителю голову не прострелят. Псы не утихнут, пока нарушителя не раздерут в клочья. Прекрасная Испания, отдадим тебе должное: зверства в тебе тоже хватает. С избытком. Лучше не попадаться. Потому чумазый рванул к болоту, сквозь лезвия осоки, сквозь гудящий комариный звон, через чваканье топей ушел в сухое пылящее мелколесье и теперь, задыхаясь, кислый пот с лица рукавом стирая, уходит туда, где его появление меньше всего можно предполагать: к вершине скалистой горы, к «Сон Виде», туда, где собак больше, где охрана злее, где грохочет-звенит маскарад. Там собрались все те, кто правит Испанией и Европой.

Далеко вокруг горы с замком и отелем, вокруг миллиардерской долины — серые гребни хребта. Хребет подковой изогнуло, почти полным кольцом. Там, где круг далеких гор разорван, сверкает море. У моря — город. Его отсюда видно, как с самолета. И широкий залив: на сверкающем зеркале ленивым морским зверем лежит британский линкор со свитой. Это, понятно, сам «Нельсон». И шесть эскадренных миноносцев его сопровождают. У «Нельсона» совершенно необычный силуэт. Прямой нос. Борт низкий. Но это иллюзия. Борт кажется низким потому, что корпус линкора — исполинской длины. И столь же исполинской ширины. От носа почти до самой середины корпуса верхняя палуба голая, как на авианосце. И только почти у центра — первая орудийная башня главного калибра весом в полторы тысячи тонн с тремя чудовищными пушками. За нею и чуть выше — вторая такая же орудийная башня. Далее — третья. Весь главный калибр — впереди. Надстройки, мачты, труба, орудийные башни универсального калибра, шлюпки, баркасы, зенитные батареи — все это смещено к корме. С чем такой силуэт спутаешь? В мире есть еще только один корабль с таким точно силуэтом — британский линкор «Родней», одной с «Нельсоном» серии. Но каждый, кто интересуется, знает, что в данный момент «Родней» в Сингапуре. Так что «Нельсона» не с кем путать.

Если будет война, то тут, на островах Балеарских, резидентуру нелегальную неплохо иметь. Гибралтар рядом. И Барселона. И Африка. И Франция с Италией... Море не зря Средиземным зовут. Тут узел при любом раскладе завяжется. При любом событий развороте с Балеарских островов божественный вид открывается на ситуацию стратегическую...

Но люди приближения войны не видят. Дыхания близкой войны не замечают ни матросы «Нельсона», ни их командиры, ни журналисты на берегу, ни депутаты в парламенте, ни дипломаты в посольствах, ни генералы в штабах, ни банкиры в конторах, ни министры в правительстве. Войны приближение чувствуют только разведчики и чародеи. Самые проницательные. Нутром. Словно ласточки — приближение катастрофы.

Чумазый оборванец карабкается все выше и выше. Он — из тех, кому начало Второй мировой войны представляется естественным и неизбежным, как затмение Солнца в точно вычисленный момент.

Публике же интернациональной, которая сейчас веселится под пальмами на широкой террасе у «Сон Виды», приближение войны не снится даже в кошмарных испанских снах. Этим людям не до войны. Они заняты. Они танцуют. Они смеются. Они пьют прохладительные напитки. И горячительные. Они целуются. Сегодня у них карнавал. Из черных подвалов катят виночерпии дубовые бочки с драгоценными винами. Огромная жаровня — прямо под орхидеями. Горький дым над дорожками стелется. Повар-виртуоз над раскаленными решетками работает, на поварят покрикивает. Официанты вышколенные меж гостями скользят со сверкающими серебряными подносами. Аромат цветов, аромат духов, аромат вина. Тихий говор плещется горной речкой. Все ждут... Сегодня тут, в «Сон Виде», будет самая роскошная женщина острова, а возможно, и всей Испании — сеньорита Анастазиа де Стрелеза, Птица огня.

Остров любит эту птицу. Птица огня несет острову богатство и процветание. Остров говорит только о ней, слухи опережают ее появление: известно даже, во что сеньорита Анастазиа будет сегодня наряжена — она появится в одеянии восточной повелительницы. Вот она! На великолепном жеребце, в расшитом золотом седле — повелительница-персиянка: из-под шелковой, перевитой жемчужными нитями чалмы, сквозь прозрачную вуаль — капризный прищур. За нею — кавалькада сияющей свиты...

Где такого коня достали? Знает Испания толк в лошадях. Такого жеребца-красавца только на картинах видеть можно в книжках волшебных сказок. Злой жеребец, как дьявол. Приплясывает. Серебряными подковами бьет. Искорки из-под копыт. Это совершенно особый звук — кавалькада по гранитной мостовой идет, и копыт перезвон чарующей мелодией над округой стелется. Это совершенно особый вид — повелительница и конвой. Это совершенно особый аромат — легкий дым над потопом цветов.

Улыбается надменная повелительница-персиянка, ее губы расплываются в улыбке все шире и шире, и вместе с губами расплывается в стороны все лицо, вся ее голова. Может быть, это случилось мгновенно, но Настя Жар-птица, мальчишкой-оборванцем наряженная, видела разрыв головы девочки-дублера во всех подробностях, как видим мы действие на экране, когда движение кадров чьей-то рукой замедлено или вообще остановлено.

Рванулся конь, взбесился.

Где-то далеко-далеко в чистом небе громыхнуло. Так в Испании бывает. Иногда. И закричали-завизжали вокруг: «Убита Птица огня! Птица огня убита!»

Не поняли люди: что же случилось? И полиция не поняла. И Насте-оборванке, на карнизе за обломком скалы затаившейся, тоже непонятно. Только у нее другое непонимание. Ясно: не небесная сила ударила, а кремлевская. Ясно: применено страшное оружие — Сталинский Аргумент. Ясно: во всем свете разрешение на применение такого оружия может дать один только человек. Но, черт подери, зачем? За что? В чем виновата она?

Агентурный выход Настя Стрелецкая провела так, как никто иной не проводил. Такой выход агентурный когда-то в учебники шпионажа впишут. А легализация! Ее легализацию никакими мировыми стандартами не оценишь. Ее легализация выше мировых стандартов на много порядков.

Совсем за короткий срок развернула Настя Жар-птица вербовочную базу потрясающей емкости. Все к работе готово. Вербуй ценнейшую агентуру батальонами, включая советников американского президента. Кроме того, создана неисчерпаемая финансовая база. Разведчик, как водится, у Центра деньги клянчит, кому когда их хватало? А Настя на свои кровные вербовать готова, она и Центру подбросить может, если потребуется. Настя Жар-птица даже и дальше инструкций пошла: обеспечила безопасность свою почти по-сталински, потому как безопасность любой организации или государства начинается с безопасности главы. Именно в безопасность она большие деньги вложила и много хитрости. Она ведь не только ученица чародея и ученица укротителя чародеев, она, кроме того, — ученица великого Макиавелли. А хитрец итальянский много веков назад учил нас: «Только те меры безопасности хороши, надежны и действенны, которые зависят от тебя самого и от твоих собственных способностей». Каждый сам для себя в этом мире строит систему безопасности. И ни с кем, включая своих телохранителей, секретами не делится. Следуя этому завету, Настя Жар-птица создала собственную систему королевской защиты. Она пока не королева, но сделала так, чтобы система защиты действовала еще до того, как она объявит о своем намерении восстановить испанскую монархию и принять тяжкое бремя власти. Да не одна система защиты создана ею, а несколько разных систем, чтобы действовали одновременно, дополняя и усиливая друг друга... Среди прочего прикрыла себя Жарптица тем, чем прикрывали себя все великие правители: двойником. Найти в Париже или на Лазурном берегу тоненькую девочку, на себя похожую, — не проблема. За риск двойнику платить положено. Стоит это совсем недорого. Впрочем, понятия, что дорого, а что нет, за последнее время в голове Жарптицы значение потеряли. Совсем недавно казалась дорогой даже небольшая квартира в Париже, на авеню Фош, квартира всего из двадцати семи комнат и четырех залов на трех этажах, квартира с шестью небольшими балконами, со скромным садиком и бассейном на крыше. Теперь же не кажется такая квартира дорогой. Квартира, она и есть квартира. Двойник — это тоже недорого для того, у кого есть деньги нанять девочку-дублера. Мордочку подрисовать — много ли ума надо? На то гримеры есть кинематографические. Совсем хорошо, если девочка-дублер на маскарад едет, если ее персиянкой нарядили: тюрбан на голове, вуалью лицо закрыто, плащом багряным закутана. Инструкция: улыбаться надменно, слов не произносить...

Не думала Настя Жар-птица, что своего дублера под сталинскую бронебойную пулю подставляет. Не думала, что Сталину зачем-то потребовалась жизнь наследницы испанского престола. Трон испанский Настя Стрелецкая еще не заняла, претензий на престол еще не заявила, еще даже и испанской инфантой открыто не назвалась, потому считала, что нет у нее пока врагов, потому считала, что некого ей бояться. Замену вместо себя на карнавал выставила не потому, что покушения ждала, не потому, что покушение возможным считала, просто времени у нее нет на маскарады, ей прессу захватить надо. Как без прессы толпами править? И радио надо на поводок взять. Под теплое крыло. Потому Настя делом занята, а вместо себя на маскарады двойника выставляет. Это к тому же и отработка элементов будущей системы безопасности. Заодно и шутка: догадаются ли, что на вороном жеребце может появиться не очень настоящая сеньорита Анастазиа?

Отправила Настя вместо себя девочку-дублера на карнавал. Осталась одна. И вдруг позвал ее чей-то неслышимый ласковый голос. И вдруг чьим-то чужим знанием поняла Жар-птица, что и ей самой там тоже быть следует — на карнавале, в долине миллиардеров, на вершине горы, в тенистом саду у «Сон Виды».

Там судьба ее решиться должна. Там ждет ее смерть. Там сейчас убивать будут. Поманила Настю смерть сладкой грустью: иди ко мне! Потянуло Настю к смерти той тягой непреодолимой, которая миллионы лет подряд бросает косяки благородных лососей в верховья диких порожистых рек, которая гонит самцов и самок на адский труд против ревущих водопадов, сквозь тысячи опасностей — к смерти! Встрепенулась Настя. Оделась быстро. Мальчишкой-оборванцем оделась. Не в юбке же сквозь кордоны и засады к смерти своей прорываться!

Приглашение у нее на карнавал было. Но приглашение свое она девочке-дублеру отдала. Подделать новое приглашение — времени нет. Спешить надо. Смерть не ждет. Потому пошла сквозь кордоны. Как учили. Тот, кто через сталинскую Москву незаметным ходить научен, через любые другие города и страны ходить может. Не оглядываясь. Прошла, прорвалась, оторвалась. Жаль, у охраны не овчарки немецкие, а ротвейлеры свирепые, черные с рыжей выпушкой на груди и в подхвостье. Когда ротвейлер рядом, особенно сука, Настя работать не может. Почему-то. Потому от ротвейлеров ей пришлось уходить не как ученице чародеевой, погоню охмуряя, а так, как обыкновенный диверсант уходит — сквозь воду, сквозь заросли и режущую осоку. И снова — через топь и грязь. Сердечко стучит. Разница в принципе не велика: гонятся за тобой презренные капиталистические псы или наши родные коммунистические собаки. Один черт — страшно...

Оторвалась от собак, но знает: ненадолго. Долина миллиардеров невелика размером, и вход в нее один, потому все сейчас на ноги подняты искать оборванца, который непонятно как в долину проник. Чужое знание подсказало Жар-птице, что опасность настоящая не позади, а там, впереди, на вершине, на террасе возле «Сон Виды». Именно там смерть ждет. Вот туда она и рванулась. Ее чародей учил не ждать встречи с бедой, не прятаться от судьбы, а идти навстречу опасности. Не сворачивая. Почему так надо делать, чародей не объяснил. Возможно, он и сам не знал, почему. Просто жизнь его так научила: если впереди пятеро ждут, с дубьем, а позади только двое путь отрезают, иди на тех, кто сильнее. На пятерых. Этому чародей Настю учил. И она пошла навстречу беде. Вверх. Вверх. Вверх. Карабкается Настя по склону среди скал и колючек, а по дороге-серпантину на вороном жеребце с арапами и свитой торжественно и степенно девочка-двойник к вершине поднимается. Тоже к смерти. Интересно Насте Жар-птице: одну ее убивать будут или девочке-двойнику та же судьба уготована?

Вскарабкалась Настя к вершине. На руках подтянулась. Из-за обломка скалы, из зарослей роз маскарад оценила. Красиво все-таки люди живут. Какие наряды! Какой блеск! Сколько же бриллиантов на людях! Тут-то и вступили лиловые негры на террасу под пальмы. Тут-то и разнесла бронебойная пуля дублирующую голову...

Вот это и непонятно. Настя Жар-птица сама шла навстречу судьбе. Но судьба ударила мимо, как кулак Родриго великолепного. И не судьба это бьет, а товарищ Сталин...

Зачем? За что?

Впрочем, долго не мучил вопрос: за что? Мало ли за что товарищ Сталин решил ее убить? Мало ли за что он своих людей убивает? Да за здорово живешь! Убивает, значит, надо. Причина не важна. Важно другое: что дальше делать?

Если бывают чудеса, если она отсюда вырвется, то что тогда? Тогда ждет ее второй выстрел из чертовой штуки под названием СА. Уж если товарищ Сталин приказал, то его ребята дело до конца доведут. Тут сомневаться незачем. Что же тогда делать? Вернуться в Москву и просить товарища Сталина пересмотреть дело? Может оказаться, что ее пытались убить по ошибке. Кто-то что-то не понял в ее действиях... Так бывает.

Можно сделать то же самое, но пересмотра не просить, явиться к Сталину: ваши горе-стрелки убили дублера, но если есть претензии, вот я, убивайте...

Можно, правда, в Москву не возвращаться. Она в Москве теперь убитой числится, и ее никто никогда не будет искать. Тем более — скоро война. Вторая мировая. Не до Жар-птицы будет. Потому может Настя просто пропасть. Бесследно. Хорошо мертвым числиться, тогда никто тебя нигде не ждет и не ищет. Южная Америка огромна и прекрасна. Затеряться в роскошных кварталах столицы Аргентины или столицы Бразилии... Совсем немного изменить внешность... Добывать паспорта и составлять легенды Настя обучена... Да ей и без легенды паспорт любой страны дадут: богатых везде любят... Кроме того, она теперь знает способы добывания денег в неограниченных количествах.

Еще можно убежать отсюда и написать картину «Третья мировая война» — три красные полосы перечеркнуты тремя черными. За это ждут ее большие деньги и оглушительная слава: еще Вторая мировая не началась, а у нее уже Третья изображена! Если напрячь воображение, собрать душевные силы и переполниться вдохновением, то можно попытаться и Четвертую мировую представить во всем ее ужасе и на холсте изобразить.

А можно офицерский полк тайно перебросить в Америку и развернуть настоящий большой бизнес по выколачиванию долгов...

Впрочем, зачем это? Денег у нее и так столько, что хватит на всю жизнь, сколько их ни трать... Если, конечно, отсюда вырваться выпадет.

Есть и еще возможность... Сейчас слух о загадочном убийстве разлетится мгновенно по всей стране. Птица огня — человек известный на Балеарских островах и во всей Испании. И во Франции. Так вот: если как-то отсюда вырваться, то можно будет потом воскреснуть! Не сразу. Через сорок дней... В Испании оценят.

Оценят, конечно, оценят. Но пальцы немеют. Вцепилась Настя в трещину, на том держится. Долго не протянешь — пальцы синеют, чувствительность теряют. А по рукам — боль. Он боли мутит. От боли — видения в голове. Мысли обрывками, мысли не продолжают одна другую. Дрожь от пальцев — по рукам к плечам и груди. Можно их чуть разжать... Пальцы. Тогда не будет больше проблем в жизни. Тогда не будет мучительного выбора... Разжать пальцы, и полетишь птицей над пропастью. Она же птица. Или как?

Почему-то мелькнула мысль о Драконе. Интересно, что сильнее: любовь или смерть?

Саша-Дракон, где ты? Почему не спасаешь Жар-птицу, которая висит на краешке скалы? Ты, видимо, сейчас где-то инструктируешь девочек из французской группы. Ты, Дракон, наверное, совершенствуешь их искусство целоваться. Ты толковый инструктор...

Ледяная ревность переполнила Настю и обожгла. Ревность — так ее сам Дракон учил — самое сильное из всех наших чувств. Ревность ведет как в смерть, так и в жизнь. Самое великое, что создало человечество за тысячи лет своей кровавой истории, творилось в порывах ревности.

Потому... Надо сделать что-то назло Дракону... Можно умереть ему назло. Жаль, что он об этом не узнает. Он-то думает, что ей уже голову разбила вдребезги пуля бронебойная по приказу товарища Сталина. Потому Дракон никогда не узнает, что она сорвалась в пропасть ему назло. Потому незачем умирать. Надо назло ему выжить.

Наша судьба — в наших руках. Каждому из нас в жизни дан момент, когда надо сделать свой выбор. От этого выбора зависит жизнь, а может быть, и что-то большее. Момент выбора наступает внезапно, и решение принимать надо без долгих сомнений. Такой именно момент и выпал Насте Жар-птице. Она шла на смерть, а очутилась у места преступления, у места убийства своего дублера, над пропастью, на краешке скалы.

Прямо над нею — сверкающие башмаки охранника, бдительно озирающего подступы к «Сон Виде».

Охранник готов полоснуть автоматной очередью по любому кусту, если шевельнется.

Под нею — раскаленные серые уступы, заплетенные колючим терновником, еще ниже — разъяренные охранники и свирепые псы, которые в округе рыщут, которым не терпится ее растерзать. Очутилась Жар-птица между небом и землей: впереди и выше — охрана, позади и ниже — погоня.

А перед нею выбор широкий, как небо над Средиземным морем.

Вниз, в долину спускаться? Не выйдет. Там оборванца чумазого ищут, там ее собаками разорвут.

Может, тут, на скале, до ночи переждать? Не удержаться тут долго. Она на краешке карниза стоит, полностью ступни на карнизе не помещаются. Держится только пальцами, кончиками самыми — за трещину...

Потому третий вариант: просто по рабоче-крестьянски подтянуться на руках и очутиться прямо на террасе в давке и панике, среди всеобщего смятения и непонимания, среди истерических воплей и бестолковой суеты. Ход хороший, но можно получить автоматную очередь в голову еще до того, как охранник именем твоим заинтересуется. Охранники сейчас больно нервные. Хорошо, когда тебя в морду бьют, — можно уклониться. Хорошо, когда тебе голову топором пожарным проломить норовят, опять же — уклоняйся. А от автоматной очереди — поди уклонись. Но если и не получить десять пуль между глаз, то и тогда появление грязной, оборванной Жар-птицы, мальчишкой-оборванцем наряженной, рядом с безголовым двойником — не лучшее решение. Такое непременно истолкуют превратно. Слух об убийстве двойника облетит остров и всю Испанию, и кто знает, как поймет толпа ее появление на месте убийства... Кто знает, как молва народная исказит и извратит непонятные ей совпадения.

Нет, наверх хода нет.

Выбирай, Жар-птица: вниз нельзя, вверх нельзя и на месте оставаться тоже нельзя.

И она выбрала...

Минуты слабости отошли. Она почувствовала себя смелой и сильной. Она впервые осознала себя не гадким утенком и даже не пушистой собакой с голубыми глазами, но гибкой, гордой хищницей, очаровательной злодейкой, самочкой ягуара, не созревшей еще полностью, но уже отведавшей вкус теплой крови, вкус власти. И даже не так. Она не хищница из породы кошачьих. Что может кот? Кот может вскарабкаться на телеграфный столб. А человек? Человек способен не большее. Любой из нас способен на невозможное. Любой из нас может забраться на стеклянный небоскреб, цепляясь за стекло только ногтями. Надо просто поверить в себя. Судьба дает каждому ровно столько, сколько он у нее просит. Надо только поверить в свою счастливую звезду, а уж она вынесет из любой беды, вознесет на любые высоты. На те высоты, которые пожелаешь, на те высоты, которые от своей судьбы требуешь.

Ощутила Настя себя настоящей Жар-птицей: изящной, дерзкой, неукротимой, свободной и вольной в делах и помыслах.

Итак, вниз или вверх?

Вверх! Только вверх! Навстречу опасности. Под автоматный ствол! Она же ученица чародея и ученица повелителя чародеев, их гениального укротителя. Она еще ни разу не воспользовалась тем, чему ее учили на трудных уроках сотворения чудес.

Час пробил. Вверх!

А потом?

Потом...

Почему не стать настоящей государыней? Повелительницей миллионов. Тайной или явной. Лучше — тайной.

Как все в жизни... это так просто.

Только поверить в себя.

Только захотеть.

Из-под ботинка выскользнул камешек и покатился вниз, позвякивая и увлекая за собой другие камни. Охранник над нею дико взвизгнул и рванул затвор автомата...

"Ледокол. День "М"

"Ледоколом Революции" нарекли советские лидеры Адольфа Гитлера. Лишь он мог сделать Европу уязвимой, расчистив путь мировому коммунизму. Пользуясь открытыми публикациями, военными мемуарами, материалами газет и журналов, Суворов создал документальный триллер, увлекательный, как самый "крутой" детектив.

Зачем Советскому Союзу понадобилась всеобщая воинская обязанность? Почему сверхсовременное техническое оснащение армии и великолепное вооружение не годились для обороны? Кто уничтожил советское партизанское движение в момент начала Второй мировой войны и почему? Какую непоправимую ошибку совершил Гитлер?

Странные и зловещие вопросы, не правда ли? Каждая страница "Ледокола" — это ответ, та самая страшная правда, которая скрывалась от нас за семью печатями. Но прочтите книгу и печати будут сняты!

Во второй части трилогии о войне — "День "М" — Суворов убедительными фактами доказывает, что 19 августа 1939 года — это день, когда Сталин начал Вторую мировую войну. Осенью 1939 года уже были созданы плакаты, песни и проекты памятников "воинам-освободителям", советских солдат спешно переобували в кожаные сапоги (не топтать же землю Европы в кирзе!), женщин сажали на тракторы, подростков гнали на военные заводы. Все это происходит задолго ДО нападения Гитлера. Ему оставалось лишь спасать себя.

Гитлер опередил Сталина на две недели. Вот почему "День "М" так никогда и не наступил.

"Последняя республика"

Разве Сталин проиграл Вторую мировую войну? Странный вопрос, не правда ли? Перед вами заключительная часть трилогии о войне — "Последняя республика". Итак, победа в сталинском понимании — захват как минимум всей Германии, Франции, Италии, Испании и их колоний. Этого не произошло, и началось разложение, которое привело советский коммунизм к неизбежному распаду.

Однако фашистский меч ковался в СССР. На чью голову? Суворов сопоставил все, что говорил Ленин, писал Гитлер и делал Сталин, — и получил потрясающие результаты, с которых теперь снят гриф "Совершенно секретно".

Прочитав эту книгу, вы узнаете о загадочной судьбе Дворца Советов, где в огромной голове Ленина собиралось заседать правительство; о пирожках с детским пальчиком внутри; о прорыве неприступной "линии Маннергейма"; о странных различиях немецких и русских разговорников... Был или не был готов Советский Союз к войне? Что бы ни утверждали историки, и нам, и детям нашим необходима совершенно иная версия Виктора Суворова, подкрепленная неопровержимыми фактами и цифрами...